HANNAH TUNNICLIFFE, nacida en Nueva Zelanda, confiesa ser una nómada. Tras graduarse en Ciencias Sociales abandonó su tierra natal para vivir en Australia, Inglaterra y Macao, así como en una caravana llamada *Fred*. Dejó una prometedora carrera en el ámbito de los recursos humanos para dedicarse a su pasión: escribir.

En la actualidad vive en Vancouver, Columbia Británica, con su marido, Matthew, y su hija, Wren. *El color del té* es su primera novela.

Título original: *The Color of Tea*
Traducción: Irene Saslavsky
1.ª edición: octubre, 2014

© Hannah Tunnicliffe, 2011
© Ediciones B, S. A., 2014
   para el sello B de Bolsillo
   Consell de Cent, 425-427 - 08009 Barcelona (España)
   www.edicionesb.com

Printed in Spain
ISBN: 978-84-9872-988-7
DL B 16187-2014

Impreso por NOVOPRINT
         Energía, 53
         08740 Sant Andreu de la Barca - Barcelona

El color del té

HANNAH TUNNICLIFFE

Para Matt.
Te encontré y ahora lo sé

Prólogo

Llegamos a Macao a finales del año del cerdo dorado. Al parecer, se trata de un tipo de año que acontece cada seis décadas, y que se caracteriza por traer buena fortuna. Así pues, cuando llegamos a lo que iba a ser nuestro nuevo hogar, justo cuando el año del cerdo dorado estaba a punto de acabar, había cerdos gordos y rosados bailando en anuncios de bancos, cerdos de dibujos animados vestidos con pijamas chinos colgados en las panaderías y pequeños cerdos dorados de recuerdo a la venta en las oficinas de correos. Todos esos gorrinos sonrientes y rechonchos resultaban de lo más acogedores. Era como si dijeran: «¡Bienvenidos a Macao! ¡Ya veréis como os gustará! ¡A nosotros nos encanta!» Y la verdad era que yo estaba dispuesta a aceptar toda la buena suerte que el cerdo dorado pudiera darme.

Macao es un apéndice de China, formado por una península y dos islas unidas por un hilo de terreno ganado al mar. Se trata de un país diminuto de veintiocho kilómetros cuadrados, engullido por el progreso y el juego, que en una época fue colonia portuguesa. Es el único lugar de China donde se puede echar una moneda en una máquina tragaperras o poner una ficha sobre una mesa cubierta de fieltro verde. El equivalente asiático de Las Vegas: luces brillantes y dinero rápido.

Desembarcamos del *ferry* procedente de Hong Kong el 8 de enero de 2008, una bonita fecha para empezar de nuevo e iniciar una nueva etapa. Nuestras maletas estaban cargadas de aquellas prendas ligeras que solamente usábamos durante el breve pero encantador verano británico. Mi marido australiano y su pelirroja flor inglesa de mejillas rosadas encarábamos aquella nueva aventura con ingenuo optimismo. Estábamos muy ilusionados.

A pesar de todo, era invierno, y uno especialmente crudo, de los más fríos que se recordaban, por lo que bajamos del barco tiritando. Cada día amanecía nublado. El apartamento no tenía calefacción central, y tardamos un poco en darnos cuenta de que necesitábamos un humidificador. Las paredes empezaron a llenarse de moho, que se fue extendiendo rápidamente, y había noches en las que era incapaz de sentirme los dedos. Era esa clase de frío húmedo que se mete en los huesos y no se va.

Aquí es donde empezaré, relatando nuestra vida a partir de este frío mes de enero, justo antes de que dé comienzo el año de la rata. Cuando ya no pudimos seguir escapando de la realidad; cuando la vida nos dio caza, después de seguirnos de Melbourne a Londres, y de Londres a Macao. Tanto trajín para acabar expuestos, incapaces de seguir refugiándonos en los detalles más triviales de nuestra vida, como quién se encarga de preparar el desayuno o quién va a recoger la ropa a la tintorería.

Había llegado el momento de buscarme la vida por mí misma, de crear algo de la nada. El fin de una esperanza y el principio de otra.

L'arrivée – La llegada

Caramelo dulce y ahumado con relleno de crema de mantequilla salada

Esta es la clase de viaje que haría mi madre. Subirte a un bus en un país extranjero cuya lengua te es totalmente ajena y cuya escritura no parece más que una sucesión de garabatos; y sola, salvo por la multitud de rostros que se vuelven y te miran fijamente. A ella le encantaría esto; ojos castaños escrutando la piel pálida y el cabello rojo; cuerpos cálidos apretujados unos contra otros mientras las ruedas van pasando por heridas del asfalto. Me pongo nerviosa y comienzo a sentirme algo mareada. Sujeto el bolso con fuerza y me disculpo en inglés, en vano, por estar en medio y molestar. Como Pete diría, me siento como un pulpo en un garaje.

A través de la ventanilla, mugrienta, veo la silueta de Macao. Avanzamos por el puente que va de la isla de Taipa a la península, como si nos estuviéramos metiendo directamente en el cielo, blanco y espeso. El bus efectúa varias paradas, frenando en el último momento, de modo que los pasajeros que van de pie caen unos encima de otros, como si fueran bolos. A pesar de todo, nadie se queja. Pasamos por el casino Lisboa, que está pintado con un tono naranja similar al de un mal cóctel, y que tiene ventanas redondas al estilo de los años sesenta. Luego, el nuevo y flamante

Gran Lisboa, que parece surgir del suelo como una piña gigante, con pétalos puntiagudos elevándose hacia el cielo. El bulbo de la base está iluminado como una gran pantalla convexa que emite anuncios publicitarios, peces, monedas y ofertas varias. Los pasajeros, la mayoría de los cuales visten camisa blanca y pantalón negro, bajan del autobús empujándome, y yo aprieto mi bolso contra el cuerpo y noto las esquinas de la guía que llevo dentro contra las costillas.

Llegamos al centro de la ciudad y las calles se vuelven más estrechas y difíciles de transitar. La mayor parte de los edificios son viejos bloques de apartamentos ennegrecidos por la edad, con manchas alargadas que caen de los marcos de las ventanas y ropa descolorida que cuelga de los minúsculos tendederos. Los ciclomotores sortean el tráfico frenéticamente mientras en las aceras hay hombres sentados, sorbiendo tallarines en cuencos de plástico. Apenas levantan la cabeza ante el ruido de los tubos de escape, de los cláxones y el chirrido de frenos. Poco a poco, la temperatura va subiendo y dejo de tener frío. Me quito el pañuelo que tenía alrededor del cuello y lo guardo en el bolso. Tengo la esperanza de llegar a San Malo, pero, como no sé cantonés, no puedo pedirle a nadie que me ayude. Al menos, tengo la seguridad de que nadie intentará trabar una conversación conmigo. Un pequeño motivo de regocijo.

Mantengo la cabeza vuelta hacia la ventanilla, buscando los puntos de referencia sobre los que he leído. Entramos en un barrio donde la calzada está compuesta por pequeños adoquines portugueses blancos y negros, dispuestos en ondas y otras formas imaginativas. En lugar de casinos deslumbrantes y bloques de apartamentos, hay edificios históricos. Los marcos de las ventanas son de color crema y las fachadas rosadas o amarillas; los mismos colores de los huevos de pascua. Todo es menos vívido que en la fotografía que hay en la guía, pero lo reconozco de inmediato.

—¡San Malo! —anuncia entonces el conductor. Me pongo de pie, pasando entre gente que se queda observando el color de mi cabello en lugar de mirarme a los ojos.

Hay turistas por todas partes, grupos cargados con bolsas de *souvenirs* que siguen a un guía, hombre o mujer, pertrechado con un sombrero de ala ancha y una pequeña bandera amarilla que ondea sobre su cabeza.

Le prometí a Pete que hoy saldría del apartamento y me dedicaría a explorar nuestra nueva ciudad. La excusa que he puesto para quedarme en casa era que tenía que esperar a que trajeran el sofá, que, por alguna razón, no llegó con el resto de los muebles. No obstante, ambos sabemos que eso no es realmente lo que estoy esperando. A principios de semana, me sorprendió leyendo *Qué esperar cuando se está en estado de buena esperanza*, mientras me encontraba tomando un baño caliente. Fingió no reparar en el título del libro y apartó inmediatamente sus ojos color avellana de mí, al tiempo que me sugería salir a visitar la ciudad y a tomar un poco de aire fresco. Solo ahora me doy cuenta de que me he acostumbrado de tal modo a refugiarme en el apartamento y permanecer anónima, que enfrentarme a la muchedumbre me resulta abrumador. Me meto por una calle secundaria, lejos de la multitud y del barullo, y trato de encontrar el templo que se menciona en la guía.

No tardo en hallarme delante de una gran puerta de madera de dos hojas, pintada con sendos dioses ataviados como guerreros, con ojos saltones y largas barbas movidas por el viento. Ya no oigo el ruido provocado por los grupos de turistas, y los adoquines blancos y negros de la calle están gastados y estropeados. He encontrado el templo tan fácilmente que es como si mis pies ya conocieran el camino. Me detengo ante un pequeño abeto podado que hay en una maceta junto a la entrada, cuyas agujas tiritan con el viento. Del interior llega olor a incienso y, un tanto insegura, decido subir los escasos peldaños. Dentro está oscuro, y hay estatuas, oro, frutas y pinturas. Sobre el suelo de cemento, cae cera de color ámbar de las velas que hay encendidas, y encima de mí quema el incienso, que cuelga del techo en gruesas volutas de color azafrán, como serpientes coloradas. Un gato con el pelaje a manchas negras, blancas y rubias pasa junto a mí. Me sobresalto un poco, y el animal se vuelve y me mira fijamente. De repente, alguien resopla.

—Se llama *Molly*; vive aquí —dice una voz en inglés, aunque con acento chino.

Tengo que entornar los ojos para distinguir la silueta de una joven en la penumbra, vestida con un chándal ajustado. Está de cuclillas, casi como la gata, y masca chicle. Tiene los ojos maquillados con lápiz negro, y una expresión facial a medio camino entre la curiosidad y el tedio, aunque no soy capaz de discernir cuál de las dos sensaciones es la correcta.

—¿Has venido a ver a mi tía? —pregunta.

—¿Te refieres a la vidente?

—Ajá —responde la joven con cierta desgana y sin asentir—. Sígueme.

Se pone de pie y se dirige a un lateral del templo, donde hay un patio minúsculo. Los rayos de sol que se cuelan dejan ver las motas de polvo danzando en el aire fresco. La muchacha sostiene un teléfono móvil engarzado con brillantes, y con un pequeño colgante de oro que pende de la parte inferior. Se vuelve y me lleva hasta una mujer mayor. La adivina no resulta ser en absoluto como me la imaginaba. Tal vez yo esperaba una especie de Lao Tzu con barba blanca y vestido con pijama de seda, pero lo cierto es que viste pantalones vaqueros y está sentada en una banqueta. Tiene el rostro muy moreno y el ceño fruncido, como si algo la irritara.

—No te preocupes —dice la joven del chándal—. Está de mal humor, pero te traduciré sus respuestas. Su inglés es atroz, así que pregúntame lo que quieras saber y yo se lo transmitiré a ella.

La chica desvía momentáneamente su mirada hacia mi mano izquierda, con la que tengo agarrado el bolso, y vuelve a dirigirla hacia mis ojos.

—¿Estás casada?

—Sí.

—De acuerdo. Bueno, tú solo dime sobre qué quieres saber: dinero, salud...

Sé exactamente lo que deseo preguntar, pero no consigo pronunciarlo. Nos miramos unos instantes, y me planteo la posibilidad de marchar de aquí ahora mismo.

—Claro —murmuro al fin.

La joven me acerca otra banqueta de plástico para que me siente delante de la adivina, que me mira fijamente. Tiene el cabello teñido de negro, con un gran mechón blanco que le sale de la parte de arriba de la cabeza. Me escruta como si buscara algún defecto en mí, con el rostro a escasos centímetros del mío, y yo, nerviosa, bajo la vista hacia el suelo. Veo que lleva puestas unas sandalias con tiras doradas y con falsos emblemas de Gucci cosidos de mala manera a los costados. Me pone la mano en la mandíbula, sujetándomela con las curtidas yemas de sus dedos.

—¿Qué clase de videncia es esta? —pregunto.

—*Sang Mien* —contesta la traductora—. Lectura de cara.

La adivina me agarra del hombro para que me acerque más a ella. Noto que me ruborizo, como si la mujer pudiera leer mis pensamientos, mis deseos más profundos y mis pesares más amargos.

—Vaya —digo.

—Dice que ya está lista —me comunica la joven con un bostezo, arrastrando a continuación su banqueta sobre las baldosas y poniéndose a mi lado. Su tía escupe una frase y la sobrina procede a traducir.

—Dice que tu cara es muy cuadrada.

Asiento; ciertamente, mi rostro podría describirse, eufemísticamente, como «ancho».

—Eso significa que eres una persona práctica. La forma de tus ojos demuestra que no eres precisamente optimista, pero que... eres intuitiva, y algo creativa. Tienes una mandíbula recia, lo cual quiere decir que tienes determinación y que puedes llegar a ser muy testaruda; aunque también eres generosa.

Se produce un breve silencio. La adivina mira a su sobrina, que parece estar pensando en cómo traducir algo.

—No sé cuál es la palabra exacta —dice—. Significa que no haces nada demasiado fuera de lo corriente, que no eres problemática. ¿Me entiendes?

Vuelvo a asentir. Debe de significar que soy conformista, y tiene razón. No como mi madre.

La vidente sigue escrutándome. Dice que mis orejas demuestran que aprendo rápido, pero también que puedo ser tímida. Luego se fija en mi nariz, y noto que me ruborizo. Mi apellido de soltera es Raven,* así que, cuando era más joven, solían llamarme Cara de Pico.

—La forma de tu nariz dice que eres independiente, que puedes ser tu propia jefa.

Ojalá las chicas que se burlaban de mí en el colegio hubiesen sabido eso.

—Y mi tía dice algo así como que también significa que trabajas para ayudar a la gente.

—Ajá —respondo. No estoy segura de que mi actual ocupación, si es que puede llamarse así, sea ayudar a nadie. Yo más bien diría que soy una esposa que sigue a su marido, que es quien trae el pan a casa. Me recuerda al trabajador del zoo que está todo el día detrás del elefante, haciendo ya sabéis qué. Pete siempre ha sido el más ambicioso de los dos, así que hemos ido donde se le ha necesitado; concretamente, donde los casinos le han necesitado. Antes de esta última mudanza trabajé de camarera en cafeterías, ba-

* «Cuervo», en inglés. (N. de la T.)

res musicales, restaurantes y bares de hoteles. Nada especial, lo justo para evitar estar desempleada y aburrida. Supongo que, quizás, eso podría considerarse ayudar a la gente. Es un trabajo que está dentro del sector servicios, pero no me parece correcto. Un médico, un bombero o un voluntario que presta ayuda humanitaria en África sí que sirven a las personas. Supongo que si soy buena camarera no es solo porque me encante la comida, sino también porque crecí aprendiendo cómo atender las necesidades de otra persona. Lo llevo en la sangre; o en la nariz, según parece.

La adivina se inclina hacia delante para cogerme la mano, y me acomodo en el banco. Empieza a dolerme la espalda. Muy concentrada, la mujer mira las líneas de la palma de mi mano y noto su aliento húmedo y cálido contra la piel.

—Mi tía dice que tienes un amor. Tu marido, ¿verdad? Dice que solo tienes uno.

Asiento de nuevo. Eso era fácil de adivinar. Llevamos casados el tiempo suficiente para que la alianza de oro rosa de mi mano izquierda prácticamente se haya fundido con al dedo, y la piel de debajo haya adquirido un color exageradamente pálido y se haya arrugado.

—Parece que es un buen hombre, pero tanto él como tú estáis un poco tristes; aquí —prosigue la traductora, señalándose el pecho a la altura de lo que supongo que es el corazón.

Asiento poco a poco.

—Tendrás una vida buena y saludable, sin problemas de dinero. Te quedarás en Macao un tiempo, aunque no demasiado.

La vidente frunce el entrecejo, me mira y vuelve a bajar la vista hacia la palma de mi mano. Trago saliva. La joven se guarda el teléfono móvil en el bolsillo y se acerca a su tía y a mí. La mujer vuelve a hablar en cantonés, subiendo un poco el volumen. Me inclino hacia delante, como tratando de entender algo de lo que dice, cosa que, obviamente, no consigo. La adivina deja de hablar y le hace una seña con el dedo a su sobrina.

—Vale, vale —dice la muchacha, poniendo los ojos en blanco—. Mi tía está hablando de niños, pero puede querer decir una cosa o todo lo contrario. Lo hace a menudo.

Suspiro levemente, deseando que la mujer me suelte de una vez, pero ella sigue con la mirada clavada en la palma de mi mano.

—Puede que venga uno... —sigue la traductora, haciendo una pausa que se prolonga unos instantes, mientras me fijo en las motas de polvo que revolotean a nuestro alrededor—. Vaya uno a saber —concluye, encogiéndose de hombros.

—No entiendo —digo, inquieta.

—Ya, lo dice como si tuviera sentido, pero no lo tiene. Pero también dice que lo más importante es que no te preocupes. Lo que significa que puede haber un bebé.

De repente, vuelvo a sentirme triste y mareada. Pedirme que no me preocupe es un consejo ridículo. Quiero preguntarle más cosas, y mil preguntas me bailan en la mente. Justo cuando estoy a punto de hablar, la adivina vuelve a abrir la boca, mirando a su sobrina. Me suelta la mano y la joven niega con la cabeza y aparta la vista de su tía, que se acerca a ella y levanta la voz.

—Perdón... —digo, pero no parecen oírme.

La tía pone una mano en la rodilla de su sobrina al tiempo que la señala. Entonces, la joven palidece y vuelve el rostro, para luego seguir departiendo de manera acalorada con la vidente en cantonés. Miro alternativamente a una y a otra, mientras sus voces suenan más ásperas y urgentes.

Me siento como si estuviese mirando a quien no debo. Cuanto más alto habla la adivina, más intensamente su sobrina fija las negras pupilas en mí.

—¿Puedo preguntar...?

—Eso es todo, basta —dice la traductora, bajando la vista. La adivina sigue hablando, pero ella me mira con una sonrisa forzada, al parecer sin hacer caso de las palabras de su tía.

Me pongo de pie lentamente y con esfuerzo, como si mis piernas se resistieran a obedecerme, pero la muchacha no hace el mínimo ademán de ayudarme. Meto la mano en mi bolso en busca de la cartera.

—¿Ciento cincuenta?

—Sí —responde la muchacha. Hace una pausa y añade—: Eso no incluye la propina.

—Ah, claro —digo, y le entrego dos billetes de cien dólares hongkoneses, nuevos y crujientes.

Los coge con ambas manos y vuelve a mirarme a los ojos. Su tía sigue murmurando y ahora sacude la cabeza. La muchacha no hace el menor caso de ella.

—Puedes quedarte con el cambio —agrego.

—Gracias —dice en tono inexpresivo.

Mientras me alejo del dulce aroma del incienso, noto que se me llenan los ojos de lágrimas, tal vez por efecto de la luz exterior. Respiro hondo.

Fuera, la multitud se mueve como un único ser, más grande que la suma de sus partes. Entre las nubes, el sol semeja una yema de huevo. Me acerco al bordillo y extiendo la mano para indicarle a un taxista que se detenga. Subo y le digo al conductor lo único que sé en cantonés:

—Gee Jun Far Sing.

Remède de délivrance — Remedio de urgencia

Violeta con crema y relleno amargo de grosella negra

Por fin, tres días más tarde, llegan los sofás. Un hombre toca el timbre y se queda quieto junto a dos compañeros sudorosos y dos sofás en sus respectivas cajas, mirándome como preguntándome: «Y ahora, ¿qué?»

Hace que los entren en casa y que los desembalen, y, antes de irse, me indica el espacio del albarán donde debo firmar. Ahora ya puedo sentarme en el salón y mirar por la ventana.

Vivimos en la sexta planta de Gee Jun Far Sing, en el complejo de Supreme Flower City. Los apartamentos son sorprendentemente espaciosos, y los muebles apenas si llenan el nuestro. Hay también una Super Flower City y una Grand Flower City, y, próximamente, una Prince Flower City, pero nuestro flamante edificio violeta es supremo. Resulta complicado no reparar en una construcción de cuarenta plantas de ese color, que se eleva hacia el cielo cual flor exótica. Si se mira un poco más de cerca, uno se percata de que no está pintada, sino revestida con pequeños azulejos de color violeta, como si de píxeles se tratase. Resulta que casi todos los edificios de apartamentos están hechos de la misma manera. Me imagino esas mismas baldosas impresas en sábanas, papel de empapelar paredes o dibujadas en la cobertura de una tarta nupcial.

Desde la ventana se ven el aparcamiento para residentes, que se encuentra en la cuarta planta, un solar y el edificio de apartamentos Nova City, que está justo enfrente, y que ya tiene unos años. Una vez debió de ser blanco, pero en la actualidad es tan gris como el cielo en un día con los índices de polución ambiental especialmente altos, y está manchado por el agua sucia que desprenden los aparatos de aire acondicionado. El bloque está vacío, y se supone que pronto van a convertirlo en un parque, o eso me han dicho. Cada semana surgen nuevos rumores: que si lo transformarán en un aparcamiento subterráneo, en una estación de una nueva línea de metro elevada, que harán otro casino... Pero lo cierto es que no sucede nada, y el edificio sigue sin ocupar, y cada vez más desvencijado.

Mientras contemplo el paisaje y hago lo que mejor se me da, que no es otra cosa que esperar, suena el teléfono, y el corazón me da un vuelco. Respiro hondo y trato de recomponerme. «Coge el teléfono, Grace», me digo. El corazón me va tan deprisa como un caballo de carreras en el Grand National. Me imagino mi diagnóstico en sus manos, una carpeta con adhesivos rojos y amarillos en un lado, en los que puede leerse «G. Millar». Aguardo a que el tono de su voz revele algo, pero la conexión es bastante mala. Oigo que carraspea.

—Hola, doctor Lee —lo saludo.

Me lo imagino en el extremo opuesto de la línea; al otro lado del mundo. El doctor Lee es más joven de lo que parece, supongo que por culpa de lo mucho que sonríe. Las arrugas que tiene en su redondo semblante se concentran alrededor de las mejillas, como si llevara años dando buenas noticias a sus pacientes. Pienso en su amplia sonrisa, y en sus brazos cargados con bebés rollizos y risueños vestidos de rosa o azul. A pesar de que llama desde su despacho de Londres, él es de Hong Kong, por lo que conoce Macao, que está a un tiro de piedra. De hecho, solía pasar sus vacaciones de verano aquí.

Pasaron dos años de dedos cruzados y relaciones sexuales programadas antes de que visitara su despacho, pintado de color verde y con flores de plástico en la recepción. Antes de él, había acudido a un endocrino. Mis niveles de hormonas folículo estimulantes eran elevados, y ambos sabíamos lo que eso quería decir. Resultaba más fácil hablar de eso que de la palabra maldita, aunque peor fue cuando, con toda naturalidad, barajaron una posible infertilidad, sin tener en cuenta lo mal que eso haría que me sintiera.

—Lo intentaremos con otro médico —le dije a Pete.

El doctor Lee nos ofreció esa sonrisa suya tan característica, y sentimos una nueva chispa de esperanza. El doctor tenía hijos, y eso solo podía ser una buena señal, ¿no es cierto? Había fotos de ellos sobre el escritorio, convenientemente dispuestas de modo que los clientes no pudieran verlas, pero se reflejaban en la vitrina que el doctor Lee tenía detrás. Una mujer sin hijos repara en esa clase de cosas.

Él me animó a tratarme con acupuntura, hacer yoga y dejar de consumir trigo. Perdí cinco kilos y crucé los dedos de ambas manos antes de cada prueba. Sin embargo, el maquillaje corrido me traicionó todas y cada una de las veces. Demasiadas lágrimas derramadas en ese lavabo. Deseaba quedarme embarazada con toda mi alma, y luego deseaba tener un período normal. Recé, pero fue en vano. Solo quedaba una prueba. Incluso Pete me pidió, con un susurro, que fuese la última.

Él había tenido que aguantarlo todo: mis hormonas, mis cambios de humor, mis llantos... Además, yo también estaba demasiado cansada para ponerme a discutir con él. Aquella era la última vez.

Ahora, mientras contemplo Macao, siento la apremiante necesidad de aplazar lo que el doctor tiene que decirme.

—Grace, ya tengo los resultados.

El tono de su voz no deja lugar a dudas. Pienso en las fotos de sus hijos.

—Me temo que no es lo que esperábamos. Pensaba que con el tratamiento hormonal y las terapias alternativas tendríamos una oportunidad, pero...

La voz del doctor Lee se convierte en un mero zumbido. Soy incapaz de escuchar lo que dice, y lo cierto es que tampoco me importa. Lo único que consigo oír es el término «fallo ovárico prematuro». Soy una vieja de poco más de treinta años.

Cuando Pete llega a casa, yo sigo tumbada en el sofá. Ya es de noche, pero las cortinas siguen corridas. No he tenido valor de llamar para contárselo, aunque lo he pensado.

Él me escruta con la mirada mientras se quita los zapatos.

—¿Grace? —dice.

Me imagino lo que está viendo: a su esposa, acurrucada y con cara de estar harta. Se sienta a mi lado y me coge la mano. Entonces, apoya la espalda contra el respaldo y suspira. Ambos clavamos la vista en el televisor, porque es lo que tenemos delante, a pesar de que está apagado. Ese rectángulo negro es como la tercera persona de la conversación.

Al cabo de un buen rato, dice:

—Tenemos que hablar del tema, Grace. Tiene que haber algo más que podamos hacer.

Su tono de voz es enérgico y alentador. Es su voz de macho alfa, la voz que hace que los demás hombres graviten a su alrededor como lobos en torno al líder de la manada. Supongo que es por eso por lo que es un mánager tan bueno. O tal vez sea cosa de sus feromonas. Nunca se pone bálsamo para después del afeitado, así que siempre huele a él, a esa esencia salada que solía volverme loca. Ya no.

Sacudo la cabeza.

—Gracie, ¿qué te ha dicho exactamente? —pregunta

Pete. Me aprieta los dedos con ternura, pero es evidente que está siendo condescendiente, y yo no quiero que se compadezcan de mí.

Dice algo más, pero no lo escucho, si bien me vuelvo hacia él y lo miro. Tiene el cabello espeso y rizado, más propio de un músico que de un hombre de negocios. Como siempre, le vendría bien un corte de pelo. Ya se lo recordaré más adelante. Hace demasiado tiempo que no me fijo realmente en él y, a través de la tristeza en la que me hallo sumida, caigo en la cuenta de lo mucho que nos hemos distanciado. En cierto modo, Pete me parece un extraño. Estos últimos años intentando tener un hijo han hecho que cada uno haya acabado yendo a la suya. Me fijo en sus cejas, de color castaño, y en las bolsas debajo de sus ojos, consecuencia de la falta de sueño. A cada lado de la boca, en las mejillas, tiene lo que parecen dos paréntesis. Pete inclina la cabeza hacia un lado y frunce el ceño. Hay tanta pena en su rostro que hasta me entran náuseas. ¿Qué puedo decir?

—No quiero hablar de ello —sentencio.

He adquirido un nuevo talento. He pasado de esperar a dormir. Pete consigue que alguien le recete somníferos, y yo sustituyo las comidas por ellos, tomándolos a intervalos regulares para evitar estar despierta. No tengo ganas de estar consciente.

Un día, despierto envuelta en un sudor grasiento. He soñado con mamá.

Estábamos en un campo de amapolas, cuyos pétalos, rojos y seductores, se agitaban con la brisa mientras caminábamos entre ellos. Mamá iba algunos pasos por delante y cantaba, o eso creo recordar. Tal vez hablaba con las flores, porque tenía la cabeza inclinada hacia ellas y una sonrisa de oreja a oreja dibujada en el rostro. Se puso el cabello detrás de las orejas. La luz del sol nos calentaba, y la brisa era fresca. «Te adoro, Gracie mía», parecía querer decir mamá con su expresión de felicidad, lo mismo que solía decirme de pequeña, cuando me arropaba por la noche. Todo parecía estar bien hasta que, de repente, oí un estruendo, como un rayo o un latigazo contra el suelo, y una bandada de pájaros salió volando. Mamá y yo nos miramos, y vi que su cara palidecía y su expresión se apagaba. Era como si se estuviese volviendo transparente.

Creo que vi que su boca dibujaba la palabra «perdón». De golpe, sentí un miedo horrible. Traté de acercarme a ella, pero mi falda se enganchó con las amapolas. Mamá seguía cantando, pero en voz tan baja que yo solo veía moverse sus labios, pintados de rojo. Se estaba desvaneciendo, y me puse a llorar. Por fin, conseguí asirla y apoyé la oreja contra su boca, mientras mis lágrimas corrían por su cuello y su blusa. Entonces la oí susurrar la letra de *Summertime*.

Me incorporo e intento que el recuerdo del sueño se desvanezca. La imagen de su rostro, el sonido de su voz e incluso la fragancia de su perfume favorito se resisten a abandonar mi mente, y me dejan aturdida y sin aliento. Alargo la mano hasta la mesilla de noche y cojo otro somnífero. Tardará una media hora en hacerme efecto, pero estar despierta resulta demasiado doloroso. Me duelen los músculos, pero el corazón aún más. Dirijo la vista hacia la ventana y entrecierro los ojos a causa de la luz del sol que se cuela por ella. Se acerca la primavera, y el año del cerdo dorado está a punto de concluir. Y ahora, ¿qué?

Fue en esos momentos, encerrada en el baño, esperando a que la prueba saliera de color azul, cuando empecé a pensar de nuevo en mamá. Ahora está conmigo aquí, en Macao, paseándose por mis sueños. «Las hijas no entienden realmente a sus madres hasta que ellas mismas se convierten en madres», me dijo una vez una compañera de trabajo. Puede que tuviese razón. Mamá me ha venido a la cabeza mientras aguardaba en salas de espera de médicos y miraba a mujeres con niños en sus cochecitos. Hacía mucho tiempo que la había apartado a ella y sus misterios de mis pensamientos y, sin embargo, ahí estaba de nuevo, cogiendo mis manos de niña y bailando conmigo, haciendo pasteles de barro y compartiendo sonrisas y lágrimas. No podía dejar de pensar en ella y en todo lo que vivimos juntas. Había días que me daba la impresión de verla en la carnicería o subiéndose al tren. De todos modos, dijera lo que dijese mi compañera de trabajo, creo que jamás entenderé a mamá. Me masajeo las sienes y recuesto la cabeza en la almohada.

Pete ha dejado los restos de un bocadillo en la mesita de noche, en un plato blanco, debajo del cual hay una libreta. No puedo evitarlo. Ya se ha convertido en una costumbre. Cojo la libreta y busco un bolígrafo. Empecé a escribirle cartas a mamá cuando Pete y yo comenzamos a intentar ser padres. Hay algo en ello que me relaja, que hace que me sienta mejor, al menos durante un rato. Algunas mujeres tienen un diario; yo le escribo a mamá, esa pelirroja indomable, la persona que conoce lo mejor y lo peor de mí, y que nunca se aleja demasiado de mis pensamientos.

Querida mamá:

¿Te acuerdas de aquella vez que un pájaro chocó contra la ventana, cuando vivíamos en Borough? Estábamos en la cocina, cocinando merengues y tartas, cuando oímos un golpe seco. Ambas levantamos la vista y tú dijiste: «Ay madre, eso ha sonado como si hubiera caído un ángel.»

Yo pensé que hablabas completamente en serio, y traté de subirme al fregadero para ver al ángel. Esperaba encontrarme con una dama de cabello rubio y rizado frotándose la cabeza y acomodándose su largo y fastuoso vestido azul. Ya sabes, igual que la figura que poníamos siempre en lo alto del árbol de Navidad. Pero en su lugar vi a un pajarito asustado en el alféizar.

¿Te acuerdas de que lo cogimos y lo metimos en un recipiente para helados vacío, junto a un par de calcetines? Se quedó tumbado de costado y nos miraba con un ojo medio cerrado. Podíamos ver su corazoncito latiendo tan deprisa que pensé que iba a explotarle del miedo. Luego llevaste el recipiente a la cama, te sentaste junto a él y te pusiste a cantar *Amazing Grace* en voz baja.

Abriste una botella de Remedio de Urgencia y pusiste el gotero junto al pequeño pico naranja del pájaro. Estaba segura de que no abriría la boca, pero lo hizo, aunque solo un poquito, y consiguió beber algo. El resto le cayó en el pecho, entre las plumas. Tú seguiste cantando, hasta que, por fin, después de lo que pareció una eternidad, pero que no fueron más que unos pocos minutos, el animal empezó a moverse y consiguió ponerse de pie. Con un ojo te miraba a ti y con el otro a mí. Lo llevamos a la terraza, ¿recuerdas? En cuanto estuvimos arriba, salió del recipiente y se fue volando. ¡Qué rápido recordó cómo se hacía!

La verdad es que no sé qué hacer, qué decir, qué pensar, ni qué sentir, mamá. Solo puedo pensar en otras cosas; igual que aquel pájaro. Si pienso en el asunto en cuestión, me siento como si estuviera ahogándome, como si no pudiera respirar. El corazón empieza a latirme como el de aquel pajarito y solo deseo que estuvieras aquí para cocinar conmigo, para cantarme, para acariciarme el pelo.

Tu hija que te quiere,

GRACE

Más tarde, por la noche, me encuentro tendida en el sofá. Tengo el televisor encendido, pero estoy mirando por la ventana.

—¿Estás despierta, Grace? —pregunta Pete, que ha llegado a casa y se ha encontrado el apartamento a oscuras. He olvidado encender las luces. Acciona el interruptor que hay junto a la puerta y se quita los zapatos.

Esbozo una sonrisa. Parece tan preocupado que es lo mínimo que puedo ofrecerle. En cuanto se acerca a mí, levanto la mano y le toco la boca con la yema de los dedos. Se trata de la misma boca a la que esta mañana le he dado un beso de despedida, pero, por alguna razón, me resulta extraña. Vuelvo a besar sus labios, como si estuviera probando una fruta por primera vez.

Nunca va a ser padre.

Cuando aparto la mano de él, Pete me mira con resignación.

Nunca va a ser padre, y por culpa mía.

Me inclino sobre él y lo beso con tanta fuerza que noto el regusto a hierro de su sangre. Debo de haberle hecho daño en la encía, pero tengo ganas de morderle el labio. Él gime suavemente y se separa un poco de mí, para poder observarme mejor. Entonces, me coloco encima de él, hundiendo su rostro en los cojines, oscuros. La penumbra hace que su imagen sea borrosa, pero vuelvo a abalanzarme sobre su boca y aprieto los labios contra ella de manera que hasta puedo sentir sus dientes. Hago una pausa para tomar aire. Sé que me está mirando, pero no dice nada. Solo se escucha el cálido sonido de nuestra respiración entrecortada.

Le quito la corbata, que produce un sonido siseante alrededor del cuello de la camisa, que Pete se desabrocha mientras yo procedo a quitarle los pantalones. A continuación, me quito la blusa por encima de la cabeza y él me desabrocha el pantalón. Luego, cuando me suelto el sujetador, él me coge por los brazos un instante, manteniéndolos pegados a mi espalda. Permanecemos así un momento, inmóviles, medio desnudos y con los calcetines puestos. Los de Pete son cortos y negros, y están calientes de no haberse descalzado en todo el día.

—Yo...

Intenta decirme algo, pero no consigue concluir la frase. La expresión de su rostro refleja un sinnúmero de pensamientos tácitos. Sirviéndome de la mirada, le suplico que prefiero que no diga nada, y él transige.

Siento su excitación a través de la ropa interior, y trato de recordar cuándo menstrué por última vez, y si es posible que ahora esté ovulando. Ya se ha convertido en una costumbre. Sin embargo, no tardo en dejarlo estar; ya no importa. Pete me suelta los brazos y posa las manos en mis muslos. Le bajo los calzoncillos y tomo su erección. Él gime con fuerza y echa la cabeza hacia atrás, de modo que casi no veo otra cosa que su mentón. Me quito los pantalones, los tiro al suelo y, sin más preámbulos, me siento encima de Pete, que contiene el aliento, sorprendido. Levanta las manos hacia mis pechos, pero yo se lo impido, manteniéndole los brazos pegados al cuerpo. Empezamos a movernos al mismo tiempo, rítmicamente. Siento un ligero dolor provocado por la falta de lubricación, pero cierro los ojos con tanta fuerza que veo estrellas, y eso impide que piense en cualquier otra cosa. En realidad, pienso, no solemos ser tan apasionados. Pete gime más fuerte y se suelta para, acto seguido, agarrarme como si yo estuviese a punto de caer y apretarme contra él. Jadeamos y gritamos en la penumbra, hasta que alcanzamos el clímax, nos abrazamos con fuerza y hundo la cara en su cuello, sintiendo el olor a salitre de su piel. ¿Cuánto tiempo hacía que no hacíamos el amor simplemente por placer?, pienso, enfadada y entristecida. Pete me susurra algo contra el pelo y le clavo los dientes en el hombro, hasta que grita satisfecho y yacemos en el sofá, resollando.

Más tarde, cuando ya se ha dormido, me quedo mirando su boca, abierta, mientras ronca.

Observo su rostro en la oscuridad, el rostro del hombre con el que me casé en Bali. Hace tanto que soy incapaz de recordar todos los detalles de aquel día. Bajo la vista de su boca a su vientre y a sus piernas, para luego volver a contemplar su semblante. Por muchas cervezas que se tome o hamburguesas que se coma en su escritorio, en las breves pausas que tiene para almorzar, su cuerpo de hombre de mediana edad sigue funcionando perfectamente en la cama, cosa que hace que me sienta fatal conmigo misma; rota por dentro. Continúo mirándolo un rato más, fijándome en el vello de su pecho y en la suavidad de su barriga. De repente, pienso en comerme una tarta de tomate, dulce y caliente, como la que hizo que nos enamoráramos.

Me había escapado de Londres y me había trasladado a Melbourne. En Australia el cielo era más azul, y me sentía como si finalmente toda yo pudiera respirar de verdad. Me había agenciado un amante que vivía en Northcote, en un piso justo detrás del supermercado Coles. Se llamaba Dan y distaba de ser un buen partido, pero cuando bebía resultaba divertido. A decir verdad, tampoco es que importara demasiado; no buscaba al hombre perfecto, solo a alguien que besase medianamente bien y con quien pudiese ser joven y estúpida, y Dan cumplía con esos requisitos.

Una mañana, mientras Dan dormía y yo estaba con resaca, decidí ir por algo de comer. Bajé hasta Coles vestida con el pantalón de chándal de Dan, una camiseta y un par de viejas chancletas de color verde oscuro que encontré junto a la puerta. Me sentía hambrienta a causa de la resaca y no podía pensar con demasiada claridad. Ignoro cuánto tiempo estuve dando vueltas por el súper tratando de decidir qué preparar para comer, si bocadillos de pollo y mayonesa, pizza, espaguetis a la boloñesa, nachos con nata agria... Por fin acabé en la sección de frutas y verduras. Junto a los melocotones había cajas llenas de tomates en rama, cuyo olor era casi sexual y del cual me impregné al coger una de las cajas. En el fondo había algunos medio podridos, pero los demás, gordos, rojos y perfumados, se encontraban en perfecto estado. Encima de las pilas de cajas, un cartel escrito a mano indicaba que cada una costaba cinco dólares.

El aroma me trajo el recuerdo de una *quiche* que mamá me hizo una mañana. Yo debía de tener unos seis años. Todavía estaba oscuro cuando me despertó el olor de tomates y queso de cabra cocinándose en el horno. Entré en la cocina atraída por el canto de mi madre, que llevaba puesto un jersey de punto violeta que había tejido ella misma, un pantalón de pijama con las perneras manchadas de barro y un calcetín rojo y el otro negro.

—¡Señorita Grace Raven! —exclamó a modo de recibimiento mientras sacaba del horno la primera gloriosa *quiche* de tomate. Debían de ser las cinco de la mañana, pero se me hizo la boca agua.

En la cocina hacía calor, y mamá tenía una sonrisa de oreja a oreja dibujada en el rostro. Al acostarme la noche anterior, ella estaba de mal humor, de modo que esa sonrisa me sorprendió. Aguardé un instante para asegurarme de que no me lo estaba imaginando, y ella se puso a dar vueltas por la cocina igual que una mosca de verano, canturreando muy alegre. La seguí con la mirada sin despegar del suelo mis pies descalzos.

—Tu madre ha hecho *quiche* de tomate para desayunar —agregó—. Una tarta para las dos reinas de esta casa: tú y yo, cariño. ¡Tú y yo!

Su sonrisa era un poco demasiado radiante, y me limité a prestar atención mientras ella me explicaba cómo había amasado el hojaldre y lo había pintado con aceite. Me dio a oler una rama de tomillo y me dijo lo bueno que era el ajo para mantener a raya los resfriados. Siguió hablando de comida, cantando, riendo y cocinando hasta que empezó a entrar luz por la ventana. Entonces, nos sentamos y comimos tarta directamente con la mano. Mamá me dio sendos besos en las mejillas y advertí que olía a ajo. Recuerdo que le cayó un poco de queso caliente en el jersey y se secó sobre la lana.

Volví a casa de Dan cargando la caja, y seguí pensando en mi madre mientras preparaba los tomates y machacaba el ajo. El contacto del jugo del tomate contra mis uñas mordisqueadas me hacía escocer las puntas de los dedos. Cuando metí la *quiche* en el horno, me sentía famélica y mi aspecto debía de ser espantoso. Estaba despeinada, tenía en los ojos restos del maquillaje de la noche anterior y la vieja camiseta que llevaba puesta se encontraba cubierta de manchas. El aroma de la *quiche* cociéndose resultaba embriagador. Me hallaba sumida en mis recuerdos, cuando un hombre entró en la cocina procedente de la sala de estar, con el torso desnudo y expresión somnolienta. Hizo ademán de acercarse a la nevera, pero topó con la caja de tomates. Su aspecto era peor que el mío.

—¿Qué coño...?

Rizos castaños caían sobre sus ojos y tenía los dientes inferiores ligeramente torcidos. Los superiores, sin embargo, eran bonitos, blancos y parejos. Di por sentado que se trataba del compañero de piso de Dan.

—Lo siento, ya la levanto —le disculpé con mi mejor acento británico, y deseando haber tenido puesto el sujetador, por más que oliera a humo y a cerveza—. Son tomates; estoy preparando una *quiche*.

—¿Que estás preparando una qué? —dijo el desconocido, mirándome de arriba abajo y deteniéndose momentáneamente en mis pies.

—Eeeh..., una *quiche* de tomate... Por eso está ahí la caja —añadí, señalándola.

Él sacudió la cabeza y se echó a reír.

—Joder, qué acento más pijo... ¿Una *quiche*? Eso es un pastel o algo así, ¿verdad? —dijo, abriendo la nevera y sacando un *brick* de zumo de naranja. Miró la fecha de caducidad y frunció el entrecejo.

—Bueno, no, es más parecido a una tarta...

Yo era consciente de que sonaba algo remilgada, pero mi acento no es elegante, sino, sencillamente, británico.

El único pelo que tenía en el pecho eran unos pequeños círculos de vello por entre los que sobresalían sus pezones. Por el amor de Dios, ¿acaso no podía cubrirse? Me miró y sonrió, mostrándome los dientes, y entonces me di cuenta de que estaba bromeando. Había olvidado lo bromistas que suelen ser los australianos.

—Vale —dijo en tono más amable. Se apoyó contra la puerta de la nevera y bebió directamente del envase. Se pasó la lengua por el labio superior, manchado de zumo, y se volvió hacia el horno—. Pues la verdad es que huele bien.

—Gracias.

Advertí que reparaba en el desorden que yo había provocado en la cocina. Todo estaba manchado de tomate: el fregadero, los cuchillos, la encimera... Tener resaca no es lo más adecuado para mantener la cocina en orden mientras se guisa. Mi desorden era incluso peor que el de mamá.

—Puedes comer un trozo si quieres —le ofrecí, y él asintió—. Por cierto, me llamo Grace. Soy la... —Hice un gesto con la cabeza hacia la habitación de Dan con toda la naturalidad de que fui capaz. La puerta estaba entornada, pero por el hueco se veía, asomando por entre las sábanas, una nalga desnuda de mi amante.

El compañero de piso de Dan miró en aquella dirección.

—Eh, vale... —dijo, aparentemente impertérrito ante la

desnudez de su amigo. Imagino que ya le había visto el trasero en otras ocasiones—. Yo me llamo Pete, y sí, creo que aceptaré tu ofrecimiento.

Nos sentamos en la mesa de la sala de estar y pusimos las noticias. La *quiche* estaba buenísima. Mi madre se hubiera sentido orgullosa. Nos la comimos entre los dos antes de que Dan se despertara. Pete acabó chupándose los dedos y diciéndome que estaba deliciosa. Me contó que trabajaba de *pit manager* en el casino, y que había ido a la universidad con Dan. Pete decía que Dan era buen chico, pero que se emborrachaba demasiado a menudo, cosa que, probablemente, fue bastante acertada. Pete iba a mudarse en pocos meses. Dan y él llevaban años compartiendo piso, y ya era hora de un cambio. Mientras iba hablando con esa voz grave y fuerte, me fijé en sus ojos verdes y en sus pestañas oscuras. Estuvimos horas comiendo, hablando y viendo la televisión. Pete admitió que mi *quiche* era la mejor tarta que había comido jamás. Su compañía resultaba agradable, y era casi como estar con alguien de la familia, si hubiera tenido más familia aparte de mamá, claro. También me comentó que me había puesto sus chanclas.

Ahora, tantos años después, Pete yace desnudo en la cama, y sus preciosos ojos verdes están cerrados. Está justo a mi lado, pero es como si nos separara un océano. Me meto en la ducha y, en cuanto me echo a llorar, lo hago con lágrimas grandes y tibias. Me pongo debajo del agua, que me corre por los ojos, la nariz y el pecho. De repente me siento demasiado cansada para estar de pie, así que me siento y aprieto las rodillas contra mis senos. Me imagino a mamá entrando en el cuarto de baño y viéndome así. Por muy malhumorada que estuviese, me habría alcanzado una toalla y me habría dicho que me pusiera de pie y que fuera a la cocina. Luego, habría puesto agua a hervir, habría llenado una botella que, después, habría metido dentro de una funda de lana, y habría preparado té. Aguardo con la espalda contra los azulejos del baño, pero nadie acude a envolverme en una toalla. Solamente se oye el agua cayendo.

La Ville-Lumière – La Ciudad de la Luz

Crêpe parisino de plátano con salsa de chocolate y avellanas

Una vez que Pete se va a trabajar, el apartamento se queda en paz y reina el silencio. El televisor está apagado, los grifos cerrados y no se oyen pasos en el parqué. Levanté la cabeza de la almohada un par de veces para hablar con él mientras se vestía, pero, como de costumbre, no supe por dónde empezar. Durante semanas ha intentado que conversemos, pero lo he evitado echándome en la cama y hundiendo la cabeza en la almohada. Finalmente, ha desistido. Me arriesgo y vuelvo a abrir un ojo; la luz del sol primaveral es casi cegadora. Suspiro, abro el otro ojo a regañadientes y me levanto. Me acerco a la ventana y veo a Pete caminar en dirección al trabajo. Ahora debe de hacer más calor, porque lleva la chaqueta al hombro. Mira atentamente algo que tiene en la mano; apuesto lo que sea a que es su teléfono móvil. Deseo que se vuelva para saludarlo. Levanta la vista y por un instante creo que va a hacerlo, que presiente que estoy junto a la ventana observándolo, con las manos a los lados del marco, pero sigue andando sin mirarme.

El sol atraviesa el cristal de la ventana y noto el vello de mis brazos erizarse. Buenos días, sol. Buenos días, día. Las nubes son esponjosas, como si las hubieran sacado de la capilla Sixtina y las hubiesen puesto en el cielo de Macao. Re-

posan sobre la sábana de color azul intenso que es el ines-
peradamente límpido cielo de hoy. Apoyo la cabeza contra
el cristal y respiro hondo; tal vez sea posible absorber tanta belleza. Inclino la cabeza hacia un lado y me fijo en la
isla que es nuestra cama. Las sábanas están arrugadas y habría que lavarlas. Huele a polvo y pan rancio. Soy consciente de que necesito dejar de vivir como una ermitaña, pero el
esfuerzo que supone vestirse y salir del apartamento parece
demasiado grande. Respiro hondo para insuflarme ánimos
y busco mi sujetador deportivo debajo de la ropa interior
de encaje que hace tanto tiempo que no uso.

Salgo del ascensor vestida con pantalón de chándal, camiseta y zapatillas de *jogging* y el portero me mira. Puede
que tenga mala cara, pero por lo menos estoy despierta y en
movimiento. Me pregunto si el hombre se sorprende de
verme a estas horas o sencillamente de verme. Me sigue con
la mirada hasta que salgo por la puerta principal del edificio.

A pesar del cielo azul, el aire huele a humo de escape y
no se oye otra cosa que frenos y bocinas, los sonidos mati-
nales de la gente que va camino del trabajo o que lleva a sus
hijos a la escuela; dos destinos que no son precisamente el
mío. De pronto pienso que me encantaría estar en un tranquilo parque inglés o en una bonita playa australiana. Paso
junto a una mujer vestida con pijama que sorbe su sopa
ayudándose con una cuchara. Levanta la vista y me mira con
ojos somnolientos e inexpresivos, para un instante después
volver a concentrarse en su comida. El que yo no despierte
su interés me tranquiliza. En este lugar me siento como un
bicho raro, de tan pálida y alta que soy. Tan extranjera. Y
este último sentimiento se acrecienta con cada año que pasa,
como si hubiera estado alejándome de mí misma, primero
escapando a Australia, luego volviendo a Londres y por fin
viniendo a China. Miro las tiendas que hay a los lados de la
calle. Todavía no han abierto. No lo hacen hasta las diez,
como mínimo, pero cierran muy tarde. Puedes entrar en una

de ellas a las diez de la noche y el dependiente saldrá de la trastienda limpiándose la boca de sopa y arroz, dispuesto a atenderte. A estas horas de la mañana, sin embargo, las persianas metálicas siguen bajadas, semejantes a párpados fuertemente cerrados. Me imagino un cartel en chino que dice: LO SENTIMOS, ESTAMOS DURMIENDO.

A pocas manzanas de aquí hay una escuela, y en una esquina, a muy pocos metros de donde me encuentro, un parque infantil. Trato de no mirar, pero no consigo evitarlo. El parque es pequeño, de cemento, triste. Tiene un extraño surtido de réplicas de yeso en miniatura de monumentos famosos. Hay una torre Eiffel, un puente de la bahía de Sydney que me llega a la altura de las rodillas, y un puente de Londres desproporcionado. Es como si hubieran puesto pequeñas partes de mi vida solo para mí. Me agarro a la verja. Los niños están en la escuela y el parque se encuentra desierto. No hay hierba, ni pequeños, ni carcajadas. Trato de darme prisa y de contener las lágrimas.

Paso por delante de la panadería de la esquina, cuyos aromas, dulces e intensos, me han alcanzado varios metros antes. La calle está llena de coches aparcados en doble fila, de gente que baja corriendo a buscar el desayuno. Frente a la entrada se ha formado una larga cola. Dentro, en el mostrador, hay pilas de bollos y rollitos rellenos de carne de cerdo, rebanadas de bizcocho de miel y paninis de jamón y queso. Es un olor distinto del de las panaderías europeas. En una ocasión compré una barra de pan, pero su sabor era ligeramente dulce.

Me detengo a pocas manzanas de la escuela y respiro hondo. No estoy llorando. El momento ya ha pasado. Miro alrededor, como si la ansiedad y la emoción estuvieran a punto de saltar sobre mí, pero nada de eso ocurre. Se levanta una leve brisa que me aparta el cabello de la frente. Un taxi pasa de largo, y una anciana de cabello canoso me mira fijamente. Me percato de que estoy a solo cinco manzanas del complejo de apartamentos Supreme Flower City. Lo veo en la distancia, violeta, elevándose hacia el brillante cielo azul. Delante de mí se alzan la sede en obras de una futura escuela internacional y un edificio residencial de color verde pálido. La temperatura es cada vez más alta. Oigo el sonido de un martillo neumático, aunque salta a la vista que aún no han llegado todos los obreros. Hay un par de ellos, frotándose los ojos, el cuello y mirando alrededor como si esperasen al capataz.

Uno de esos hombres repara en mí. Está sentado en un andamio, balanceando las piernas, desnudo de cintura para arriba y fumando un cigarrillo. Ya sé que aquí es común que la gente te mire fijamente, pero sigue poniéndome nerviosa. El obrero tiene los ojos pardos y me observa como preguntándome: «¿Acaso te crees especial?» Debajo del andamio en el que se encuentra, un perro sarnoso con el hocico sucio de sopa de arroz reseca me brinda una sonrisa canina mientras la lengua le cuelga de un lado de la boca.

Mamá se habría acercado a hablar con aquel hombre, sin importarle que estuviese medio desnudo, que no hablara una palabra de inglés o que su perro tuviese todo el aspecto de padecer diez enfermedades de la piel distintas. En una ocasión se dedicó a recoger fondos para Greenpeace, y allá donde iba llevaba consigo los formularios para hacer donativos. Era capaz de hablar durante horas sobre focas o ensayos nucleares, y podía describir una cacería japonesa de ballenas con tanto detalle como si hubiese participado en ella. Su entusiasmo era contagioso, aunque, dependiendo de las circunstancias, podía resultar un tanto terrorífico. Los hombres firmaban con más frecuencia que las mujeres, pero por mamá, no por Greenpeace. Cuando hacía calor, se soltaba el pelo y se ponía faldas largas, y estaba tan guapa como una hoja otoñal que acabara de caer al suelo; te hacía pensar en días frescos y ventosos, y en caminar de la mano con alguien con quien te encuentras a gusto.

Vuelvo la vista al obrero que está sentado en el andamio, que se saca unas briznas de tabaco de entre los labios y escupe en el suelo. Su mirada, vacía, me recuerda a Martha *la Loca*, una mujer que pululaba por las inmediaciones de mi instituto recogiendo latas de refrescos y murmurando sobre Nuestro Señor Jesucristo. No creo que nadie supiera cómo se llamaba de verdad. Las chicas solían burlarse de ella y tiraban las latas de sus bebidas por encima de la valla del colegio, para ver a la mujer ir tras ellas, mientras se reían de su cabello lanudo y de su mirada perdida. A mí me daba repelús, y trataba de no acercarme demasiado, hasta el día que Jennifer Beasley vino corriendo con una expresión de desconcierto dibujada en el rostro.

—Tu madre está al otro lado de la valla con Martha *la Loca* —dijo, resollando, con toda la predisposición para el cotilleo propio de una niña de catorce años. Supe, antes incluso de ir hasta allí, que iba a haber una escena. Las chicas estaban amontonadas a lo largo de la valla, cuchicheando y riendo, con los calcetines subidos hasta las rodillas. Oí a mamá gritándoles que debería darles vergüenza y qué haría Ghandi en la misma situación. No creo que mis compañeras tuvieran idea de quién era Ghandi, pero era evidente que se estaban divirtiendo. Miré por encima del hombro de una alumna rubia y de cabello rizado. Mamá sostenía a Martha *la Loca* en una postura extraña, abrazándola por un costado, y hablaba con la barbilla levantada. La pobre Martha parecía no entender nada, y trataba de zafarse de mamá.

—Si la humanidad se rigiera por el ojo por ojo... —dijo mamá. Martha parecía un poco asustada, como si aquella extraña fuera justamente a arrancarle uno—. ¡Acabaríamos todos ciegos! —concluyó de manera teatral.

La multitud que se hallaba reunida junto a la valla estalló en una risa colectiva. Alguna de las niñas, incluso, se puso a aplaudir.

Es probable que mamá reparara en mi cabellera pelirroja sobre el montón de jerséis de color verde, porque empezó a llamarme.

—¿Grace? ¡Gracie, cariño!

Pero yo me había escondido detrás y mamá terminó por marcharse acompañada de Martha *la Loca*. La muchedumbre no dejaba de dar vítores, y alguien lanzó otra lata, que cayó a los pies de ambas mujeres.

—Mirad, ahí van Marta *la Loca* y su colega Bertha *la Gruñona* —comentó una niña con los ojos pintados de negro. Sorprendí a Jennifer mirándome con una mezcla de condescendencia y placer, y preferí ignorarla. Si por entonces ya me costaba hacer amigas, con mi uniforme de segunda mano y mi barbilla llena de acné, a partir de aquel momento iba a resultarme imposible. Hubiera pasado el resto del curso encerrada en la biblioteca, rodeada de pilas de libros de cocina francesa y guías de viaje obsoletas de lugares remotos, como África, Groenlandia, Australia o China.

El obrero aparta la vista de mí y se rasca la axila. Quizá debería regresar a casa y volver a meterme en la cama. El día está muy húmedo, y me siento cansada. Tengo delante el patio delantero de un complejo de apartamentos consistente en tres edificios dispuestos en forma de U, todos ellos revestidos de azulejos verdes medio rotos y ennegrecidos. La mayor parte de las ventanas están tapadas con rejas oxidadas de las que cuelga ropa mojada. Entro en el patio y echo un vistazo a los pequeños locales comerciales que ocupan la planta baja, aunque la mayoría parecen haber sido desocupados hace tiempo. Uno parece una agencia de viajes, y está lleno de pósteres descoloridos pegados en el escaparate. Otro es un salón de belleza llamado Depil House, en el exterior del cual hay una pizarra que anuncia que se venden chancletas brasileñas, decorada con una sandalia solitaria dibujada cuidadosamente con tiza verde. Otro de los locales debió de albergar una peluquería, pero debió de cerrar hace mucho, puesto que las ventanas están mugrientas.

Con todo, un poste de barbero a rayas blancas, rojas y azules sigue girando, aunque con ritmo irregular.

Solamente hay algo en inglés, y llama mi atención. Está escrito a mano en la parte de abajo de una hoja de papel sujeta a una ventana. El mismo anuncio figura también en portugués y en pequeños caracteres chinos. Reza así: SE VENDE O ALQUILA TIENDA CON HORNOS. BUEN PRECIO. TELÉFONO: 66883177.

Echo un vistazo a través del cristal polvoriento de lo que debió de ser una cafetería. Hay sillas de mimbre apiladas contra una pared, y el suelo está cubierto de baldosas blancas, sucias y llenas de manchas, con pequeños rombos negros en el medio de cada grupo de cuatro. Al fondo de la sala hay un mostrador y una bandera portuguesa colgada detrás, cuya esquina superior derecha se ha despegado. Me aparto de la ventana y vuelvo a fijarme en el cartel. TIENDA CON HORNOS; aquí debe de haber una cocina.

De repente, una voz aguda me distrae de mis cavilaciones. Alguien está chillando en cantonés. Levanto la vista y veo a una anciana vestida con un pijama floral asomada por una ventana. Tiene una expresión de desaprobación en el rostro, agita un dedo en el aire y no deja de gritar. Empiezo a encontrarme incómoda. No saber lo que está diciendo hace que me sienta estúpida.

—¡Lo siento! —exclamo, haciendo un gesto con la mano en señal de disculpa. Retrocedo unos metros más y tropiezo, dando con el trasero en el suelo—. ¡Mierda!

No vuelvo a mirar hacia arriba por si acaso la mujer se está riendo de mi caída. Me pongo de pie y me sacudo la parte de atrás del pantalón. La cara me quema de la vergüenza, y decido alejarme de allí. Justo antes de salir del patio, me vuelvo una última vez para mirar el anuncio. Es como si me observase a mí, como un haz de luz en medio de esa ventana oscura y vacía. Agacho la cabeza, emprendo el camino de vuelta a casa y, tras dar unos pocos pasos, oigo otra voz, aunque esta se está riendo. Vuelvo la vista y reparo en otra mujer asomada a su balcón, pero en el bloque de enfrente al de la anciana en pijama. Deben de conocerse, porque parece que la está llamando, mientras tiende camisetas y pantalones mojados. Me doy cuenta entonces de que deben de estar charlando, y que en ningún momento se han dirigido a mí.

De pronto, recuerdo el sonido de la risa de mi madre. «Gracie, hija», solía decirme, «tienes que ser más valiente. Tienes que ser un poco más desvergonzada, como tu madre».

Esa desvergüenza que siempre nos metía en problemas, tanto a ella como a mí. Esa desvergüenza que hizo que nos trasladásemos a París a hacer fortuna, o que hiciéramos un *picnic* a medianoche en los jardines de Kensington. Cuanto menos me parezca a ella en ese sentido, mejor; o eso he pensado siempre. Regreso a casa mordiéndome el interior del labio, y deseando que no tenga las mejillas tan rojas como el cabello.

—No tardaremos mucho —me asegura Pete en un tono de súplica casi imperceptible, mientras deja una camisa limpia sobre la cama. Levanto la vista del libro que estoy leyendo—. Es un asunto de trabajo. Quedaría raro que fuera yo solo.

De nuevo, me lo imagino añadiendo: «Quieren conocerte, Grace.»

A mí, su esposa, una camarera infértil y desempleada. Sí, seguro que estarían encantados de conocerme.

—No lo sé; no tengo nada que ponerme —respondo, cosa que es cierta a medias. Nunca me compro ropa pensando en llevarla en fiestas elegantes, probablemente a propósito.

Pete saca un vestido negro del armario y pasa la mano

por donde estaría mi muslo, como si yo ya lo tuviera puesto, lo cual hace dos Navidades que no sucede. Ni siquiera estoy segura de que todavía me entre.

—¿Qué te parece este? —pregunta Pete.

Vuelvo a bajar la vista hacia el libro y me encojo de hombros, pero siento su mirada sobre mí.

Cuando se mete en la ducha, me pongo de pie y acaricio el vestido, que yace junto a la camisa de Pete. Está frío, y su brillo me recuerda el de la piel de una foca. Me desnudo, me pongo el vestido delante y compruebo que me sigue quedando bien. Me paso la mano por el cabello y vuelvo a pensar en mamá, que sí que tenía ropa de fiesta. Su vestuario siempre estaba repleto de prendas de seda y satén de los más diversos colores. Yo, por mi parte, siempre he preferido el negro y los tonos neutros, que combinan con todo. Respiro hondo.

—Iré contigo —digo, no lo bastante alto para que Pete pueda oírme desde la ducha, pero lo suficiente para convencerme a mí misma.

Me encuentro apartada en un rincón iluminado por velas, lo más lejos posible del DJ, del bar y de la multitud. Veo asomar a Pete por encima de otras cabezas. Está acompañado por varias personas, que ríen y se acercan a él para escuchar alguna historia. Cada vez que se acerca a mí el camarero que lleva la bandeja de canapés de queso, cojo dos o tres de ellos. Le dedico una sonrisa amable con la esperanza de que pueda adivinar que yo también pertenecí al gremio hace tiempo, y que sé lo que acaban por doler los pies. El contraste entre los quesos importados, tiernos y sabrosos, contra las galletas saladas crujientes sobre las que reposan, hace que me percate del hambre que tengo y de lo poco que he estado comiendo estas últimas semanas. Puede que el camarero también lo haya percibido, porque cada vez que sale de la cocina con una nueva bandeja, empieza su recorrido por mí. Hay queso de cabra, *brie* y azul, todos cremosos y suculentos. Agradezco pasar desapercibida en este rincón, donde nadie pueda reparar en el banquete que me estoy pegando. Todo el mundo está concentrado en decir lo correcto, en reír cuando toca y en ofrecer su mejor sonrisa para demostrar cuánto se está divirtiendo. Estas muestras de banalidad se repiten por toda la sala.

Una mujer china esbelta y de rostro amable se separa del círculo de personas que rodea a Pete y viene hacia mí. Me sacudo las migas que me han caído sobre el vestido, a la vez que se me hace un nudo en el estómago. Me vuelvo y miro por la ventana del modo más casual del que soy capaz.

—¿Grace? Hola, soy Celine; acabo de conocer a tu marido. Me ha dicho que estarías escondida por aquí —me dice, extendiendo la mano. Tiene un acento francés tan atractivo que no puedo evitar volverme hacia ella y mirarla a los ojos. Su manera de hablar me sobresalta ligeramente, como si me hiciera recordar algo de hace mucho tiempo. Parpadeo y no consigo articular palabra; la mujer sonríe. Celine vuelve a presentarse con esa voz suya tan suave y serena, y por fin estrecho su mano. Ella baja su rostro, redondo y pálido como la luna, cosa que le hace parecer tan inocente como una niña. Su conversación es agradable, y actúa como si no esperara que yo contribuyese a la misma con mucho. Me cuenta que es de origen chino, pero que creció en París, que está aquí con su marido y que, como es francesa, está trabajando de profesora de francés.

—*Pourquoi pas?* ¿Por qué no? —pregunta, encogiéndose de hombros y riendo.

No sé cómo, le devuelvo la sonrisa. Posee esa cualidad de los profesores de detectar a un niño desamparado y cobijarlo bajo su ala. No puedo resistirme a dejar que cuiden de mí.

—Ven, quiero presentarte a Léon —añade.

Me toma del codo y me conduce amablemente hasta el balcón, lejos del aire acondicionado. Nos encontramos en el restaurante de un nuevo y flamante casino, en un piso diecisiete. Es como estar en lo alto de un árbol de Navidad. Desde aquí, las vistas son espectaculares. Se ve toda la península de Macao, separada de la isla donde estamos por una estrecha franja de mar, y el brillo nocturno de la ciudad se refleja trémulamente en el agua. De noche, las luces son mucho más bonitas. Incluso el puente resplandece con los faros delanteros de los taxis que lo cruzan en dirección a Taipa.

Hay un hombre bastante alto apoyado en la barandilla, con una gran copa de vino en la mano. Parece estar pensando en las mismas cosas que yo, y contempla la ciudad con una sonrisa dibujada en el rostro. Sus ojos tienen forma de almendra, y están coronados por cejas muy oscuras. Tiene el cabello grueso y canoso, y le toca el cuello de la camisa. Sus labios, carnosos, se aprietan contra el cristal de la copa mientras bebe un sorbo. El hombre se vuelve levemente, repara en nosotras y su sonrisa se ensancha, dejándonos ver una dentadura inmaculada. «Su mirada», pienso, «encierra ternura». Noto que se me oprime el pecho y, de golpe, me siento como si estuviera borracha. Mareada, cuanto menos.

—¡Léon! Quiero presentarte a Grace. Grace, este es Léon, mi marido.

—Hola —murmuro.

Él se inclina hacia delante y me da sendos besos en ambas mejillas.

—Buenas noches; encantado de conocerte —me saluda con mucha simpatía. Su voz me hace pensar en el París que yo recuerdo, la ciudad del amor y los misterios. Por un momento, me quedo sin aliento.

Celine se pone a hablar de sus alumnos, y me fijo en su cabellera, que se mece con la brisa. Se le enciende la mirada cuando menciona a un niño muy voluntarioso, pero con una pronunciación terrible. Se echa a reír produciendo el sonido de una flauta. Me gustaría saber si tienen hijos, pero se me hace un nudo en la garganta y soy incapaz de preguntar nada. Me fijo en ellos dos contra el paisaje nocturno. Ella viste una blusa blanca de seda y él una camisa de lino azul. Pienso en esos anuncios de detergentes que prometen más blancura y colores más brillantes. La seda y el lino, sin duda, son fibras muy delicadas. Lo cierto es que se los ve muy felices, y tan cómodos en compañía del otro que hasta me pongo algo triste. Se parecen a esas parejas aparentemente perfectas que salen en las fotos que traen los marcos nuevos.

Celine se excusa para ir a pedir otra copa de vino. Levanto la vista y veo que Léon me mira sonriente.

—Te pido que perdones mi inglés; no es demasiado bueno —se disculpa. Puede que su acento sea un poco forzado, pero se le entiende perfectamente. Me arrepiento de no haber seguido estudiando francés, aunque la verdad es que los idiomas nunca se me han dado bien. Creo que para manejar bien una lengua que no es la propia es necesario ser extrovertido.

—Oh, no, en absoluto. Tu inglés es muy bueno. Mi francés sí que es terrible. No hace falta que te disculpes.

—Eres muy amable. A veces cuesta, ¿sabes? A la gente le resulta complicado entender lo que digo —admite, suspirando y luego echándose a reír. Vuelve a apoyarse en la barandilla y reparo en una minúscula porción de barba que debe de haber descuidado al afeitarse. Siento la ridícula y apremiante necesidad de poner el dedo encima para sentir su textura—. La comida está buena, *non*?

—¿Perdón?

—El *catering*. ¿Te gusta? He visto que has probado los quesos.

De repente, siento como si el vestido me comprimiese la cintura. Espero no haberme sonrojado.

—Ah, sí. Está todo riquísimo.

—Pues este es mi restaurante, donde trabajo. Soy el chef.

—No lo sabía. Yo... antes trabajaba de camarera —digo, sin saber muy bien por qué. Se me ha escapado. Decido cambiar de tema—. El Pont-l'Évêque estaba delicioso. Viene de Normandía, ¿no?

—*Oui*. Sí, efectivamente —contesta Léon, enarcando las cejas y sonriendo—. ¡Ah! Una mujer que sabe de comida. —Frunce el ceño—. Ojalá Celine comiera más. Está excesivamente delgada. Me tiene preocupado —confiesa, para luego resoplar a modo de desaprobación. Debe de ser una costumbre francesa.

—Vaya... —farfullo, pensando en algo apropiado que decir. Siento que se me hincha el pecho, y casi esbozo una sonrisa. Casi.

Pete y yo regresamos a casa en silencio. La noche es húmeda. Él emite ligeros gruñidos de vez en cuando, como si se estuviese respondiendo a sí mismo. Debe de estar pensando en algo relativo al trabajo. En cuanto llegamos a casa, pone la BBC y se quita los zapatos. Yo entro en el cuarto de baño y me desmaquillo, y luego me acuesto, desnuda y con dos almohadas bajo la cabeza, mientras oigo el rumor de las voces de reporteros ingleses de fondo. Busco debajo de mi mesita de noche entre la pila de libros de cocina que tengo ahí. Cuando Pete por fin apaga el televisor y entra en el dormitorio, yo estoy leyendo *La odisea francesa*, de Rick Stein.

—¿Te has divertido? —me pregunta desde el baño, donde ha entrado a lavarse los dientes.

—No ha estado mal —respondo.

—Ya te lo dije.

—Mmm...

Pete se quita la camisa y la corbata y las deja sobre la silla que hay enfrente de la cama. Luego me mira a mí o se fija en la cubierta del libro; no estoy segura. Se pone unos calzoncillos limpios, esos a rayas naranjas que le gusta llevar en la cama, y se estira boca arriba, para, a continuación, posar una mano sobre mi cadera. Reparo en el sonido del deshumidificador, y sigo leyendo sobre los secretos de una buena sopa de cebolla, que debe recordar las calles y los rincones de París, ser de color marrón y llevar una buena cantidad de cebolla. Mañana mismo me daré una vuelta por el mercado de Taipa.

—Buenas noches, pues, mi amor —dice Pete, despegando la mano de mí. Su voz suena fría y distante.

Al cabo de pocos minutos, yo le doy las buenas noches a Rick Stein y cierro el libro. Tengo la mente llena de recetas y de comida francesa, y el estómago lleno de queso francés. Apago la luz y me doy la vuelta, quedándome frente al lío de sábanas que forma Pete cuando duerme. Pongo la mano sobre su hombro, voluminoso, y siento el calor de su piel a través de la sábana, tras lo cual vuelvo a girarme.

Querida mamá:

He estado soñando con comida francesa. ¿Te acuerdas del queso? ¿Del pan? ¿De cuando fantaseábamos con abrir nuestro propio bistró? Tú y yo, sirviendo *baguettes* y la sopa del día, en una terraza al sol, con vajilla blanca y cubiertos de plata. Perros bebiendo en platos en el suelo, tacones altos debajo de mesas de hierro forjado... No puedo quitarme de la cabeza la melodía de *Summertime*. Ya sabes, de *Porgy and Bess*.

He estado pensando en París, mamá.

Todavía recuerdo la primera vez que escuché esta canción, aquella vez que me desperté en el hotel y tú no estabas. Era de noche, y hacía frío. Yo todavía era pequeña y apenas conseguí alcanzar el interruptor de la luz, y eso saltando. Recuerdo haber pensado que debías de estar escondida en un rincón o en el armario, que estabas jugando. Miré debajo de la cama y lo único que encontré fue un caramelo para la tos pegajoso y lleno de polvo. Me quedé sentada en la cama durante un rato, mascando la colcha, hasta que decidí calzarme las botas yo misma, ponerme el abrigo sobre el camisón, salir de la habitación y bajar al vestíbulo. El portero estaba dormido en su silla, roncando. Afuera corría un aire helado, y en las piernas se me puso la piel de gallina.

«¡Mamá! ¡Mamá! ¡Mamá! ¿Dónde estás?», repetía en silencio una y otra vez. No sabía en qué dirección ir. Las orejas me dolían por el viento, que se me metía por debajo de la ropa. El corazón me latía a toda velocidad. Fui hacia la izquierda. La calle estaba desierta, silenciosa como una iglesia y resbaladiza por la lluvia que había caído por la tarde.

No demasiado lejos, oí música alta que provenía de un café oscuro. ¡Una trompeta! Pa pa paaa, sonaba. Cerca de la puerta hacía más calor, y fuera había varias personas riéndose. Me acerqué mientras me frotaba las manos. La gente que había ahí de pie fumaba cigarrillos largos y delgados y hablaba por encima de mí. Me puse junto a una ventana y escuché la melodía que salía de mi instrumento favorito. Lo que me fascinaba era que sonase de manera tan bella y a la vez tan enérgica. Una vez traté de tocarla en clase de música, pero no sonaba igual, con notas tan puras y orgullosas saliendo de aquellos tubos dorados. Los sonidos que conseguí emitir eran más parecidos a pedos: estridentes, groseros y escuetos. De repente, escuchando aquella trompeta, sentí todavía más frío. Me apretujé contra el vidrio, tratando de contener las lágrimas. De haber sabido rezar, lo hubiera hecho, pero lo único que conseguí pronunciar fueron tres palabras: «Mamá, por favor.»

Entonces, como por arte de magia, te vi a través del vidrio, bailando junto al escenario, ataviada con tu vestido de color melocotón. Tenías las mejillas rojas y el rostro radiante. «¡Mamá, mamá, mamá! ¡Soy Gracie!», te llamé, convencida de que tú también me veías a mí.

La gente empezó a mirarme a través del humo del tabaco, y una mujer se agachó delante de mí. Llevaba puesta una chaqueta roja y zapatos negros de tacón. Me dijo algo en francés, pero no lo entendí. Me sentí como si estuviera atrapada en el fondo de un pozo. Ella me agarró por el brazo y trató de apartarme de la ventana, pero conseguí zafarme y eché a correr. Regresé al hotel exaltada y atemorizada, y atravesé el vestíbulo llorando, para luego subir las escaleras lo más rápido que me dejaron mis botas. Cerré la puerta de la habitación de un golpe y me aseguré de que nadie pudiese entrar. Permanecí apoyada en ella durante unos instantes, confusa y resollando. A continuación, me acosté en la cama sin descalzarme ni quitarme el abrigo, me tapé con la manta hasta la cabeza, y luego metí las manos debajo de las rodillas, para calentármelas. Por fin, volví a dormirme.

No sé cuándo volviste. Desperté a media mañana y vi mi abrigo doblado encima de mis botas, en el suelo. Tú estabas junto a la ventana, repiqueteando los dedos contra el alféizar. Te habías desmaquillado, salvo un poco de sombra que te había quedado debajo del ojo derecho. Te habías puesto un albornoz y tenías el cabello, mojado, envuelto en una toalla. Las uñas de los pies, pintadas de rojo, asomaban por debajo. Vi que sobre tu regazo había una pequeña caja blanca de pastelería coronada por un lazo, y noté que olías a azúcar.

—¡Qué bien, por fin te has despertado! Hoy sí que vamos a ir al zoo, Gracie. No sé cuánto hace que no vemos animales. ¿Te acuerdas, tú, de la última vez? —Negué con la cabeza—. Hace un tiempo ideal para los osos polares, ¿eh? —dijiste, tirándote en la cama de un salto y aplastándome un pie al caer. Te pusiste a hacerme

cosquillas y arrumacos, mientras yo me mordía el labio.
A lo mejor lo había soñado todo.

—Me dejaste sola —dije.

—Oh, no, mi amor.

—Sí, anoche te fuiste y me dejaste sola —insistí, empezando a derramar las mismas lágrimas tibias de la noche anterior, como si hubiesen estado esperando para salir.

—Shh, shh, shh... Vamos, no llores —me dijiste—. Ten, come un poco de esto; ya verás que luego te sentirás mejor. Te lo prometo.

Me entregaste la caja y me guiñaste el ojo. Dentro estaba la tarta más hermosa que yo hubiera visto jamás. Era una tarta macaron, me explicaste.

Ese día acabamos yendo al zoo, ¿verdad, mamá? Nos quedamos ahí hasta tarde, hasta que el sol se puso y empezó a hacer frío. Nunca más hablamos de lo que sucedió aquella noche, de que te vi bailando y cantando *Porgy and Bess* con aquel vestido de color melocotón. De que me dejaste sola en la habitación del hotel y te fuiste al bar de la esquina, para regresar de madrugada.

Tantos misterios, mamá. Siempre tantos misterios.

Tu hija que te adora,

GRACE

La poudre à canon à Gunpowder

Té verde Gunpowder con crema de mantequilla a la mandarina

Pete lleva unos días con mucho trabajo. Se ha estado acostando tarde y tiene ojeras. Un par de noches se ha quedado dormido en el sofá, delante del televisor, así que he tenido que despertarlo y llevarlo a la cama. Se me han acabado los somníferos y me paso la mayoría de las noches con los ojos abiertos de par en par, escuchando cómo ronca, mientras no dejo de pensar en niños. Niños brincando, bailando y volviendo de la escuela corriendo a merendar. Bebés de piel rosada en mis brazos, recién bañados y con olor a perfume, mamando de mis pechos. Este último pensamiento es el peor, y hace que me sienta fatal. Me encierro a llorar en el cuarto de baño, para no despertar a Pete. Mi mente no deja de dar vueltas, como un gato que persigue su propia cola. Parece interminable. Tan solo quiero dormir, y muerdo la sábana como hacía cuando era niña. Cuando, por fin, me duermo, lo hago hasta el mediodía, ahorrándome por arte de magia la mitad del día.

Por las tardes, lo único que parece entretenerme es hornear, y preparo receta tras receta de mis libros de cocina. Hago bizcochos esponjosos, pasteles con cobertura de chocolate y magdalenas, y lo apilo todo en forma piramidal en bandejas redondas. Pete no comenta nada al respecto, aunque todas las mañanas saca las bolsas de basura llenas de magdalenas resecas y restos de budín de banana. Lo único que consigue que no piense en bebés son los recuerdos que tengo de París. El frío, el cielo gris, hombres altos, café solo, pastas dulces, el olor a pan y a chocolate, la risa de mamá y el pelo y el pañuelo de ella ondeando al viento.

Una cálida noche de jueves, poco antes de meternos de lleno en el año nuevo chino, Pete y yo vamos a la Old Taipa Tavern, un *pub* al estilo inglés muy popular entre los británicos que residen en Macao, que se encuentra en el *village*, junto a un templo chino. Los adultos charlan y beben pintas de cerveza fresca mientras sus hijos montan en bici en el patio. Los niños mayores se entretienen con pequeños petardos de poca potencia que explotan al impactar contra el suelo. Los dejan donde los más pequeños pasan con sus bicicletas, asustándolos y haciéndolos llorar.

A pesar de que ya está atardeciendo, Pete y yo nos sentamos fuera y, como de costumbre, pido salchichas con puré de patatas. Pete no se decide, y se muerde el labio inferior. Cuando, al fin, se decanta por una hamburguesa, lo hace poco convencido y con el ceño fruncido.

—¿Va todo bien? —pregunto en cuanto la camarera se va a atender una mesa de australianos que piden a gritos otro cubo lleno de cervezas frías.

—Sí, normal —responde Pete, tomando un buen trago de la suya.

Reparo en un hombre menudo, vestido con pantalones anchos, que cierra con llave las grandes puertas rojas del templo. Tiene el rostro serio y cubierto de arrugas, y un bulto oscuro a un lado de la barbilla, de donde sale un largo y solitario pelo. Se percata de que lo estoy observando y me devuelve una mirada gatuna. Luego se monta en una bicicleta y se aleja pedaleando.

—Las cosas en el trabajo son un desastre —dice Pete de repente. Me vuelvo hacia él y veo que está arrancando la etiqueta de la botella—. La obra es una mierda; todo tiene que hacerse dos veces, y estoy dando el visto bueno a cosas que en otras circunstancias jamás aprobaría. Pero hay plazos que cumplir, así que ¿qué alternativa tengo?

No es la primera vez que Pete se involucra en la apertura de un nuevo casino. Nunca ha rechazado un desafío; de hecho, parece disfrutarlos. Es por eso por lo que nos mudamos a Londres antes de acabar en Macao. Bueno, por eso y por la ingenua idea de que haría que yo estuviese más contenta; de que, tal vez, me ayudaría a hallar una especie de paz interior, y de que podríamos formar una bonita familia compuesta por nosotros dos y un niño y una niña encantadores.

—Lo peor de todo es que la mitad de la gente que tengo a mi cargo no habla una puñetera palabra de inglés.

Me lo imagino rodeado de chinos mirándolo de manera inexpresiva, igual que ha hecho el tipo que estaba cerrando el templo. Pete está acostumbrado a ser el capitán del barco.

—No sé... —dice, suspirando—. Esto no es lo que yo esperaba. —Hace una pausa y añade—: O sea, ¿qué vamos a hacer ahora, Gracie?

Inmediatamente, me doy cuenta de que está hablando de algo más que del trabajo, y no puedo evitar bajar la vista hacia mi regazo.

—¿Me estás escuchando? ¿Podría hablar con mi mujer, por favor?

Pete estira el brazo y me levanta el mentón sin ternura alguna. Veo la frustración y el anhelo en su mirada, y me sujeta el rostro con firmeza.

—Pete... —empiezo, incapaz de decir nada más.

Uno de los chicos que están sentados a la mesa de al lado se vuelve hacia nosotros y nos mira con curiosidad por encima de su pinta de cerveza.

—Todavía no hemos hablado de ello —dice Pete—. Podríamos recurrir a un banco de óvulos, o considerar otras opciones.

Aparto la vista de él y hablo entre dientes.

—¡No! No puedo hacerlo, Pete. Ya hablamos de esto antes de que nos dieran el resultado de la prueba, ¿o es que ya no te acuerdas? No quiero hacerlo, y no quiero seguir hablando de ello. Ya estoy harta. Mi cuerpo no puede más. Ya he tenido suficiente.

—¿No podemos al menos discutirlo? —pregunta él, bajando la voz—. Por Dios, Grace, ya sabes que para mí tampoco es fácil. Ni esto ni el trabajo. No es que no lo entiendas; es que no quieres entenderlo.

Levanto la vista. Lo que acaba de decirme me ha sentado como una bofetada. ¡Como si yo no hubiera puesto de mi parte! ¡Como si seguir respirando, comiendo y durmiendo no haya sido esfuerzo suficiente!

Pete me mira fijamente, como si buscase algo que ha perdido.

—¿Que no quiero entenderlo? —pregunto con inevitable frialdad.

—No quería decir eso; lo siento —se disculpa, visiblemente nervioso—. Lo que pasa es que... Mierda. Estoy hecho un lío. ¿Qué se supone que tenemos que hacer ahora? —insiste, casi susurrando, para, a continuación, sacudir la cabeza con tristeza.

—No lo sé —contesto con absoluta franqueza.

Pete se inclina hacia atrás y nos miramos el uno al otro sin decir nada más. No tengo fuerzas para ponerme a discutir. Advierto nuevas arrugas en su rostro, como si hubiese tenido la cara apoyada en la almohada demasiado tiempo, y me pregunto cuándo nos hemos vuelto tan viejos. Su mirada está llena de tristeza y desconsuelo. No puedo hacer otra cosa que apartar la vista de él.

—Salchichas con puré de patatas y hamburguesa con

queso —anuncia de repente nuestra camarera, con una sonrisa deslumbrante y la piel del color de la miel. Una placa en su uniforme indica que se llama Sophia. Ambos levantamos la vista hacia ella y asentimos como chiquillos. Sophia trae cubiertos, y le pido limón, lima y un bíter. Pete trocea la hamburguesa y mastica cada bocado poco a poco. Los australianos de la mesa de al lado se ponen a berrear una vieja canción de AC/DC, y aplauden al terminar. Se dirigen unos a otros con apodos y apellidos: Fazza, Ballo, Smithy...

La luz del local es de un bonito tono albaricoque. En el patio, una niña que monta en bici chilla con tanta alegría que parece un pájaro tropical. Su largo cabello rizado se agita mientras pasa corriendo junto a su hermano mayor, que la anima a pedalear más rápido. El padre de ambos no tarda en intervenir, levantando a su hija del sillín de la bicicleta antes de que acelere y acabe estrellándose. La bici cae de costado y la pequeña se echa a reír y empieza a hacer aspavientos con los brazos.

—¡He ganado! ¡He ganado! —grita.

—Ya va siendo hora de ir a la cama —le dice el padre, a pesar de lo cual la chiquilla sigue riéndose a carcajadas.

Pete baja la vista hacia su plato y ambos fingimos no habernos dado cuenta. Yo me pongo a revolver el puré con el tenedor.

Cuando despierto a la mañana siguiente, Pete ya se ha ido y el reloj marca las nueve y cuarenta y nueve. Pienso en los minutos que faltan para las diez como si fuera dinero. Aquí tiene su cambio, señora: once céntimos. Sacudo la cabeza y me incorporo. Tengo la sábana envuelta en la cintura, y las perneras del pijama retorcidas. La almohada yace en el suelo y tengo el pelo húmedo por el sudor y pegado al cuello. Emano calor como el asfalto en verano, y me siento cansada. Respiro poco a poco, tratando de calmar el rápido latido de mi corazón. Me llega el aire fresco que entra por una ventana abierta, acariciándome las sienes mientras vuelvo a dejarme caer sobre el colchón. «Qué sofoco», murmuro, sintiendo la garganta reseca. El cuerpo me está dando una señal, y debería seguirla.

Hace ya unos días que no salgo del apartamento, salvo para comprar harina, azúcar y levadura. Siento el impulso de ir al supermercado *gourmet*; ya me imagino recorriendo los pasillos. Esta noche podríamos cenar un plato de *antipasti* con un buen vino blanco. Voy a comprar salmón ahumado, jamón curado, olivas y queso. Puede que, al fin y al cabo, llegue a ser una buena ama de casa.

Me pongo unos pantalones anchos y una camiseta de Pete. Entre el intenso olor a limón del detergente, percibo su perfume. Me recojo el cabello y evito mirarme en el espejo, no vaya a ser que cambie de opinión y vuelva a meterme en la cama. El supermercado se encuentra a unas cuantas manzanas de aquí, y, ahora que empieza a subir la temperatura, el paseo no resulta demasiado agradable. Cuando finalmente llego allí, estoy cubierta de una fina capa de sudor y tengo los ojos llorosos por el sol. Me maldigo por no haber traído las gafas. No solo aquí fuera hay muchísima más luz que en la cueva en la que he convertido mi dormitorio, sino que, para colmo, por el camino me cruzo con uno de los compañeros de trabajo de Pete, que me hace señas desde el otro lado de la calle. A veces me olvido de lo pequeño que es Macao, y de que los extranjeros vivimos prácticamente unos encima de otros. Lo saludo con el brazo y sonrío amablemente, dando gracias de que no cruce la calle y se ponga a hablar conmigo, y entro rápidamente en el supermercado, donde el aire acondicionado enfría el sudor sobre mi piel.

—¿Grace? —dice entonces alguien.

Miro de soslayo en dirección a esa voz profunda, mientras mis ojos van ajustándose a la mayor oscuridad de la tienda. Se trata de un hombre bastante alto, que se acerca hacia mí y sonríe.

—Hola —prosigue—. Qué bien, estaba seguro de que eras tú. ¿Cómo estás?

Es Léon.

Debo de oler fatal, pero no me queda otro remedio que sonreír lo mejor que pueda. Me besa con delicadeza en ambas mejillas, y su tacto es tan suave como una pluma.

—Hola, Léon. Bien, ¿y tú? —respondo, con un tono de voz demasiado agudo.

—*Bien, très bien*. Muy bien. No te veía desde la fiesta. ¿Qué has estado haciendo?

—Bueno, no demasiado, la verdad. ¿Que qué he estado haciendo? Pues escondiéndome, hibernando y pasando del mundo. —Léon sonríe con ternura, como si fuéramos viejos y buenos amigos. Ojalá pudiera hacerme invisible y que él siguiera comprando. Sin embargo, me pregunta con visible curiosidad qué tengo pensado cocinar.

—¿*Antipasti*? ¡Qué buena idea! ¿Por qué no me dejas que te ayude a elegir?

—Claro, por supuesto.

—Tengo algunas sugerencias —me dice muy animado, cogiéndome del codo.

Me ayuda a encontrar el salmón y me recomienda algunos quesos. Escojo uno de cabra a las finas hierbas por lo bien que Léon me habla de él, igual que un tarro de aceitunas rellenas. «Puede que no estén de moda», me susurra casi con secretismo, «pero siguen estando buenísimas». Recorremos los pasillos juntos, refrescados por el aire acondicionado, mientras vamos escrutando los estantes. Acabo hablándole de cosas mías que, normalmente, no comentaría. Sí, reconozco que yo, Grace Miller, charlo como una colegiala. Hay algo en este hombre que hace que se me suelte la lengua. Estoy convencida de que cuando hablo parezco sorprendida; es como escuchar a otra persona. Le cuento de mis viajes a París con mamá, de las vacaciones improvisadas, de los cafés, de las pastas y de las tazas de café negro que una jovencita, como era yo por aquel entonces, no debería haber bebido. Él escucha, sonríe y me va llenando el cesto de la compra. Ríe a carcajadas cuando le cuento de la vez que, sin querer, derramé una bandeja llena de copas de vino tinto sobre el jersey de color crema de un cliente, y noto extrañada que el corazón empieza a latirme más rápido.

En cuestión de veinte minutos, la canasta está hasta arriba de comida: jamón de pata negra, berenjenas aliñadas, tomates secos... Demasiadas cosas para poder llevar a casa yo sola.

—Lo siento —me disculpo—. Has dejado de comprar para ayudarme.

Léon me quita la cesta de las manos y la deja en la cinta, delante de la cajera, que nos mira de soslayo mientras se pone a pasar los artículos por el escáner.

—No hay problema. Me encanta estar con gente a la que le gusta la cocina. Aparte, solamente había bajado a por mermelada —dice, mostrándome un frasco de confitura de frambuesas, la misma que mamá compraba cuando estábamos en Francia, tan agradable al paladar, con trozos de fruta pequeños y blandos, y semillas diminutas que se te incrustan entre los dientes—. Mi hija la come cada día. Es lo que en inglés llamarías una adicta a la mermelada.

—Ya entiendo... —digo, asintiendo. Así que tiene una hija...

Trato de declinar su ofrecimiento de llevarme a casa, pero insiste muy amablemente.

—Vas demasiado cargada —sentencia, arrebatándome las bolsas de las manos y dejándolas en el asiento trasero de su coche. Me subo delante y pongo las manos sobre mi regazo.

—Bueno, ¿adónde vamos?

—A Supreme Flower City, por favor.

—¿El edificio violeta?

—Ese mismo.

Conducimos en silencio por las calles de Taipa, flanqueadas por altos edificios de apartamentos. Cuando llegamos a la mía, vemos que un grupo de operarios la está decorando con adornos rojos y dorados, más que nada imágenes de ratas bailando, vestidas con pijamas chinos.

—¿Solo tienes una hija? —pregunto.

—Dos —responde Léon, mirando hacia un lado para cambiar de carril—. Lila y Joy.

—Qué nombres tan bonitos.

—*Oui*. Y son unas niñas preciosas, también —dice, sonriendo—. ¿Y tú?

—¿Yo? Pues no, no tengo hijos. —Decir esto en voz alta hace que me sienta fatal. Podría pensarse que, a estas alturas, ya debería estar acostumbrada, pero no es así. Sin embargo, Léon parece no haber oído mi respuesta, ya que entramos en una rotonda y tiene que prestar atención. O eso, o prefiere no hacer más preguntas al respecto. Contengo la respiración hasta que pasa un tiempo prudencial—. Aquí mismo, gracias —anuncio, señalando la acera de enfrente de casa.

Léon aparca y, sin apagar el motor, se apea del vehículo y coge las bolsas del asiento trasero.

—No tienes por qué molestarte —protesto, si bien él hace caso omiso y me lleva la compra hasta la puerta, con el motor todavía encendido y las llaves puestas. El portero, impertérrito, nos mira desde su escritorio—. Muchas gracias, Léon.

—*Sans problème*. Ha sido un placer. Que disfrutéis los *antipasti* —se despide, sonriendo con espontaneidad y saludándome con el brazo mientras vuelve a cruzar la calle en dirección a su coche. Lo veo alejarse y noto que mi pulso vuelve a su estado habitual.

Cuando abro la puerta del apartamento, me sobresalto al oír el televisor a todo volumen. Pete está sentado en el sofá, vestido con camisa y corbata, pero en calzoncillos. Dejo la compra en el suelo y él vuelve la vista hacia mí como si nada.

— Hola, estoy viendo el tenis. He decidido venir a comer a casa —dice, volviéndose nuevamente hacia el televisor—. ¡Esa bola no ha entrado! ¿Estás ciego o qué?

Llevo las bolsas a la cocina y, no sin esfuerzo, las dejo sobre la encimera. La caja de plástico transparente con los tomates secos se ha rajado, y está todo lleno de aceite y tomate. Un estropicio, pero el olor hace que se me haga la boca agua.

—¿Dónde estabas? —pregunta Pete.

—En el supermercado. He comprado *antipasti* para cenar.

—Ajá.

—Me he encontrado a Léon.

—Ajá.

—El marido de Celine, el cocinero francés, ¿recuerdas?

—¿Eh?

—Léon. Me ha ayudado a hacer la compra.

—Ajá... Maldita sea, va a perder. ¿Qué le pasa a este tío?

Abro un paquete de *mozzarella* de búfala, que contiene sendas esferas de color marfil que flotan en suero. Cuelo el líquido, corto una buena rebanada, le pongo encima uno de los tomates que se han salido del envase y me pongo a comer apoyada contra la encimera de la cocina, mientras el aceite me corre por la barbilla. La combinación del tomate y la *mozzarella* es muy sabrosa. Sabe a sol y verano, y no puedo evitar chuparme los dedos.

Pienso en Léon y en sus dos hijas. ¿Cómo se llamaban? Ah, sí, Lila y Joy. Me pregunto qué aspecto tendrán. ¿Tendrán la elegancia de su madre? ¿Los labios carnosos y las cejas espesas de su padre? ¿Sus ojos celestes? Me las imagino con el cabello con tirabuzones y bonitos vestidos de seda, sentadas tras una vieja mesa de madera de pino en una cocina, cubierta con un mantel a cuadros escoceses. Sus piececitos no llegan al suelo, y agitan las piernas con impaciencia. Léon les prepara tostadas con gruesas capas de deliciosa mantequilla francesa, y una de las niñas le pide que le ponga también mermelada. Él sonríe, rebosante de amor, y añade varias cucharadas de suculenta confitura de frambuesas, para luego besar las pálidas frentes de las crías, que se lo agradecen con una sonrisa.

De repente, Pete entra en la cocina.

—¿Te he contado lo del *brunch* del domingo que viene? —dice.

Enderezo la espalda, notando una extraña sensación de culpa. El aceite de los tomates me recubre la garganta.

Pete va hasta el fregadero, abre el grifo y se sirve un vaso de agua.

—Nos han invitado a tomar un *brunch* en el Aurora, en el edificio Crown.

De golpe, siento como si dejara de latirme el corazón, y carraspeo para aclararme la garganta.

—Ah, bueno; me parece bien. Me encantan los macarons de ahí.

—¿Cómo? —pregunta él—. ¿Esas cosas con merengue?

—Sí, macarons. Son franceses —añado—. Me vuelven loca.

Pete levanta la vista hacia el techo, pensativo. A continuación, tira para abajo del calzoncillo, que se le ha metido en la entrepierna. Yo dejo de pensar en Léon y en las niñas, como si Pete fuese capaz de leerme la mente.

—Creo que han quitado muchos postres. Demasiado esfuerzo o dinero, ¿quién sabe? —dice, encogiéndose de hombros.

—Y ¿qué pasa con Léon? —murmuro.

—¿Eh? ¿Qué pasa con quién?

—Bueno, es su restaurante. ¿No le ha sentado mal?

Pete resopla y sacude la cabeza.

—Si eso les ha hecho ahorrar costes, no lo creo. He oído que también han bajado los precios, y que tienen más carne y platos chinos. Una buena relación calidad-precio.

—Vaya.

—Y por la noche todavía tendrán una pequeña carta de postres, pero serán más baratos y no los harán ellos —explica Pete, que se acaba su copa de vino, la deja sobre la encimera y me da un beso en la mejilla—. Esta noche no me esperes para cenar. Tengo una reunión con los constructores. Ya tomaré un bocadillo o algo así.

Asiento, resignada, y Pete sale de la cocina. Miro las bolsas de la compra vacías que hay tiradas por el suelo y luego reparo en una bolsa de papel manchada de grasa que hay junto al fregadero, hecha una pelota, y que huele a patatas fritas y a aceite barato. Veo que Pete se pone los zapatos y que sigue el tenis de reojo. Me apoyo en el mostrador y contemplo mi plato de *antipasti*, que comeré sola.

Une petite flamme — Una pequeña llama

Espresso con crema de chocolate negro coronada con cuadrado de oro comestible

Con o sin postres, el bufé del *brunch* del domingo en el Aurora es de primera categoría. Se te empieza a hacer la boca agua en cuanto entras y divisas el mostrador de marisco a la derecha, con sus langostas rojas como naranjas sanguinas, descansando sobre un colchón de hielo picado, y sus ostras abiertas para que uno pueda ver su delicioso contenido. A la vuelta de una esquina hay una zona dedicada a los quesos, con enormes piezas enteras de parmesano fresco y aromático, y apestosos quesos blandos de corteza grisácea. Detrás hay un espectacular panal colgado de un marco metálico, la miel del cual va cayendo en un cuenco a través de un embudo. Todo huele maravillosamente. Hay bandejas de pan recién horneado, patas de jamón, pralinés... Es como el mundo de Willy Wonka pero para adultos. Nada que ver con los hombres que toman sopa de tallarines en las esquinas, ni con las mujeres que recogen cartón para venderlo por unas pocas monedas.

Pete me coge de la mano y dejamos atrás aquel paisaje repleto de comida fría, caliente, dulce, amarga y salada.

—Vamos, que llegamos tarde —me dice.

Nos detenemos frente a una mesa donde ya hay una pareja sentada, conversando, y dos sillas vacías.

—¡Eh, Pete! —exclama el hombre al vernos. Tiene un fuerte acento canadiense, el cabello abundante y de color castaño y la mandíbula ancha y cuadrada. La piel de su rostro es de un saludable color caramelo, y, en general, su aspecto sugiere que debería estar escalando al aire libre en algún otro lugar—. Y tú debes de ser Grace —añade, estrechándome la mano.

—Este es Paul —me explica Pete—. Trabaja en la construcción del proyecto.

—Efectivamente —confirma Paul, que, acto seguido, pone su enorme manaza sobre el hombro de la mujer que tiene a a su lado—. Esta es Linda, mi mujer.

Ella levanta la vista, y en sus labios, pintados de rosa, se dibuja una amable sonrisa. Entonces, se pone de pie para saludarnos. Lleva un vestido corto con estampado de flores, y tiene su rubia cabellera recogida en una coleta.

—¡Hola! —nos dice con voz muy aguda.

Pete se inclina y se dan un beso en cada mejilla.

—Encantado de conocerte, Linda. Esta es Grace, mi esposa. La verdad es que desde que estamos aquí no ha tenido oportunidad de conocer a demasiadas mujeres, así que es genial que hayamos quedado hoy con vosotros.

Lo que acaba de decir Pete hace que me sienta como si me estuviera compadeciendo.

—Encantado de conoceros a ambos —masculla, esbozando una sonrisa que espero que parezca sincera.

—Cómo me alegro de conocer a alguien nuevo —declara Linda, radiante, para luego añadir con ironía—: Este lugar es como una pequeña ciudad de provincias.

Cojo un panecillo caliente y lo unto con mantequilla casera que hay en un pequeño plato de plata delante de mí.

Pete y Paul hablan de permisos de trabajo y de cómo es trabajar en el extranjero. Siguen charlando animadamente, hasta que Pete recuerda alguna anécdota graciosa y Paul se inclina hacia atrás y estalla en carcajadas, a la vez que se pone a dar palmadas sobre su rodilla.

Yo me dedico a masticar el delicioso panecillo con mantequilla.

—Entonces —dice Linda, acercándose a mí—, ¿no estás trabajando?

—Pues todavía no —respondo—, aunque espero poder empezar a hacerlo pronto. Estuve trabajando en Londres hasta que a Pete le ofrecieron venir aquí y decidimos que era una oportunidad que no podíamos dejar pasar.

—Sé perfectamente a qué te refieres. Cuando a Paul le ofrecieron el puesto y me contó que aquí no había más que un cinco por ciento de impuestos, le dije: «Por lo que más quieras, cariño, ¡acepta el empleo!» Yo creo que ha sido positivo para toda la familia —opina, batiendo unas pestañas asombrosamente largas. Me pregunto si serán falsas, y me quedo observándolas sin disimular demasiado.

La conversación se interrumpe en cuanto nuestro camarero viene a tomar nota de lo que deseamos beber. Tiene el pelo oscuro y brillante, la piel tersa y la voz suave y delicada.

—¿Qué van a tomar las señoras? —pregunta.

Cervezas para los chicos, champán para Linda y una taza de café solo para mí.

—Cargado, por favor —solicito.

En cuanto el joven se marcha, Linda baja la voz y me da una palmadita en la rodilla.

—No saben hacerlo, ¿no te parece? —dice.

—¿Perdón?

—El café. Hacen un café malísimo. Con el té es distinto. Hierves un poco de agua, pones el saquito en la taza y ya está, pero el café... ¡Cómo echo de menos ir a un Starbucks cada mañana! Ah, China... —dice, meneando la cabeza y poniendo sus ojos celestes en blanco—. Vivir aquí no es fácil, sobre todo cuando eres un *tai tai*, como nosotros. No sabes cuánto llego a aburrirme. —Linda se mete detrás de la oreja un mechón de pelo que se le ha salido de la coleta y me sonríe. Yo asiento, y ella sigue hablando, aparentemente sin caer en la cuenta de que yo apenas digo nada. Me distraigo mirando el bufé, que está detrás de ella, y cuyo olor llega hasta aquí. Solamente consigo escuchar algunas de las cosas que Linda dice.

—No soporto las camisas mal planchadas. ¿No es lo mínimo que podemos esperar de... ya sabes, ellos?

—...

—¡Ballet y clases de natación la misma tarde! ¿Te lo puedes creer? Eso sí que es no saber planificar.

—...

—Solo hay un sitio donde puedes comprarte un buen bolso. No te preocupes, querida, ya te llevaré.

—...

—Así que le dije: ¡Olvídate de ella!

Ojalá se me diera mejor hacer nuevas amigas, o, por lo menos, saber comprender a otras mujeres; a veces es como si hablasen en otro idioma. Soy incapaz de seguir la conversación de Linda, y las pocas veces que retomo el hilo me aburro de tal manera que empiezo a pensar en recetas y en poner macetas de romero en el alféizar de la ventana. Sus labios están pintados de un rosa perfecto, y el lápiz se funde impecablemente con el pintalabios. Rebusco en el bolso y saco una barra de protector labial.

—Hola —me saluda entonces Léon, sorprendiéndome. Lleva puesto su atuendo de chef. Se inclina para besar a Linda, que sonríe cuando él le roza las mejillas con los labios.

—¿Cómo estás? —pregunto, poniéndome de pie.

Pete desvía la mirada hacia nosotros dos, pero no tarda en volver a centrarse en Paul, que, muy animado, no deja de hablar de una nueva clase de cemento, mientras gesticula con sus grandes manos.

—Muy bien —responde Léon—. Hoy hay mucho trabajo y todo el mundo parece satisfecho, lo cual es un alivio.

—Seguro que sí. En mi opinión, el restaurante debería estar lleno. La comida es sencillamente maravillosa.

Léon asiente, agradecido, y echa un rápido vistazo al interior del local. Cuando las camareras y los demás cocineros ven que se fija en ellos, sonríen.

—Me han dicho que ya no servís postres —añado.

Por un instante, su semblante se ensombrece, pero Léon se recompone rápidamente.

—Pues me temo que no. Seguiremos teniendo los chocolates y algo para *catering*, pero, según me han comunicado, no es rentable económicamente —dice, resignado, encogiéndose de hombros—. Es una pena, porque tengo cocineros que hacen unos postres excelentes.

—Estoy de acuerdo —coincido—. Teníais unos postres buenísimos, sobre todo los macarons. Tengo entendido que no es fácil hacerlos bien.

—Ah, sí, los macarons —dice, asintiendo—. Bueno, la verdad es que todavía no he perdido la esperanza. Puede que, algún día, Macao esté preparada para ellos. Tal vez no después del *brunch*, pero quién sabe.

Linda me da un golpecito en el hombro con las uñas.

—Gracie, cariño, me muero de hambre. Voy a servirme —dice, tomando un sorbo de champán y mirando a Léon con una sonrisa, para luego dirigirse al bufé.

—Yo debería regresar a la cocina —anuncia Léon—. Espero que os aproveche. No os olvidéis de darme vuestra opinión —nos ruega, retrocediendo y dirigiéndose una vez más a mí—. Si algún día quieres que te enseñe a preparar macarons, estaré encantado de compartir la receta contigo. Una vez que aprendes, no resulta tan complicado.

—Gracias —contesto, sonriendo.

De camino al bufé, veo que Linda, Pete y Paul están delante del jamón. La carne es resplandeciente, y han repartido clavos de olor por su superficie, como si de pecas se trataran. Es tan grande que podría alimentar a una familia entera durante una semana. Linda se ríe por algo que Pete ha dicho, y Paul le da a este un par de palmaditas en la espalda. Parecen viejos amigos, incluso hermanos. Están en fila, uno detrás del otro. Primero Paul, luego Linda y, por último, Pete. Me detengo un instante, con el plato entre las manos, y nuestro camarero se me acerca, cargado de platos sucios, tenedores y cuchillos. Ambos nos quedamos mirando a aquellos tres como granjeros que vigilan a sus vacas.

—El pavo está muy bueno hoy —murmura.

Más tarde, por la noche, mientras estoy sentada en el inodoro, se oye un estruendo que retumba por todo el apartamento. Una explosión, sin duda. La meada más corta que he hecho jamás. Me limpio lo más deprisa que puedo, me subo los tejanos y corro hacia el salón.

—¿Has oído eso?

Pete permanece inmóvil en el sofá y se limita a levantar la vista con pereza.

Me abotono los pantalones rápidamente y corro hasta la ventana. A lo lejos se distingue humo y luz, y entorno los ojos para ver mejor, a la vez que apoyo las manos en el cristal.

—¿Qué pasa? ¿Corremos peligro? —pregunto.

Pete se pone de pie, bostezando, y se acerca a mí, apoyando la mano encima de mi hombro y apretándomelo suavemente.

—No creo que haya de qué preocuparse —responde.

Pensando en bombas o terremotos, lo aparto de la ventana, pero él se ríe mientras retrocede un par de pasos.

—No son más que fuegos artificiales —dice.

—¿Cómo?

—Fuegos artificiales, por el año nuevo chino.

Al tiempo que Pete habla, veo un estallido verde en el

cielo y montones de lágrimas centelleantes que descienden poco a poco sobre el suelo. Al cabo de escasos segundos, cual rugido de dragón, nos llega el estruendo de la explosión. Pete vuelve a ponerse a mi lado y me da sendas palmaditas en la espalda.

—¿Te encuentras bien?

—Sí, es que no me acordaba del año nuevo.

—Pues sí, el año de la rata —me recuerda, metiéndose en la cocina y levantando la voz para hacerse oír por encima de las explosiones—. Creo que las celebraciones duran una semana entera. Por lo visto, la gente se va a la orilla del mar a lanzar cohetes; incluso los niños los tiran.

Pete regresa con una botella de cerveza Tsingtao en la mano. Está tan fría que el contraste con la temperatura ambiente hace que la humedad se condense en forma de gotas. Se lleva la botella a los labios y toma un sorbo. Reparo en la barbilla sin afeitar de Pete, que resalta en la blancura de su cuello. Pete clava sus ojos verdes en mí y me percato de que no hemos mantenido relaciones sexuales desde el día que recibimos la llamada del doctor Lee.

—Podríamos bajar a verlos, si te apetece —propone, encogiéndose de hombros, justo cuando estalla un cohete de color rojo.

Me vuelvo hacia Pete y veo el reflejo colorado en su frente y sus mejillas.

—¡Eh, Gracie! ¿Quieres que salgamos o no? —insiste impaciente. Me resulta engorroso que no pueda dejarme un minuto o dos para pensármelo. Últimamente está siempre impaciente. Cuando nos casamos, solía ladear la cabeza y observarme mientras yo tomaba una decisión, escrutando mi cabello, mis labios y mis ojos. Jamás sacudía las llaves o me metía prisas. Su paciencia era un verdadero regalo.

—Claro, vamos —contesto.

El área desde donde se lanzan los fuegos de artificio está separada de la calle con altas lonas, lo cual impide la visión. Se encuentra del lado cercano al agua, frente a la península de Macao, aunque también debe de haber más fuegos al otro lado, porque de vez en cuando se producen detonaciones delante de la Macau Tower. Por el camino, nos encontramos un letrero que reza: POR FAVOR, TENGA CUIDADO AL INGRESAR EN ESTA ZONA. LOS NIÑOS DEBEN IR ACOMPAÑADOS DE UN ADULTO. NO SE PERMITE LA ENTRADA DE ANIMALES. ABSTÉNGASE DE FUMAR. El ambiente está tan cargado de humo y de olor a pólvora que no creo que nadie vaya a sentir la necesidad de encender un cigarrillo. Pete me acaricia la espalda mientras contempla el panorama: niños y adultos sonrientes y embelesados por el espectáculo. El disfrute general es palpable. A un lado hay varias criadas filipinas cuidando de los bebés y tapándoles los oídos; deben de ser las únicas que no se están divirtiendo. Parecen agotadas. Una de ellas se fija en mí y esboza una sonrisa. Yo asiento.

—¿Has visto eso? —exclama Pete.

Encima de nosotros, un imponente resplandor dorado ilumina el cielo nocturno. Pete grita, excitado, y la gente que hay a nuestro alrededor se echa a reír y levanta el dedo pulgar, en señal de aprobación.

—Qué maravilla —murmura, con la fascinación propia de un adolescente—. Espérame aquí, que voy a averiguar dónde puedo comprar cohetes.

Antes de que yo pueda decir nada, Pete desaparece entre la niebla. Me apoyo en el andamiaje metálico que sostiene las lonas y me cruzo de brazos. Veo pasar a varios niños buscando las manos de sus padres o arrastrándolos por el codo. Reparo en una chica apoyada contra una farola. Su rostro indica que debe de tener menos de veinte años, pero va muy maquillada. Lleva una sudadera de color violeta oscuro y cuello alto, estampada con estrellas doradas. Me sorprende examinándola y me mira fijamente, lo cual me pone nerviosa. Su aspecto me resulta familiar.

—Por ahí hay algunos compañeros del trabajo —dice Pete a su regreso, jadeante—. Paul y Linda están allá —indica, señalando y tosiendo.

—Hay demasiado humo —digo.

—Venga —insiste, cogiéndome por la hebilla del cinturón y tirando de mí hacia él. Habla con tono zalamero, como cuando empezábamos a salir, y un mechón de pelo le cae sobre los ojos.

La chica de la farola aparta la vista de nosotros y veo que mueve las manos dentro de los bolsillos de su sudadera, a la altura del vientre.

—De acuerdo —acepto.

Pete toma la delantera, aligerando el paso. Linda y Paul deben de llevar aquí un rato. Ella tiene una mancha de hollín en su cabellera rubia, y parece entonada con lo que sea que contenga la petaca de plata que tiene en la mano. Lleva puesto un vestido veraniego y calza zapatos de tacón que ya están algo polvorientos. Paul tiene una gran bolsa de papel de la que asoman las colas de varios cohetes, y una sonrisa de oreja a oreja dibujada en el rostro. Linda me guiña un ojo como si yo formara parte del grupito y a continuación se vuelve hacia Pete, poniéndole una mano en el hombro mientras él saca varios cohetes de la bolsa, riendo como una niña que ha hecho una travesura.

Me aparto un poco de ellos y observo. Antes de darme cuenta, la multitud empieza a distanciarme de Pete y los demás, como si estuviera en el agua y la marea me fuera alejando de la costa. La voz de Linda es cada vez más distante. Ella está de cara a la península, contemplando los fuegos de artificio. Paul tiene las manos apoyadas en las caderas y las piernas separadas, y se balancea sobre los talones mientras mira hacia el cielo. A Pete le brilla el rostro cuando enciende la mecha de un cohete. Tiene la lengua en la parte interior de la mejilla y le cae el cabello sobre la frente. Parece un niño pequeño. Parece el chico del cual me enamoré.

Estoy apoyada contra la lona y no consigo distinguir bien el cúmulo de ruidos. Los estallidos y los silbidos podrían ser de cualquier cohete, y las risas de cualquiera de los numerosos grupos de personas que tengo cerca, divirtiéndose. Los sonidos me llegan apagados, como si me encontrara debajo del agua. A pesar de todo, tengo la mente despejada. Me siento como si fuera invisible, sola en este mar de gente que ríe y festeja, entre el humo y el estruendo.

Pienso en la pregunta que formuló Pete la otra noche: «¿Y ahora, qué se supone que tenemos que hacer?»

Eso, ¿qué?

Levanto la vista y contemplo el cielo nocturno, lleno de humo y libre, momentáneamente, de explosiones. Una pausa entre secciones del espectáculo. El suelo está lleno de mechas quemadas y de restos de cohetes. La muchedumbre se mueve y suspira como un animal enorme, rodeándome y esquivándome como agua alrededor de una piedra clavada en el lecho de un río. De repente, en medio de todo el barullo, oigo mi nombre. Una y otra vez, cada vez más alto.

—¡Gracie! ¡Gracie! ¡Grace!

Empieza a refrescar. Me froto los brazos con brío. Encima de mí, tiene lugar una última y grandiosa explosión de color azul zafiro. La multitud se queda boquiabierta. Justo entonces, algo se libera en mi interior y me echo a llorar. Me siento como si estuviera mudando la piel. Todo sucede en cuestión de un segundo, y comprendo que, por fin, he tomado una determinación, tan osada que, probablemente, sea estúpida. De hecho, es más propia de mi madre que de mí. De alguna manera, he conseguido reunir algo de la valentía y el descaro de ella, ese que siempre nos estaba metiendo en problemas.

Bajo los brazos, ya más calientes, mientras veo que Pete

viene hacia mí, apartando como puede al gentío. Tiene las manos y la camiseta manchadas de hollín, y no deja de elevar la vista hacia el cielo, distraído, por si acaso lanzan otro cohete.

—Conque estabas aquí —murmura—. Me preguntaba dónde te habías metido.

Un bon début — Un buen comienzo

Coco con relleno de crema de mantequilla y fruta de la pasión

Como ya había guardado el número en la memoria de mi teléfono, lo único que tengo que hacer es apretar un botón.

—Hola. Llamo por lo de la tienda.

El hombre que atiende la llamada no habla inglés. Está gritando, pero no a mí. Probablemente al chiquillo que se oye llorar desconsoladamente al otro lado de la línea. Parece que hablan en portugués. Al cabo de un instante, el tipo me hace caso.

—¿Cómo? —pregunta.

—Le preguntaba por la tienda. ¿Quizá llamo en mal momento?

Ahora oigo a una mujer. El hombre chasquea la lengua y me dice algo en voz baja, que ojalá yo pudiera entender. A continuación, los dos nos quedamos en silencio y escuchamos a la mujer, que se dirige al niño en voz alta y con firmeza. El pequeño solloza y, entonces, ella añade algo en voz baja, con ternura. Silencio. Su madre, sin duda. El hombre y yo callamos unos instantes.

—¿*Inglesha*? —pregunta él entonces, con lo que parece cierta desconfianza.

—Sí, soy inglesa. Hablo inglés —contesto.

—Vale —dice el hombre—. ¿Viene mañana a la tienda? Traigo a un amigo. Habla el inglés.

—Sí, claro. No hay problema.

—A las dos de la tarde, ¿de acuerdo?

—De acuerdo. Por cierto, me llamo Grace.

—Vale, Grace.

Y cuelga.

Pete deja su bolso y su abrigo en una de las sillas del comedor y sacude la cabeza, muy serio. Enciendo una luz y me percato de que estoy sentada a oscuras. Tomo un sorbo de mi copa de vino.

—¿Mal día? —pregunto.

—Una puñetera pesadilla —contesta él.

Lleva toda la semana volviendo del trabajo de mal humor, y limitándose a meterse en Internet para ver cómo han ido sus apuestas deportivas y, a continuación, se tira en el sofá a ver la televisión. Se quita los zapatos de piel, que caen con fuerza sobre el suelo de madera, y luego se afloja el nudo de la corbata. Por fin, viene a sentarse a mi lado y se queda mirando por la ventana. De repente repara en la mano sobre la que estoy apoyada, como si fuera a agarrármela o a besármela, pero, en lugar de eso, vuelve el rostro nuevamente para contemplar el cielo nocturno.

—¿Va todo bien en el trabajo?

—No vale la pena darte los detalles. Digamos que es un desastre —responde, encogiéndose de hombros.

Ya me imagino lo que no me cuenta: el montón ingente de problemas e imprevistos que suelen tener lugar antes de la apertura de un nuevo casino. Los plazos que no se han cumplido, los miembros del equipo que trabajan mal y arrastran consigo a los demás, las expectativas nada realistas de los inversores y del comité ejecutivo. Pete ya ha pasado antes por todo eso, pero lo cierto es que sigue desanimándose, como si, esta vez, hubiese esperado algo distinto. Se pasa la mano por la cara, como si quisiera quitarse de encima la jornada.

—¿Te apetece una copa de vino? —ofrezco.

—Sí, gracias. No me vendrá nada mal.

Vuelvo a llenar mi copa y le sirvo una a él. Es la segunda que me tomo, pero ya empiezo a notar los efectos; me pesan las piernas y estoy ligeramente mareada. Coraje holandés.

Pete se sienta en el descansillo de la ventana, y nos dedicamos a observar a la gente que cruza el paso de peatones que hay debajo, una visión que siempre resulta muy dinámica. Este lugar no duerme ni un momento. A veces, hace que me sienta como la única persona en el mundo que está encerrada en su apartamento, sin hacer nada. Como una triste princesa en su torre.

Esta noche, hay montones de niños paseando con sus padres, sus niñeras y sus abuelos. Ya me he acostumbrado a ver a críos despiertos hasta medianoche o más tarde. Me imagino a mamá susurrándome al oído al ver pasar a un niño que vuelve a casa con sus padres después de haber ido a cenar fuera. «¡Dios mío!», hubiese dicho probablemente. «¡Esa criatura ya debería haberse acostado!», olvidándose que, a menudo, yo misma me quedaba despierta hasta tarde, horneando tartas, haciendo volcanes de harina, jugando con mis LEGO o dibujando ballenas.

—Me parece que hay un festival de farolillos o algo así, por el fin del año nuevo chino —explica Pete, como si me hubiera leído el pensamiento.

—Así que se puede decir que ya estamos metidos de lleno en el año de la rata —comento.

Él asiente y apoya la cabeza contra el vidrio.

Pienso en los fuegos artificiales de la semana pasada y en los estallidos, que atravesaban mis pensamientos como rayos.

—¿Es por eso que hay tantos niños fuera? —pregunto.

—Supongo que sí —contesta Pete, pasando el dedo por el borde de su copa.

Debe de tener razón, puesto que algunos niños llevan juguetes inflables con luces en su interior. Vemos a dos hermanos, una niña y un niño, que brincan en la acera. Él tiene un martillo inflable de color azul, que ase por el mango, y ella una enorme cabeza de Hello Kitty sujeta a una varilla de plástico, que agita arriba y abajo en el aire, como si estuviera recogiendo el hilo de una caña de pescar. No tarda en golpear a su hermano en la cabeza, y este se vuelve para enfrentarse a ella. El niño la atiza con el martillo en la frente, y su hermana se pone a gritar. Desde aquí arriba no podemos oírla, pero tiene el rostro enrojecido.

—¡Ja, ja! —Ríe Pete—. ¿Has visto eso?

—Me parece que Junior acabará metiéndose en problemas —digo.

Pete enarca ambas cejas, dándome la razón, y vuelve a apoyarse en la ventana. Veo el efecto del vino en su semblante. Empieza a relajarse. De repente, es como si el momento quedase suspendido en el tiempo. Ahí estamos, los dos sentados aquí arriba mirando el mundo que tenemos debajo, como si de una película se tratase; como si fuéramos titiriteros.

—Pete, se me ha ocurrido una idea —digo con cautela.

—¿Mmm? —dice él, sin dejar de mirar por la ventana.

—Quiero abrir una cafetería.

—¿Ah, sí? —murmura.

—Pensaba que podía usar ese dinero, ya sabes.

Pete se vuelve hacia mí.

No tengo ningunas ganas de referirme a ello directamente. Se trata del dinero que habíamos apartado para una posible fecundación *in vitro*, pero para eso se requieren óvulos sanos, y ambos sabemos que esa posibilidad está descartada.

Pete me escruta con la mirada, y me pregunto qué verá.

—Quiero servir bocadillos, café, macarons.

—Claro, macarons —repite él con cierto sarcasmo.

—Sé que puede parecer una locura.

—Ya lo creo —responde Pete al instante.

—Tú no tendrás nada que ver con ello, Pete —digo, bajando la voz hasta casi un susurro, en un intento de apaciguarlo—. Será asunto mío. Yo me encargaré de todo.

Pete toma un sorbo de vino pero evita mirarme. Aunque sigue observando por la ventana, sé que me escucha. Tiene la barbilla ligeramente levantada, así que tiene que bajar la vista para ver lo que sucede en la calle.

—Pete —digo en tono de súplica, cogiéndole la mano—. Necesito...

Él vuelve el rostro hacia mí levemente y, con voz áspera, dice:

—Es una gran responsabilidad.

Acto seguido, fija la vista en la copa de vino y se pone a hacerla girar entre las manos.

—Es mucho dinero, lo sé, pero será un negocio, una inversión. Ganaré dinero —arguyo, al tiempo que noto el nerviosismo en mis palabras. Hago una pausa y trago saliva—. Dijimos que usaríamos el dinero para algo útil, ¿no es cierto?

Pete enarca las cejas.

—Vaya, parece que ya has tomado una decisión.

Sé que pretende que hablemos de cómo ha acabado el sueño que compartíamos, el sueño de tener un hijo juntos, pero no me veo capaz.

—Bueno —murmuro, mientras le doy vueltas a mi argumento y trato de transmitir convicción—. Soy consciente de que podríamos usar el dinero para otras cosas, pero es que esto es lo que quiero.

Nos quedamos callados unos momentos, mirándonos a los ojos. Me siento incómoda, como si cada uno estuviese tratando de escrutar al otro. De repente, siento como si nos separara un abismo.

—No me parece buena idea, Grace —dice Pete finalmente, con firmeza.

—Tal vez —replico—, pero necesito ocuparme de algo que sea mío. —Dicho esto, me noto más relajada—. Puede que no sea buena idea, y puede que sí lo sea. Lo único que sé es que tengo que intentarlo.

Él responde con una risa extraña.

—A duras penas has conseguido salir de la cama, ¿y ahora quieres llevar un negocio?

Me lo quedo mirando, sin dar crédito a lo que oigo. He venido hasta China por su trabajo, y he depositado mi confianza en él.

—¿Por qué te molestas en preguntármelo? —prosigue—. Como acabo de decirte, parece que ya has tomado una decisión.

—A decir verdad, no lo he hecho —respondo, alzando el mentón.

—¿Que no has hecho el qué?

—Preguntártelo —contesto, mirándolo a los ojos. Mantengo el tono de voz sereno, pero me sorprendo por la determinación con la que hablo.

Pete abre los ojos de par en par.

—Entonces tengo razón. Ya estás decidida —dice, poniéndose de pie, enfadado, y acabándose la copa de vino. Me mira un instante y se va a la cocina—. Como quieras; no me interpondré. Haz lo que creas conveniente.

Oigo que deja la copa en el fregadero. La discusión me ha puesto de mal humor. Pete siempre ha llevado las cuentas y ha tenido la última palabra en cuestiones de dinero, cosa que jamás me ha molestado. Hasta ahora. En esta ocasión, va a ser diferente. A pesar de que se me ha hecho un nudo en el estómago, estoy convencida de mi decisión, y no me importa si sale bien o mal. Tengo que intentarlo.

Pete atraviesa la sala de estar sin dirigirme la mirada y se mete en su despacho. Oigo que se deja caer en su silla y que enciende el ordenador. Al cabo de unos instantes, oigo la melodía del sitio de apuestas por Internet, seguido del sonido de las ruedas de la silla deslizándose por el parqué al acercarse Pete a la pantalla. Dedico unos segundos a respirar hondo y a regresar a ese estado de calma y sosiego. Me vuelvo hacia la oscuridad de la ventana. Observo el continuo ir y venir de clientes que entran y salen de las tiendas, y los farolillos que se agitan en los postes que hay en la calle. Me fijo en el solar donde van a hacer el parque y distingo la silueta de un árbol solitario, que me recuerda a un signo de exclamación.

Querida mamá:

Han plantado un árbol. Tal vez lo hayan hecho para ver qué pasa. Puede que no las tengan todas consigo y que piensen que esa tierra no es capaz de alimentar nada. Quizá sea justo lo que desean. Lo que me fascina es que lo hayan plantado justo en mitad de la manzana; no a un lado, junto a la verja, ni en un rincón, sino en el centro, como si quisieran decir «bueno, ahí te quedas, a ver cómo te las apañas para sobrevivir». Tengo la impresión de que preferirían que no lo hiciera, que la prueba fuera un fracaso estrepitoso y que, en lugar del parque, pudieran seguir adelante con lo del aparcamiento.

No obstante, ya hace una semana que el árbol está ahí. Esta mañana, casi lo he saludado. Reconozco que se me ha dibujado una sonrisa de oreja a oreja en el rostro. Me extraña que no se me haya roto la cara. Durante el día, las sombras de las nubes pasan por el solar y por encima del árbol. De repente, es como si el terreno fuera tridimensional. Me imagino las sombras levantándose las faldas como damas de antaño, mientras navegan por encima de ese árbol molesto. Es como si las oyese quejarse mientras flexionan sus rodillas oxidadas y se levantan las pesadas enaguas. Me encanta la idea de que el árbol sea un incordio para todo el mundo; para quienes lo han plantado y para las sombras que pasan sobre él. A veces pienso que estoy más enamorada de este árbol que de mi marido, y eso hace que me sienta intrépida y decidida.

Tu hija que te quiere,

GRACE

La cocina donde preparan los dulces es más fría de lo que había imaginado, pero huele genial, como a manzana. Las paredes están revestidas de azulejos blancos y casi todos los muebles son de acero inoxidable. Hay unos cuantos cocineros chinos, todos muy ocupados. No parece que tengan prisa, pero llevan a cabo su tarea con absoluta dedicación. Uno de ellos saca bolitas de praliné de sus moldes y las sumerge en un cuenco con chocolate fundido. Se me hace la boca agua. Las mete ayudándose con un tenedor y las va sacando cubiertas de la sedosa y brillante crema, para luego dejarlas enfriar sobre una encimera de mármol. El tenedor no deja marca alguna, y, con mucho cuidado, el cocinero convierte cada bolita en una esfera perfecta. El proceso resulta subyugante.

—¡Grace!

Me vuelvo y veo a Léon, que se limpia las manos en el delantal y me ofrece su encantadora sonrisa.

—¡Cuánto me alegro de verte! Bienvenida a nuestra cocina —dice. Tiene el rostro ligeramente sudado, y resopla de manera teatral—. Perdona, pero es que estaba con el horno, y estoy... ¿Cómo se dice? Asado.

Léon se echa a reír.

—No tienes por qué disculparte —contesto—. Gracias por haberme invitado.

Bajo la vista hacia el suelo para evitar fijarme en sus labios, enrojecidos por el calor, y me doy cuenta de que tengo los zapatos manchados con harina o azúcar, o ambos.

—Al contrario; el placer es mío. Es genial tener a alguien que se interese tanto por nuestro trabajo. Puede que, después de todo, Macao esté listo para los macarons.

—La verdad es que me encantan, y espero que al resto de Macao también le gusten. Solía comerlos cuando estaba en París.

Con mamá.

—Estoy seguro de que tu cafetería va a ser un éxito. En este negocio, el ingrediente más importante es la pasión —dice Léon, mirándome a los ojos un instante.

Las palabras «tu cafetería», junto con esa breve mirada, hacen que me sienta excitada. Entonces recuerdo todos los impresos que tengo que cumplimentar, afortunadamente con la ayuda del anterior dueño de la tienda, que habla portugués. Aquí, el inglés no es lengua oficial, y no tengo ningún contacto que pueda hacer el papeleo por mí, por lo que la mayor parte del tiempo me siento como una inútil. Lo cierto es que no soy muy optimista con respecto al negocio, y me conformo simplemente con abrir el local. Necesito demostrarle a Pete que, por lo menos, puedo hacer eso.

Léon se mueve por la cocina y da indicaciones a sus cocineros, con amabilidad, pero también con autoridad, transmitiendo la sensación de tenerlo todo bajo control. Uno de sus subordinados le entrega sendos cuencos, uno con lo que parece harina y otro con claras de huevo.

—Bueno, empecemos —anuncia Léon. Me pongo enfrente de él, al otro lado de la encimera, para tener una mejor visión del proceso—. Aquí hay almendra molida, azúcar y lo que creo que vosotros llamáis azúcar glass. Ah, y levadura —añade, dándole un golpecito a uno de los cuencos—. Esto otro, por supuesto, son claras de huevo. Lo primero que hay que hacer es mezclarlo todo bien.

Léon recalca que la mezcla de los ingredientes del macaron es muy importante, y, mientras gesticula con las manos, me explica que, si no se hace correctamente, puede quedar poco espesa, demasiado líquida o demasiado áspera. Acerca ambos cuencos a una impoluta batidora blanca y, poco a poco, procede a añadir la mezcla de azúcar y harina de almendras a las claras de huevo.

Observo el proceso con suma atención. La pastelería me entusiasma, y Léon es consciente de ello.

—Te lo estás pasando bien, ¿eh? —dice, riendo.

—Mucho —contesto, percatándome de que tengo las manos juntas, palma contra palma, a la altura del mentón. Inmediatamente, las pongo detrás de la cintura y trato de mantenerlas ahí.

—Vale, creo que así está bien —dice Léon, apagando la batidora—. Tiene que tener un aspecto de nata montada. Espesa, pero no demasiado. Tiene que quedar... ¿cómo te lo diría? —Hace un esfuerzo para explicármelo, pero al final decide enseñármelo. Mete el dedo en el cuenco y aprieta la mezcla suavemente. En cuanto lo saca, la mezcla queda enganchada en la yema un instante y luego se suelta, dejando un pequeño montículo.

—Tiene que formar picos —concluyo.

—Exacto, eso es. Una vez que ha adquirido esta consistencia, entonces ya está lista. Hoy vamos a hacer macaron de fruta de la pasión, así que tenemos que añadir un toque de color antes de verter la mezcla en el molde.

Léon coge una botellita llena de un líquido de color amarillo brillante, deja caer algunas gotas en el cuenco y, después de revolver con cuidado, la mezcla adquiere un tono casi fluorescente.

—No te preocupes —dice él, advirtiendo que he fruncido el ceño—. Una vez que se cocina, se vuelve más oscura. Es por la almendra.

—Ah, de acuerdo.

Regresamos a la encimera de mármol, donde uno de los

cocineros ha preparado una manga pastelera y una fuente cubierta por una lámina de silicona. Léon mete varias cucharadas de la mezcla en la manga y empieza a depositar pequeños círculos de la misma en la fuente.

—Estos son *petits* macarons —explica—. También pueden hacerse más grandes, aunque creo que este es el tamaño más adecuado para servirlos. En ocasiones nos piden macarons para *catering*, pero no tan a menudo como me gustaría.

Léon termina de llenar la fuente con filas de círculos de la mezcla, que parecen centros de margaritas.

—Gracias por enseñarme —digo, apoyada en el borde de la encimera—. Es muy generoso de tu parte.

Él se encoge de hombros y sonríe.

—Ha sido un placer. Me alegro de que vayas a abrir una cafetería. La verdad es que me encanta el efecto que los macarons, las tartas y los dulces en general tienen en la gente. La hacen feliz, ¿sabes?

De repente, pienso en la tarta que mamá me preparó cuando cumplí ocho años. Era una torre coronada con un reloj, parecida al Big Ben, acostada sobre una tabla de cortar cubierta con papel de aluminio. La tarta estaba recubierta por un baño de crema de mantequilla gruesa y blanda como una nube. El reloj estaba hecho con gominolas, y los números con barritas de regaliz. En uno de los lados de la torre, había un ratoncillo de mazapán, con otra barra de regaliz como cola. Mamá se puso a cantar y a darme besos por el cuello y a hacerme cosquillas hasta que empecé a chillar.

—Sí, sé a lo que te refieres —digo.

Léon golpea suavemente la fuente contra el mármol y los botones amarillos se diseminan, aunque siguen separados unos de otros.

—Vale, ahora vamos al horno —anuncia.

Los hornos están en una sala contigua, unos encima de

otros, como estanterías. Hay dos columnas, y en cada una debe de haber diez o doce de ellos.

—Hay que dejarlos unos ocho minutos. El horno está precalentado a trescientos cincuenta grados, y hay que asegurarse de que no haya nada de vapor.

Nos quedamos de pie, en silencio, viendo como, poco a poco, los macarons van subiendo. Alrededor de nosotros, los cocineros siguen atareados, amasando y revolviendo mientras charlan y bromean. Sin embargo, el sonido nervioso del cantonés, que normalmente me distrae de mis pensamientos, es ahora un mero rumor. Noto la respiración de Léon a mi lado, mientras contemplamos cómo la sagrada conjunción de azúcar, harina de almendra y claras de huevo va cocinándose.

La parte superior de los macarons se vuelve redondeada y brillante, como un botón o la chapa de una botella de champán. Léon me explica que hay que cocerlos por la parte inferior unos pocos minutos y que luego tienen que reposar alrededor de un día. Cuando finalmente están listos, los saca del horno y regresamos a la cocina, donde Léon me habla de la delicada preparación del *ganache*, el relleno suave y cremoso de los macarons. Como las conchas que acabamos de cocinar todavía están demasiado calientes, no va a preparar el *ganache* ahora, así que se limita a describirme el proceso a la vez que va gesticulando con las manos. Enumera los ingredientes, me explica cómo los mezcla y subraya los detalles más importantes de la elaboración. De vez en cuando levanta la vista hacia el techo, buscando las palabras apropiadas. Es evidente que quiere que yo lo tenga todo lo más claro posible, como si fuese su deber como amigo, como chef y como francés. Por fin, le pide a uno de sus cocineros que lo ayude en otra sala. Aguardo unos minutos, durante los cuales me entretengo viendo como otro cocinero pela peras.

Léon regresa con una bandeja de cristal en la que hay lo

que parecen sendos semáforos de macarons, y la pone delante de mí.

—*Voilà*. Macarons —dice—. Estos los hice ayer, para una fiesta que hay esta noche, así que deben de estar deliciosos.

Por supuesto, no se equivoca. Están perfectos. El primero que pruebo es de chocolate amargo, y si bien el relleno es menos blando de lo que esperaba, se derrite en mi boca en cuestión de segundos. El segundo es de frambuesa, y el *ganache* mantiene la textura ligeramente áspera del fruto. La pasta de almendra de este macaron es más fuerte, y, en conjunción con la frambuesa, sabe a otoño. El último es de fruta de la pasión. Sé que las tapas no tienen gusto, pero, incluso antes de probarlo, todo el macaron desprende un aroma sencillamente exquisito. En cuanto le doy un mordisco, noto el sabor ácido del maracuyá y un dulzor intenso. Este macaron tiene el mismo perfume exótico que un ramo de lirios. Cierro los ojos y me deleito con el sabor.

—Bueno, ¿qué te parecen? —me pregunta Léon, tan cerca de mí que advierto que sus ojos tienen el mismo color que las iniciales azul zafiro que hay bordadas en su camisa.

—Maravillosos, en serio —respondo, sonriendo, ebria con el glorioso sabor de los macarons. Léon me devuelve la sonrisa y baja la vista a la fuente, vacía, mientras yo trago el último bocado, extasiada.

—Genial, es lo que esperaba.

Querida mamá:

Tengo miedo de haberme convertido en una furcia despendolada.

Ríete si quieres, pero podría ser cierto. No puedo dejar de pensar en un hombre casado. Y yo también soy una mujer casada, lo cual indica que debo de ser perversa.

Su acento me recuerda al dulce aroma del caramelo

fundiéndose en la boca. La verdad es que hasta me da vergüenza. Léon... Podría pasarme el día escuchándolo hablar. No sé cómo explicarlo; me hace pensar en París.

¿Te acuerdas del recepcionista de aquel hotel, mamá? Sí, aquel lugar horrible que olía a perro mojado y a alfombra vieja. ¿Te acuerdas de aquella noche, comiendo bocadillos en la habitación y viendo la televisión francesa mientras me acariciabas el pelo? Qué lugar tan lúgubre, mamá. No sé cómo pudimos alojarnos ahí, por mucho que viéramos un trozo de la torre Eiffel. Siempre fuiste una romántica.

Resulta que aquel recepcionista fue, probablemente, el primer amor de mi vida. Antoine, el guapo y cariñoso Antoine. Tenía los ojos marrones como el café. A lo mejor no te acuerdas: Se apiadó de nosotras aquella última noche, cuando no nos llegaba para pagar la factura. Debió de sentir pena por aquellas dos inglesas pelirrojas. Siempre fue amable con nosotras e incluso me cogió de la mano un segundo cuando nos despedimos, y yo pensé que iba a desmayarme o a hacerme pis encima o algo igual de embarazoso. Léon y Antoine; los dos franceses. Sus almas debieron de haber sido creadas del mismo arco iris.

Estoy casada con un buen hombre, mamá, y tengo que dejar de pensar en estas cosas.

Tu hija que te quiere,

GRACE

P.D.: Mamá, es cocinero.

Raiponce – Rapunzel

Bergamota y cardamomo
con ganache de chocolate blanco

Grace Miller, dueña de una cafetería. Lo atestigua mi firma en los papeles. Ya está hecho. Todo ha sucedido más rápido de lo que esperaba, y tengo una sensación extraña, parecida a la que se experimenta cuando el dentista te arranca una muela o te quitas una tirita muy rápido. Es lo que quería, ¿no? A veces cuesta recordarlo. Aquí estoy, con mi propio negocio. O aquí estoy, mejor dicho, con un local mugriento que era un restaurante portugués, y que, de un modo u otro, tiene que convertirse en una cafetería en las próximas dos semanas. Necesito una copa de vino.

Por la ventana, veo que una espesa bruma blanquecina navega entre los edificios. Se te mete en la garganta y te humedece la piel como si se tratase de un sudor extraño y desconcertante. Observo cómo se desplaza y lo envuelve todo. Dentro, los dígitos verdes del reloj del horno microondas indican que son las diecisiete horas y treinta y ocho minutos. Después de trabajar en casinos tanto tiempo, Pete ya se ha acostumbrado al formato de veinticuatro horas. Faltan veinte minutos para las seis. Los papeles del contrato están guardados en un sobre blanco que hay sobre la encimera de la cocina, con mi nombre mecanografiado en cautivadoras letras negras. ¿Será demasiado temprano para beber alcohol? Me sirvo una copa del Chardonnay que Pete ha dejado en la encimera y dejo que sus diminutas y calientes burbujas desciendan por mi garganta. Me pongo a caminar por el apartamento con la copa en la mano, echando un vistazo a todas las habitaciones. La verdad es que no les vendría mal que las ordenaran un poco, pero no me veo capaz. Me duelen todos los músculos; incluso los huesos, maldita sea.

Hoy han venido los albañiles a tirar una pared del local, para que pueda verse la cocina desde el mostrador. Todavía me retumba en los oídos el ruido ensordecedor de los martillos neumáticos abriéndose paso a través del yeso y la madera. El suelo está cubierto de polvo gris, lleno de pisadas y esparcido por todas partes. Los obreros, descamisados, se marchan con un color distinto de cuando llegaron. El sudor se ha mezclado con el yeso y ha otorgado un tono grisáceo a su piel. Es en días como este cuando desearía saber chino. El capataz, cuyo número de teléfono me pasó Paul cuando le llamé para preguntarle si conocía a alguien que pudiera hacerme la obra, habla inglés perfectamente, pero casi nunca está por aquí. Lo mejor sería saber cantonés, aunque me conformo con el mandarín. Hablando solo inglés, me siento desvalida. Mediante señas, he tratado de decirles a los obreros que se pusieran casco y tapones para los oídos, pero lo único que he conseguido ha sido que me miren como a un bicho raro. Supongo que cuando no estoy mirando me hacen muecas sin siquiera sacarse los cigarrillos de la boca. No tardé en darme cuenta de que lo mejor para todos es que no me entrometa, así que ahora me limito a observar y a volver a casa con los oídos pitándome. Pete me ha mandado un mensaje de texto comunicándome que esta noche tiene cena y karaoke con sus compañeros de trabajo. Se dedican a desafinar y a beber té verde con whisky. La verdad, me alegro de que no me haya invitado.

Me meto en el estudio, me siento, y me pongo de cara

a la ventana. El vidrio está moteado de gotas de lluvia, y veo la huella de una mano, donde Pete o yo nos hemos apoyado para mirar a la calle. No puedo dejar de pensar en planos, papel de pared, tonos de luz y colores de servilletas. Tengo que decidir de una vez qué cafetera quiero y cómo quiero decorar las paredes. Probablemente tendré que conformarme con la más barata, aunque la que me gustaría es plateada y está coronada por un águila de bronce, como el capó de un coche de lujo. Es encantadora y de fabricación italiana, pero se escapa de mi presupuesto. Me muerdo el labio, y me pregunto si Pete tendrá razón y esta aventura está destinada al fracaso. Yo creo que haber sido camarera toda la vida y abrir una cafetería son cosas distintas.

Todavía quedan algunas cajas de la mudanza que nos ha dado pereza abrir, y reparo en una que está junto al escritorio, todavía cerrada con cinta adhesiva marrón. Con la ayuda de una tijera, corto la cinta y abro la caja. Dentro, hallo un montón de papeles desordenados, que supongo que son de Pete. Viejos informes, planos... Sin embargo, no tardo en topar con los bordes de un montón de fotografías. Son viejas, están algo descoloridas y ligeramente desenfocadas.

La primera es una foto mía, en la que aparezco de pie frente al edificio donde estaba nuestro apartamento de Islington. Llevo puesto mi uniforme de camarera, del primer trabajo de verdad que tuve, y tengo pinta de estar pasando vergüenza. No cuesta imaginarse a mamá detrás de la cámara, orgullosa de mí. En la siguiente estoy en Francia, de adolescente, con expresión taciturna, posando en medio de un puente, y con el cielo gris. Otro de aquellos viajes improvisados. Me siento en el sillón de leer y me pongo a pasar fotos. En todas salgo yo. Yo, pensativa, con una tarta de cumpleaños de chocolate; yo, sentada en una manta de *picnic*, mirando a la cámara con desgana; yo y las Casas del Parlamento de Londres... Aquí salgo vestida con mi uniforme escolar, flaca y con cara de estar asustada, En otra, años más tarde, estoy sentada a la mesa de la cocina, malhumorada y con el pelo corto. Tomo un buen sorbo de Chardonnay y apoyo la cabeza en el respaldo, dejando que el vino fluya dentro de mí.

En las últimas fotos salimos mamá y yo juntas. En una, ella tiene un corte de pelo horroroso, como en dos capas, corto arriba y largo abajo. Por suerte, tenía un cabello maravilloso, y le sentaba bien casi cualquier corte. Se la ve especialmente sonriente, y yo, que no debía tener más de tres años, estoy apoyada en sus piernas. Parece que lleve un disfraz de hada, con alas hechas con perchas y papel de aluminio. La verdad es que no parezco muy contenta. Probablemente ese no fuera el disfraz espectacular con el que yo soñaba. Mamá, no obstante, sale como si acabara de construir la torre Eiffel.

Sin embargo, mamá no sonríe en todas las fotos. En algunas parece que tiene la mirada perdida, esa mirada suya tan particular, como si estuviese a caballo entre este mundo y otro. Observo detenidamente estas fotos, acercándomelas a la cara y fijándome en cada arruga de la frente de mamá, en el modo en que tiene abierta o cerrada la boca, en la tensión de sus hombros... Busco algo en su semblante, una pista, un indicio, pero no encuentro nada. Cuando se me cansa la vista, dejo las fotografías y miro por la ventana.

Ya está atardeciendo, y el cielo ha adquirido un color malva. Las luces de los apartamentos de enfrente van encendiéndose poco a poco. Reparo en una mujer de cabello oscuro que lava los platos, con una trenza larga y gruesa que le cae sobre el hombro. Tiene la atención puesta en el fregadero y no levanta la vista en ningún momento, mientras por sus manos pasan cacerolas, *woks*, ensaladeras y otros utensilios de cocina. Cada vez que se mueve, la trenza le cuelga como una serpiente por el pecho y se le mete debajo de la axila. Por fin, mira hacia arriba y se inclina sobre la ventana. Tiene el rostro menudo y pálido, y mete una mano entre los barrotes. Me la imagino como una niña en un cuento de hadas, atando la trenza a la barandilla y descendiendo por ella. Entonces, la mujer abre la mano y la sacude, probablemente soltando migas o restos de comida, para luego volver a meterla en el agua.

Dejo la copa en el suelo, vacía, apoyo la espalda en el respaldo y cierro los ojos.

Llevo puesto un vestido con los bordes estampados con elefantes. Cada uno sujeta al otro por la cola, con la trompa. Paso el dedo por los dibujos, y me los imagino barritando y golpeando el suelo con las patas. Mamá me ase por la otra mano y me la aprieta con fuerza, mientras tira de mí y yo resbalo por el suelo. Aparto la vista de sus largas piernas a las mías, cortas, y miro mis nuevas botas negras con botones brillantes, que me encantan. Me recuerdan aquella escena de la película de *Little Orphan Annie*, en la que canta *It's the Hard Knock Life* y salta sobre la cama; es la mejor escena de toda la película. A decir verdad, las botas me aprietan un poco, pero no se lo digo a mamá porque le han costado una fortuna.

Mamá tiene su bolso rojo debajo del brazo, que está doblado como el ala de un pájaro. Carraspea, hace una pausa y vuelve a carraspear. Levanto la vista para ver si va a decir algo, pero no lo hace, y se limita a seguir mirando al frente. Estamos en una calle muy comercial, y pasamos por un supermercado, una oficina de correos, un banco y una tienda de artículos de segunda mano. Vuelvo la cabeza para contemplar los maniquíes, ataviados con abrigos y gorros, y veo a una mujer de cabello canoso al otro lado del escaparate que carga con faldas y pantalones. Me hace gracia que los maniquíes estén desnudos de cintura para abajo, y no puedo evitar reírme. Tienen la entrepierna plana, indefinida, y los ojos pintados. La mujer del pelo canoso repara en mi sonrisa y me mira con desaprobación. Mamá vuelve a tirar de mí y sigue caminando unos metros más, hasta que se detiene. Traga saliva, se humedece los labios y se sacude pelos de su abrigo que, en realidad, no tiene, mientras no deja de mover su mano sobre la mía.

—¿Dónde estamos, mamá?

Me mira como si hubiese olvidado que me está cogiendo de la mano. Entonces, se agacha y el cabello le cae sobre la frente. Me mira fijamente. Tiene ojeras debido a la falta de sueño, pero las disimula con maquillaje.

—Espérame aquí un minuto, ¿de acuerdo? Tengo que hacer algo muy importante. No tardaré. Luego te compraré una rosquilla.

Sonríe y me pellizca la mejilla. Hoy va a ser un buen día. Pienso en la cobertura de chocolate, crujiendo con cada mordisco que daré a la rosquilla, y en el azúcar que me quedará en los labios. Voy a empezar a comérmela por los bordes, hasta llegar al centro, y que no quede más que ese ombliguito.

—¿Puede ser de chocolate? —pregunto.

Mamá asiente y me acaricia el pelo.

—Claro. Tú pórtate bien, ¿de acuerdo? No tardaré.

Estamos enfrente de una panadería, y de dentro sale un olor cálido y dulce. Huelo a harina, a mantequilla caliente y a azúcar. La mitad inferior de la vitrina está pintada, por lo que no puedo ver el interior de la tienda, salvo la parte superior de las cabezas de la gente y las luces del techo. Pasan varios minutos, que me parecen horas, hasta que decido sacudir el polvo del suelo y sentarme. Sin embargo, en cuanto lo hago, la gravilla se me clava en las medias y, cuando trato de despegarla, sin querer, hago un agujero. Meto el dedo dentro y noto mi piel, más fría. Mamá va a ponerse furiosa.

De repente, oigo ruidos provenientes del interior de la panadería. Una mujer se ha puesto a gritar. Parece la voz de mamá, y me quedo petrificada. Un hombre con bigote sale del establecimiento sacudiendo la cabeza, y cargando con una bolsa que contiene lo que huele a pastelillos de carne calientes. Dentro de la tienda debe de haberse caído algo, porque oigo un golpe. Permanezco lo más quieta que puedo y mamá no tarda en salir. Tiene mala cara.

—Vámonos de aquí, Grace —suelta.

Respira hondo, sacando pecho, y vuelve a cogerme de la mano. A continuación, repara en mis medias, polvorientas.

—¿Y mi rosquilla? —murmuro. Sé que es una pregunta un tanto estúpida, pero estoy tan hambrienta que me duele la barriga.

—¿Qué?

—Mi rosquilla —repito.

Me pongo de pie y mamá me sacude las medias con brío.

En ese momento, un hombre vestido con un delantal blanco sale de la panadería y empieza a discutir con mamá.

—Maldita sea, podrías darme un momento para hacerme a la idea —dice. Tiene los mofletes rojos como manzanas, y huele a azúcar caliente—. No puedes venirme con semejante noticia en mitad del turno —añade para acto seguido menear la cabeza—. ¿Por qué tienes que comportarte siempre como una chalada?

El hombre deja de hablar en cuanto advierte mi presencia. Me observa atentamente y se queda boquiabierto. Tiene los ojos de color azul celeste y, a pesar de que lleva las manos cubiertas de harina, me doy cuenta de que son grandes y de que tiene las uñas cortas y pulcras.

—¿Es ella? —pregunta entonces, mirándome con los ojos como platos.

El modo en que me mira me pone nerviosa, así que aparto la vista de él y reparo en un tatuaje que tiene debajo de una manga. Se trata de un pequeño pájaro azul con una cinta rosa en el pico. Siempre deseé tener unas zapatillas de ballet con cintas rosas. Tengo los pies hinchados y doloridos, y me entran ganas de llorar, pero mamá está tan furiosa que prefiero no decir nada al respecto. En lugar de eso, decido reclamar la rosquilla por última vez, por si acaso se la ha olvidado en el mostrador. A mamá no le gustaría comprar algo para luego olvidárselo; sería un desperdicio. Me imagino la bolsa de papel con mi rosquilla dentro, manchándose poco a poco con el aceite, esperando a que la recojan.

—¿Y la rosquilla, mamá? —insisto, tirando del borde del precioso abrigo que lleva puesto.

Ella me mira como diciéndome que, si sé lo que me conviene, más vale que me calle.

—Olvídate de la puñetera rosquilla —susurra, apretando los labios, que se ha pintado de rojo brillante, y haciendo ademán de marcharse.

—¡Eh! ¡Oye, espera! —exclama el panadero, con los brazos inertes a cada lado del cuerpo y cara de desconcierto.

Mamá me aleja de allí rápidamente, volviendo por donde hemos venido. Pasamos otra vez por la tienda de segunda mano con sus maniquíes medio desnudos, por el banco y por la oficina de correos. El hombre no deja de gritarle a mamá que se detenga, pero no viene detrás de nosotras. Vuelvo la cabeza para ver su rostro una vez más, antes de que nos alejemos demasiado. Parece triste, pero se queda ahí de pie como una estatua. En cuestión de segundos, él y la panadería no son más que una imagen borrosa en la distancia, y mamá y yo cruzamos un parque y doblamos una esquina hasta llegar a la estación de tren.

Un cascabeleo metálico me despierta. Es Pete, que trata de meter la llave en la cerradura y entrar en casa. Me lo imagino al otro lado de la puerta, maldiciendo. Considero la posibilidad de levantarme y abrirle la puerta, pero el vino que tengo encima me mantiene pegada al sillón, inmóvil. Debe de ser tarde. Está oscuro y tengo los pies fríos. Me acurruco un poco más para protegerme del frío. Por fin, Pete consigue abrir la puerta y entra en el apartamento tambaleándose como un marinero borracho, iluminado por la luz que entra del rellano, aunque desde aquí solamente distingo su silueta. Espero a que me llame, pero se queda de pie en el recibidor, resollando. Cuando cierra la puerta, el apartamento vuelve a sumirse en una profunda y placentera oscuridad.

Pete entra en el cuarto de baño, caminando con pesadez. No puedo verlo desde donde me encuentro, pero oigo que abre el grifo y se lava. Luego se oye el ruido de su cinturón cayendo al suelo, seguido del de sus zapatos. Ya despierta del todo, me desperezo y arqueo los pies como un gato. Me pongo de pie y paso junto al lavabo, pero Pete ha cerrado la puerta. Me pongo una de sus viejas camisetas y me meto en la cama, agradeciendo el suave tacto de las sábanas. Me siento algo mareada, tal vez por el vino o por haberme quedado dormida medio sentada. Me llevo la mano a la frente, pero, de todos modos, sé que no tardaré en volver a dormirme y a regresar temporalmente al pasado.

Alguien entra en la habitación, y me lleva un par de segundos recordar que se trata de Pete. Abro un ojo y lo veo de pie frente a la cama, iluminado por la escasa luz que entra por la ventana. Está desnudo y le cuesta mantenerse derecho. El fresco aire nocturno me trae a la nariz el olor a alcohol que emana de él. Justo antes de quedarme dormida, me doy cuenta de que busca mi rostro en la oscuridad.

El domingo, Pete se ofrece a ayudarme en la cafetería, lo cual me sorprende, teniendo en cuenta lo reacio que ha sido con todo este asunto. Puede que sienta curiosidad.

Mientras me ayuda a limpiar, inspecciona la cocina, las paredes, la instalación eléctrica y los marcos de las ventanas. No tarda en estar cubierto de polvo de yeso y en tener el pelo gris. Se inclina y trata de sacudírselo.

—Qué cantidad de polvo —se queja. Me encojo de hombros y le paso una pesada caja llena de tazas—. ¿Dónde quieres que las deje?

—Al fondo, donde puedas. Ya las sacaré más tarde. No tiene sentido hacerlo ahora, con toda esta...

—Mugre —concluye Pete por mí, un tanto malhumorado.

—Exacto —digo, volviéndome sin poder evitar sonreír.

Apoyo las manos en el respaldo de una silla, si bien siento la necesidad imperiosa de moverme, como si tuviese todos los músculos cargados de electricidad. Desplazo el peso de una pierna a la otra, contemplando la sala principal y pensando en qué es lo siguiente que hay que hacer.

Pete se me acerca por detrás y posa la mano sobre mi hombro amigablemente.

—El horno tiene buena pinta —comenta.

Fuera, una anciana jorobada se detiene frente al local y echa un vistazo a través de la ventana, polvorienta. Calculo que debe de tener unos ochenta años. La saludo y ella se queda mirándome.

—Supongo que deberíamos empezar a limpiar. ¿Cuándo vendrán a empapelar las paredes? —pregunta Pete, masajeándome las cervicales. La anciana que hay fuera no deja de observarnos.

—Eh, creo que dijeron que a las cuatro.

—O sea, a las seis —murmura Pete sarcásticamente—. De acuerdo, ¿hay escobas al fondo?

Nos ponemos a barrer de izquierda a derecha, y el polvo que vuela nos hace toser y estornudar. Me tomo una Coca-Cola, pero el gusto amargo del yeso no se va. A Pete se le mete polvo en los ojos y empieza a maldecir. Ya está atardeciendo. Recogemos la tierra con la pala y empezamos a fregar. En un momento dado, voy a cambiar el agua del cubo y advierto que Pete me está mirando. Tengo el cabello humedecido por el sudor, y las mangas llenas de espuma de detergente, cuyo aroma a limón llena el espacio, mientras los últimos rayos de sol bañan las baldosas, recién fregadas.

—¿Una última pasada? —pregunto.

Pete asiente.

Una vez que hemos terminado, nos sentamos en el suelo, apoyados en paredes opuestas, uno enfrente del otro, y nos miramos. Estamos demasiado cansados para ponernos a conversar, y dejamos que la oscuridad se vaya cerniendo sobre nosotros, aunque todavía hace bastante calor. Contemplamos el resultado de nuestro duro trabajo. Las baldosas, blancas y negras, han quedado relucientes; no esperaba que, bajo toda la suciedad, fueran tan bonitas.

De repente, un ruido llama nuestra atención y ambos dirigimos la vista hacia la puerta. Un hombre se asoma al interior de la cafetería. Tiene barba, una dentadura impecable y sonríe.

—¿Está Lillian por aquí? —pregunta, para, acto seguido, soltar una carcajada.

—Eh, Paul —dice Pete, poniéndose de pie, limpiándose la mano en la pernera de sus vaqueros y yendo a estrecharle la mano.

—Casualmente pasaba por aquí. ¡Este sitio tiene una pinta estupenda! —exclama, mirando a su alrededor mientras yo me levanto—. Las baldosas son preciosas.

—¿De veras? Nos ha costado un poco limpiarlo todo, pero... —digo, encogiéndome de hombros.

—Sí, y el rótulo también está muy bien.

Pete ladea la cabeza y me mira.

—Vaya —digo, un tanto extrañada—. Deben de haberlo colgado cuando estábamos en el patio trasero. Debía de ser el ruido que oíamos.

Los tres salimos a la calle y nos quedamos en la acera. Paul cruza los brazos y se inclina un poco hacia atrás. Pete se lleva las manos a la cintura y levanta la vista. El rótulo cuelga de una barra de bronce, y, como no corre aire, está inmóvil, como si se hubiese detenido para que lo pudiéramos inspeccionar sin problemas. El rótulo de mi cafetería.

Contengo la respiración un instante, mientras lo contemplo. Pete alza el mentón un poco más y entorna los ojos para leerlo, y Paul gruñe en señal de aprobación.

—No me lo habías dicho —murmura Pete, volviéndose hacia mí con el ceño fruncido.

La verdad es que han hecho un buen trabajo, y lo han sujetado firmemente con tornillos también de bronce, aunque la pintura todavía no se ha secado del todo. El nombre de la cafetería está en letra negra y cursiva sobre fondo blanco, y combina con las resplandecientes baldosas blancas y negras del interior. Los puntos de cada *i* son sendas amapolas de color rojo oscuro.

LILLIAN'S

—Perfecto —digo en voz baja, ilusionada como una chiquilla.

Querida mamá:
Mañana inauguro Lillian's.
Pete opina que debería haber hecho más publicidad, pero estoy tan nerviosa que empiezo a sentirme mal. He puesto un anuncio en el boletín del International Ladies Club, pero con muy poca antelación, por lo que no creo que salga hasta la semana que viene, afortunadamente. A veces pienso que no quiero que nadie repare en la cafetería. Solo quiero que pase el primer día y quitarme esta ansiedad de encima.

Ya he molido café, aunque, pensándolo bien, tal vez debería hacerlo mañana, para que esté lo más fresco posible. He preparado tres tipos de macarons diferentes, y me han salido todos bien, a excepción del de chocolate amargo, lo cual es una pena, porque están buenísimos, pero tienen aspecto de sombreros en los que alguien se hubiera sentado. También he hecho varias tartas y bizcochos, y algunas magdalenas, que, un poco horneadas, parecerán recién hechas. Todavía tengo que preparar la cobertura de queso crema para las de zanahoria, pero puedo hacerlo mañana por la mañana. Me levantaré temprano, si es que consigo conciliar el sueño.

¿Qué pasa si no viene nadie, mamá? Podría suceder. No se lo he comentado a Pete, porque fruncería el ceño y diría algo así como «deberías haberlo pensado antes, Grace». Anoche, mientras cenábamos, me miró a los ojos y te juro que pude leerle el pensamiento. Seguro que se preguntaba si estoy convencida de lo que voy a hacer. Ya sé que he gastado un montón de dinero, y que Pete tiene miedo de que esto no dé más que pérdidas, pero prefiero no hablar de ello, porque lo cierto es que yo tampoco las tengo todas conmigo.

Hoy me he encontrado a Linda en el supermercado, y, en cuanto me ha visto, se ha partido de risa. «Dios mío, no te he reconocido», me ha dicho. No me extraña, porque llevaba puesto un peto viejo y gastado, manchado de grasa y polvo, tenía el cabello recogido, y olía a toalla sucia. Hace semanas que no me maquillo, y se me ven todas las pecas y las arrugas. Cada vez que me miro en el espejo me llevo un susto. De todos modos, no vale la pena ponerse guapa cuando estás poniendo a punto una cafetería, créeme. A veces desearía que Macao no fuera del tamaño de un *post-it*, y que cada vez que fueras al supermercado no te encontraras con algún conocido.

Bueno, mamá, deséame suerte. Me siento como si tuviera canguros en la barriga. Ahora tengo que tratar de descansar un poco. Mañana es el gran día.

Tu hija que te quiere,

GRACE

L'espoir – La esperanza

Lavanda de Provenza con crema dulce de mantequilla e higos

El sol se pone en el horizonte, naranja como la pulpa de un mango. Las sillas están encima de las mesas, y los bancos, limpios. Las neveras están llenas y el suelo, fregado. Bajo una silla, la dejo en el suelo, aposento mis cansados huesos en ella y contemplo el ocaso por la ventana.

Bueno, pues no ha ido nada mal.

Teniendo en cuenta la poca promoción que he hecho, ha venido más gente de la que esperaba. Por supuesto, ha habido momentos en los que hubiese deseado tener más clientes para poder ganar más dinero, pero he dedicado una sonrisa orgullosa a todas y cada una de las personas que han pasado por delante de la cafetería y no han entrado. Puede que mañana venga más gente. Tal vez pasado mañana. La recaudación me cabe en el bolsillo. Doscientas *patacas* y unas pocas monedas. Ni siquiera pienso calcular cuánto estoy cobrando por hora. Seguro que ganaba más con las propinas cuando trabajaba de camarera.

Paul se ha pasado por la mañana con un compañero de trabajo y se han tomado un café con leche y un capuchino, mientras miraban unos planos que han extendido sobre dos mesas. Linda ha venido con sus hijos después de la escuela, y los niños han destrozado sendos *brownies* de chocolate, comiéndose la mitad y desparramando el resto por el suelo. Me ha dicho que vendría a final de semana con unas amigas, para enseñarles el local. La decoración le ha chiflado. «¡Muy *chic*, Gracie!», fueron sus palabras textuales. Celine ha llamado para pedirme si puedo preparar el *catering* para una fiesta francesa para ella y otros padres que va a dar la semana que viene. Algunos bocadillos y macarons, nada demasiado complicado. Teniendo en cuenta que su marido es chef, sé que este encargo es como un regalo caído del cielo. Luego han venido tres colegialas chinas. Han pedido un macaron cada una y han estado riéndose un rato. Tenían las carpetas forradas con pegatinas y llenas de garabatos, y los calcetines subidos hasta las rodillas. También ha entrado una mujer que me ha pedido un vaso de agua y me ha dicho que venía de correr. Por lo visto, trabajaba para el *Macau Daily Times*, y parece que le ha gustado la cafetería. Mi última clienta ha sido otra mujer que se ha tomado un té junto a la ventana. Eso ha sido todo.

He envuelto la comida que no aguantará hasta mañana y la he metido en una bolsa. Me la llevaré a casa y la aprovecharemos para la cena, o le diré a Pete si sabe de alguien que pueda quererla. Tal vez los que pululan por la Old Taipa Tavern.

Así que no ha sido nada espectacular. No ha habido cien clientes ansiosos haciendo cola para entrar. Estoy cansada, pero satisfecha, y siento algo que hacía tiempo que no sentía. Creo que lo llaman optimismo.

Un peu de bonté — Un poco de amabilidad

Sandía con relleno de crema

Es el segundo día que abro la cafetería. Mi cafetería. Me despierto temprano, sin necesidad de oír el despertador. Supongo que mi subconsciente no quiere que llegue tarde, pero no son más que las cinco de la madrugada, y Lillian's no abre hasta las diez, así que todavía me quedan cinco horas por delante. Pete ronca suavemente a mi lado, boca abajo, con la sábana envuelta en la cintura, como en las series de televisión. Sé que si me levanto lo despertaré. Me siento igual que una niña la mañana de Navidad, desesperada por que su madre se levante de una vez. Repaso mentalmente lo que tengo que hacer: abrir las puertas, bajar las sillas de las mesas, poner el cartel de abierto, sacar los macarons del refrigerador y llamar a Ah Chun por el grifo que gotea. De repente, siento un leve escalofrío.

Salgo de la cama lo más despacio que puedo, abro el ropero y me percato de que no tengo nada adecuado para este nuevo capítulo de mi vida. Hay abrigos de lana junto a pantalones de yoga, y me niego a ponerme camisa blanca y pantalones negros; ya no soy camarera. ¿Una falda y una blusa, tal vez? Vuelvo a mirar la hora en el despertador que hay en la mesita de noche, junto a Pete, que tiene la boca abierta contra la almohada. Me cambio todo lo silenciosamente que puedo, pero, cuando me vuelvo, veo que Pete está cogiendo la almohada a lo largo, como si de una amante se tratara, y que tiene la cabeza apoyada en una mano.

—Hola —me dice, mirándome sin pestañear.

—Perdona, ¿te he despertado?

Se encoge de hombros.

—Tenía que levantarme —me excuso—. Tengo demasiadas cosas en la cabeza.

—Mmm —masculla, soñoliento.

Empiezo a sacar ropa del armario y a dejarla sobre la cama. Seguro que por algún lado tengo un par de prendas medio decentes que ponerme.

—¿Qué te pusiste ayer? —pregunta Pete.

—El vestido gris oscuro, ese que tiene el cinturón. Y unas sandalias.

—Ah, sí. ¿No puedes ponerte lo mismo de nuevo?

—No es un traje, Pete. Las mujeres no podemos vestirnos cada día con lo mismo —digo, un tanto airada. Al menos si no estamos todo el día en una cocina con el horno encendido, pienso, revolviendo las pilas de ropa.

Pete se levanta y se pone de pie a mi lado. Tiene la mejilla izquierda marcada por las arrugas de la almohada, y el pelo aplastado del mismo lado.

—¿Qué te parece esto con esos pantalones? —sugiere, agarrando una camiseta de cuello alto, sin mangas, y mirando hacia un pantalón negro que he descartado. Esa camiseta la compré en nuestra luna de miel, para llevarla a las cenas elegantes que había cada noche en el complejo de cinco estrellas en el que nos alojábamos. Rara vez nos levantábamos de la cama antes del mediodía, así que vestirse para cenar era casi como empezar el día. Verla me recuerda a mojitos y mosquitos.

—Sí, vale —contesto en voz baja. De hecho, sorprendida, pienso que es perfecta.

—Puede que hoy me pase a comer —dice Pete, bostezando y yendo hacia la ducha. Su blanco trasero resalta contra sus piernas bronceadas.

Cuando llego a Lillian's, hay una mujer esperando fuera. Va calzada con unas sandalias doradas, y parece inquieta. La miro fijamente, preguntándome si es real. Tiene las piernas muy largas y unos *shorts* blancos. Es como si acabara de salir de una sesión de fotos encima de un yate. Tiene los brazos bronceados, y sostiene un perro de color café con leche. A pesar de que lleva unas gafas de sol enormes, me doy cuenta de que me está mirando.

—¿Es usted la dueña? —pregunta.

De repente, se apodera de mí una agradable sensación de bienestar. Espero a estar más cerca para responder, puesto que levantar la voz siempre me pone nerviosa. Tiene una preciosa cabellera rubia, del color de un vino de postre, que le cae sobre los hombros. Debe de rondar los treinta y cinco años, y desprende una fragancia floral parecida a la que tiene en sus tiendas una cadena de ropa de lujo, y que no es precisamente barata.

—Sí, soy yo —contesto.

—Genial; me muero por un café.

Miro la hora en mi reloj de pulsera, que se ha movido hasta la parte inferior de mi muñeca. Son las siete y cuarto.

—Lo siento, pero no abrimos hasta las diez —digo, notando que me sonrojo. Me va a llevar un tiempo acostumbrarme a esto de ser la dueña.

La mujer se acerca y baja la vista hacia mi reloj, y su perro se pone a gruñir y patalear, como si estuviera en el agua. El animal frunce el labio y me muestra sus dientecillos, a la vez que deja al descubierto sus encías, negras y brillantes como el regaliz.

—Menudo fastidio —dice ella con inconfundible acen-

$10

Call# ___MUNSC4___

☐ Prof. Collection, CHECK-IN, and give to:

☐ Leave "In Process" for:

_____

Labels
☐ Bestseller
☐ Big Book
☐ Early Reader
☐ Fantasy

Holiday Labels
☐ Christmas
☐ Easter
☐ Halloween
☐ Jewish holiday
☐ Kwanzaa

to australiano—. ¿No le importaría abrir un poco más temprano por un día?

Pienso en la lista de cosas que tengo que hacer y niego con la cabeza, ruborizándome.

—Hace dos días que hemos abierto —me excuso—. Puede que la semana que viene empiece a abrir un poco antes. Si lo desea, puede volver pasadas las diez.

La rubia cambia de posición con el fin de sostener mejor al perro.

—No importa —responde—. Eso me enseñará a que no tengo que ser yo misma delante de esas mujeres.

—¿Disculpe?

La chica se pone las gafas de sol en lo alto de la cabeza y levanta la vista, como resignada. Tiene los ojos marrones como un *brownie*. Titubea un instante, pero luego me mira, dispuesta a explicarse y suspira.

—Resulta que no puedo ir a tomarme un café al Aurora porque varias integrantes del Club de Damas se reúnen allí —dice. Al revés de lo que había esperado, su voz es cálida—. No les gusta que diga palabras malsonantes delante de sus hijos. En realidad no estoy segura de si es solamente por eso. Me da la sensación de que no les gusto yo, en general. Por lo visto, después de la última barbacoa, no quieren saber nada de mí,

Pienso en Linda y no puedo evitar reírme. Parece que esta chica tiene de malhablada todo lo que tiene de glamurosa.

—Sí, ya sé que parece gracioso... —dice con cara de hastío—. Qué atajo de esnobs. No hace demasiado estaban cambiando pañales y lavando los platos ellas mismas, y ahora se comportan como si fueran la mafia de Prada. Encantada las mandaría a la mierda, pero Don dice que no me conviene. —De repente le suena el teléfono móvil, y trata de buscarlo en su bolso sin soltar al perro—. Es Don, mi marido —dice, llevándose el móvil a la oreja—. ¡Volveré!

—se despide, sonriendo, mientras su perro vuelve a mostrarme los dientes.

El sonido de sus tacones resuena en el silencio de la mañana mientras se aleja. Me ha recordado a mamá, que hablaba sin pensar en las consecuencias. Seguro que causó sensación en la barbacoa del Club de Damas, al menos entre los hombres. Deben de hacer cola ante la puerta de su casa.

Más tarde, Pete llama y cancela el almuerzo. Está demasiado ocupado para venir a Taipa desde la península y regresar a la oficina en una hora. Mientras habla, oigo sus dedos en el teclado del ordenador. Corta sin despedirse. Cuelgo el teléfono y contemplo el suelo de la cafetería, vacío. Me imagino una cuenta de los clientes del día escrita con tiza en la pared y borro una línea. Ya he hecho todo lo que tenía que hacer antes de abrir, y más, y me encuentro detrás del mostrador, sintiéndome como una inútil. La luz del sol entra por las ventanas y se refleja en las baldosas limpias.

Saco un bocadillo del refrigerador del mostrador y me acomodo en una mesa cercana, por si entra alguien y tengo que levantarme rápidamente. He cogido una *baguette* rellena de queso *brie*, mermelada de frutos del bosque y piñones; está ligeramente gomosa debido al frío, pero la he horneado esta misma mañana. Lo mejor son los piñones; me encanta su consistencia. Mientras como, miro al exterior y veo que una anciana se acerca a la ventana. Se trata de la misma mujer a la que saludé hace unos días. Viste unos pantalones de deporte de algodón de color gris oscuro y una blusa de manga corta, de color azul marino. Tiene los ojos castaños, y me mira fijamente. La blusa está estampada con motivos florales y el cuello es de estilo mandarín. Me quedo maravillada por los broches que la cierran, de algodón azul oscuro, delicadamente entrelazados en forma de ocho.

La anciana se apoya en un bastón y se mueve lentamente. Casi pega la nariz al vidrio y veo las arrugas que cubren su rostro. Tiene el cabello corto y gris, sujetado para atrás con una diadema, lo cual le da aspecto infantil. Repara en mí justo cuando tengo la boca llena y me dedica una tímida sonrisa. Me pongo de pie de inmediato y me limpio las manos en el delantal. El sonido de la campana que suena al abrirse la puerta es como música celestial. La mujer se acerca al mostrador y se inclina sobre los macarons, mientras asiente asombrada, lo cual me hace reír.

—Son macarons —le explico muy amablemente.

Ella pone una sonrisa de oreja a oreja, pero no dice nada. Señala las magdalenas, las tartas y los rollos. Empiezo a preguntarme si no será muda, pero entonces se pone a hablar en cantonés. No estoy segura de si habla conmigo o con ella misma. Se apoya en el mostrador, coge una carta en inglés, que todavía no he traducido, y se la acerca a la cara.

—Lo siento —murmuro, temiendo que no la entienda. No obstante, sigue observándola como si fuera a acabar haciéndolo por arte de magia. Por fin, se encoge de hombros y pregunta:

—¿*Cha?*

Té. Una palabra que conozco.

—*Cha*; muy bien —contesto, asintiendo como una idiota. Le indico con un gesto que tome asiento, y escoge una de las mesas que están enfrente. Se sienta en la silla, deja el bastón sobre la mesa y pone las manos en el regazo.

Examino el estante de las infusiones y vuelvo a mirar a mi clienta, que me sonríe con sus labios violáceos y ancianos, que destacan en su semblante moreno. A pesar de que tiene el cabello canoso, aún conserva algunos mechones oscuros. Se vuelve hacia la ventana, cierra los ojos y deja que el sol bañe su rostro. Destapo una caja de color azul oscuro, con nubes blancas impresas en las esquinas. Calma, una mezcla relajante de camomila, lavanda y menta.

Cuando le llevo la bandeja con la tetera, la taza y un macaron, ella se señala el pecho, enjuto, y dice:

—Yok Lan.

—Yok Lan —repito.

La señora asiente, contenta. Echo un vistazo a la bandeja, preguntándome si me estará pidiendo algo; azúcar, tal vez. Voy a por un cuenco lleno de azucarillos y se lo dejo junto a lo demás.

Ella sonríe y se toca el pecho.

—Yok Lan —insiste.

—Yok Lan —repito otra vez. La mujer vuelve a asentir, y entonces me señala y enarca las cejas, que no son sino dos finísimas y cortas líneas de vello gris—. Ah, usted se llama Yok Lan —digo, comprendiendo. Ella asiente—. Yo soy Grace.

La anciana pone cara de no entender.

—Grace —repito, llevándome el dedo al pecho.

—Grrr... ace... ah.

—Sí, me llamo Grace.

—Grrrrace... ah. ¡Graça! —dice, entusiasmada, pronunciando la versión en portugués de mi nombre—. Grr... ace. Hai... a.

La señora me da una palmadita en la mano y la dejo sola. Ella vuelve el rostro hacia el sol y yo regreso tras el mostrador a acabarme el bocadillo, mientras la observo. Más tarde, estando en la cocina, vuelvo a oír la campana de la puerta. Cuando salgo, la anciana se ha marchado, aunque antes se ha acabado el té y el macaron. Ha dejado dinero sobre la mesa; no lo suficiente, pero seguramente lo que está acostumbrada a pagar en otros lugares. No me molesta.

Yok Lan resulta ser la única clienta del día. Sin embargo, cuando termino la jornada y cierro la cafetería mientras tarareo *Amazing Grace*, siento como si Lillian's hubiese sido bendecido.

Luego, en el transcurso de la semana, empiezan a venir más clientes. Primero a cuentagotas, después como una llovizna, y, al final, como una cascada.

Rêve d'un ange — Sueño de un ángel

Chocolate blanco con toque de canela y corteza de limón

Parece mentira, pero ya estamos en abril. El tiempo vuela cuando estás entretenida, pero cuando llevas una cafetería en un pequeño rincón de China, es como si fuese en un cohete. Lillian's tiene más clientela de la que podría haber esperado, y lo cierto es que ya estoy agotada de hacerlo todo yo sola. Contenta, sí, pero exhausta. Cada noche me meto en la cama a eso de las ocho y me levanto sobre las cinco y media, con la cabeza llena de recetas de macarons y listas, listas y más listas. Pete y yo apenas si nos cruzamos. Lo veo al amanecer, cuando salgo de la cama con sigilo y lo dejo roncando con la boca abierta y un pie fuera de las sábanas.

De algún modo, consigo apañármelas con todo el trabajo, pero esto no puede durar mucho más. De hecho, empieza a venirse abajo casi en cámara lenta, un día que estoy sirviendo a la clientela.

Hay cola ante el mostrador; un hombre fornido de calva lustrosa no para de resoplar con los brazos cruzados. La chaqueta del traje le queda un poco estrecha y la corbata cuelga en torno a su grueso cuello. Delante de él, una de mis clientas habituales pide un café largo y un vaso de leche caliente para su hijo, que la tironea de la mano. Tiene las rodillas manchadas de clorofila verde y los pantaloncitos del uniforme presentan una mancha muy visible de color óxido, supongo que es de Marmite. Detrás del hombre fornido está Yok Lan, que me saluda con la mano.

Deposito ambas bebidas en una bandeja y se la acerco a mi clienta. Ella está distraída; el niño aún está colgado del brazo.

—Oh, quería que fueran para llevar —dice en tono de disculpa.

Vierto el café largo en un envase de cartón y preparo otro vaso de leche. Aunque empiezo a acostumbrarme a tener más clientes, la larga cola no deja de ponerme nerviosa. El vaso de leche suelta vapor al tiempo que ella se aparta y el hombre a sus espaldas se acerca, apoya una mano gorda en el mostrador y me mira con el ceño fruncido. Pide un café con leche y un sándwich de rosbif mientras yo vierto la leche en un envase de papel para el niño y me apresuro a preparar el café con leche del hombre. Les alcanzo ambas cosas y entonces suena el móvil del hombre y el tema de *La guerra de las galaxias* perfora el ambiente. La madre pega un brinco y el chico suelta un grito cuando ella le pisa el pie y después tropieza y choca con el hombre que derrama el café con leche en su camisa. La mancha le humedece la piel y el vello oscuro se pega a la tela azul celeste. Cuando el hombre empieza a gritar, el niño se echa a llorar. Yok Lan retrocede cojeando y por suerte se aparta.

—¡Oh! —es todo lo que logro decir.

Después corro en torno al mostrador para primero comprobar que el niño —con el rostro bañado en lágrimas— no se ha hecho daño. Tiene el rostro crispado y parece muy afligido. La madre empieza a chillar al hombre, que me increpa por no haberme ocupado de él primero. Golpea la taza contra el mostrador, se rompe el asa y el resto del café se derrama en mi espalda. Entonces se pone a soltar tacos y el olor a café caliente penetra en mi nariz. La mujer coge a su hijo en brazos y abandona el local. Para cuando me incorporo con trozos de taza en la mano, el hombre también se ha ido. El suelo está manchado de café con leche, el vaso de leche y el café largo siguen encima del mostrador y nadie ha pagado nada.

Yok Lan chasquea la lengua y me palmea el brazo.

Una mujer alta y rubia entra apresuradamente, lleva un largo vestido blanco y sandalias doradas.

—Lo vi todo desde fuera. ¿Te encuentras bien? —dice, con expresión preocupada.

Es la mujer que acudió el segundo día esta vez sin el perro. Yok Lan la mira y sonríe.

La mujer coge unas servilletas y me seca la espalda.

—¡Qué animal! —masculla, cogiendo los trozos de taza de mi mano y depositándolos en el cubo de la basura junto a la máquina de café. Dirige una mirada a Yok Lan y luego a mí.

—¿Puedo servirte un café? —pregunto en tono cansino.

—¿Qué te parece si espero hasta que hayas limpiado y el ajetreo haya pasado? —dice. Luego añade en tono bondadoso—: Tal vez podríamos tomar un café juntas.

—Vale —digo; estoy tan cansada que me ayudará a reponer fuerzas.

Media hora después el caos ha disminuido. Los últimos clientes del almuerzo se marchan; el café derramado ha sido limpiado y la luz de la tarde ilumina la cafetería, clara y silenciosa. Yok Lan está sentada frente a la ventana y el vapor de su taza de té se eleva hacia el cuello de su camisa; cierra los ojos y se reclina hacia atrás en la silla, suspirando. La mujer rubia me observa por encima de una revista. Preparo un capuchino para ella, una taza de té para mí y dispongo unos cuantos macarons en un plato. De todos modos, a estas horas no se venderán.

—Lamento todo aquello —digo.

—¿Todo aquello?

—El alboroto. Quizá sea una característica británica... —digo, riendo—; verás, los enfrentamientos no se me dan muy bien.

—No pasa nada —dice ella en tono tranquilizador.

—Es que estoy tan cansada... —confieso.

Le ofrezco un macaron a Yok Lan, sentada a la otra mesa, y ella acepta con entusiasmo y lo coloca en el borde del plato.

—Bueno —dice la rubia—. No creo que solo sea una característica británica: a mí tampoco se me dan bien, aunque en general la que causa el alboroto soy yo.

Finas arrugas rodean sus ojos pardos. Es mayor de lo que creí al principio; tal vez tendrá unos cuarenta. Parece una de esas muchachas confiadas del instituto, pero adulta; sin embargo, también parece un tanto torpe.

—Siempre digo cosas que no debiera decir —explica, encogiéndose de hombros—. Me llamo Marjory, dicho sea de paso.

—Encantada de conocerte, Marjory. Me llamo Grace.

Solo he bebido media taza de té cuando suena el teléfono y me levanto para atender. Pete necesita el número de mi pasaporte para alguna clase de documento gubernamental; mientras recito los números, Marjory se acerca al mostrador. Por fin cuelgo y vuelvo a disculparme. Ella sonríe y deja dinero junto a la caja; intento darle la vuelta, pero ella hace un gesto negativo.

—Te veré mañana. Lamento no haber regresado antes; este lugar es genial —dice con una sonrisa tímida.

—Gracias.

—Cuídate mucho, Grace, no trabajes demasiado duro —comenta en tono cordial y luego sale por la puerta.

Ya en casa, después de limpiar Lillian's y cerrar la puerta tras un largo día, Pete me dirige una mirada reflexiva. Estoy tumbada en el sofá, con los pies hinchados sumergidos en un cubo lleno de agua salada caliente. Empieza por contemplar mis pies y acaba con el pelo, cuyas puntas sobresalen en lugares que no debieran; menea la cabeza y suelta un suspiro. Sé que me dirá algunas verdades duras incluso antes de que pronuncie una palabra: es su modo de actuar.

—Grace —dice—, necesitas ayuda. Debes contratar a alguien.

Siento una pequeña punzada en el pecho causada por el orgullo de saber que esta sensación de cansancio se debe a que la cafetería empieza a tener bastante éxito. «Esta camarera está regentando un café», pienso y le brindo una breve mirada de autosatisfacción.

Pero, aunque tiene razón —necesito ayuda—, me hace sentir extraña; estoy acostumbrada a hacerlo todo yo misma, a mi manera. Alzo la vista y contemplo el cielo raso, o tal vez el firmamento. «Mamá, querida mamá.» Estoy tan exhausta que me duelen todos los músculos, sobre todo los de los párpados. Dirijo la mirada hacia Pete, de pie y con los brazos cruzados; del cubo surge el vapor.

—A lo mejor tienes razón —confieso a regañadientes.

Gracias a sus contactos entre los dueños de los restaurantes, Léon me ayuda a arreglar varias entrevistas: con primos y amigos de personas que trabajan para él en el Aurora. Le estoy agradecida, apenas tengo tiempo de poner un anuncio en el periódico. Y, si he de ser completamente sincera, la idea de compartir Lillian's me pone nerviosa, hace que me sienta vulnerable, como cuando le prestas tus zapatos predilectos a alguien.

Las leyes locales garantizan que solo los ciudadanos de Macao reciban empleos de crupier en los casinos, ya que hay una gran demanda. Los sueldos son tan buenos que apenas queda alguien para trabajar en las cafeterías, los bares y los restaurantes. Han de albergar un deseo ardiente de servir a los demás... y gente con ese deseo no suele abundar. Léon sugiere que entreviste a alguien de Filipinas capaz de hablarme en inglés. Me dice que, por lo visto, todos los filipinos conocen a todos los demás filipinos de la ciudad; es una amplia red de conexiones. Léon me asegura que resultará muy fácil encontrar a alguien, pero no estoy convencida de ello. Me resulta difícil imaginar que encontraré a alguien capaz de comprometerse con Lillian's tanto como yo; alguien que tratará los macarons como si fueran gemas semipreciosas.

—No podría haber sido peor —protesto con el auricular del teléfono pegado a la oreja.

—¿Qué ocurrió?

—Bueno, la primera...

—¿Cristina?

—Sí, esa. Se presentó con media hora de retraso, desesperada por obtener el empleo, y se dedicó a dar coba durante toda la entrevista. Todo era «maravilloso, señora» y «para usted, no problema, señora». No quisiera parecer desagradecida por tu ayuda, pero la entrevista me hizo sentir muy incómoda.

Léon intenta contener una risita.

—¿No te gustó porque estaba desesperada por conseguir el empleo? Todas están desesperadas, Grace. Mantienen a sus familias de Filipinas gracias a los sueldos que pueden ganar aquí. No las culpes por eso.

Alzo la vista y asiento con aire renitente, como si él pudiera verme a través del teléfono.

—Tal vez estaba desesperada por conseguir el empleo o quizá solo se sentía culpable por llegar tan tarde. De todos modos, hizo que me sintiera... extraña.

—Vale, vale. ¿Y qué pasó con la segunda?

—Peor. No hablaba ni una palabra de inglés —digo—. Le hago un montón de preguntas, supongo que está realmente interesada y que ambas nos comprendemos. Su mirada se ilumina y asiente con la cabeza...

—Suena muy bien.

—... Hasta que dejo de hacerle preguntas que puede contestar diciendo que «sí» o que «no».

—¿Cómo dices?

—Y yo continúo recibiendo «sí» o «no» como respuesta.

—Ah, comprendo. Bueno... —León vuelve a reír.

—Es una pérdida de tiempo, me temo. Queda una y empiezo a pensar que debería cancelar la entrevista. Gracias por todo lo que...

—Grace... —dice Léon en voz baja, casi ronroneando. Callo y escucho el sonido de su voz.

Antes de que él pueda continuar, lo interrumpo.

—De acuerdo, no me lo digas: lo que hago es ridículo. Vale, entrevistaré a esa última muchacha —digo, suspirando con resignación.

—Muy bien. Se llama Rilla, ¿no? Mis empleados dicen que será la mejor.

—Vale, vale —murmuro y me doy cuenta de que Léon y su deje francés podrían convencerme de casi cualquier cosa.

—Bien —dice, y noto que está sonriendo—, que te diviertas.

Cinco minutos antes de que Rilla acuda a la entrevista estoy sentada ante una de las mesas, mirando por la ventana y esperando que aparezca. Tengo la barbilla apoyada en las manos y noto que estoy frunciendo el entrecejo. Me da rabia tener que cerrar Lillian's durante medio día para entrevistar gente. Todas las tazas y los platos están apilados y sin usar; los macarons reposan en la nevera: me parece inútil y echo a faltar mi trabajo, el auténtico. El té verde japonés que he preparado ya se ha enfriado en la taza cuando veo a un muchacho joven acercándose a la cafetería. En general, los muchachos jóvenes no acuden a la cafetería a solas, así que me enderezo y lo observo. Sonríe con timidez y me saluda con la mano; instintivamente, vuelvo la mirada hacia la pared a mis espaldas y luego le echo otro vistazo. Lleva pantalones cortos y una camiseta blanca de mangas largas que cuelga hasta la mitad de sus muslos. Está encorvado y aferra la punta de una manga con los dedos; su cabellera negra es espesa y lustrosa, cortada por encima de las orejas. Entonces se detiene y llama a la ventana con los nudillos. Vuelve a sonreír y noto que su cara es bonita.

—Lo siento —articulo, meneo la cabeza, indico el cartel de «Cerrado» colgado de la puerta y le dedico una débil sonrisa de disculpa.

Él me mira, evidentemente confundido y dice algo que no oigo a través del cristal.

Vuelvo a sacudir la cabeza; él alza unas hojas de papel que parecen un documento. Sacudo la cabeza más vigorosamente y levanto la mano: detesto que me vendan algo, porque siempre soy demasiado cortés como para negarme a comprar.

—No, no, está cerrado, lo siento.

El chico parece aún más desconcertado y se acerca a la rendija entre ambas puertas. Vuelve a decir algo en inglés, algo que suena como «señor».

Me dirijo a la puerta.

—¿Señora? —dice el chico en tono agudo—. Me envía el señor Léon, señora. ¿Usted es la señora... Grace?

A medida que me acerco a las puertas veo sus ojos a través de la rendija; tiene pestañas cortas pero muy espesas, parecen las de un niño. Su cutis es liso y el rubor le enciende las mejillas.

—Sí, soy Grace —digo, entreabriendo la puerta.

—Oh, qué bien. Soy Rilla.

Al pronunciar esas palabras oigo el tono suave de su

voz y todos los demás detalles encajan. Soy una tonta. Es la primera vez en el día de hoy —y tal vez en toda la semana— que río. La risa surge poco a poco y acaba por convertirse en una carcajada. Abro ambas puertas y la invito a pasar.

Rilla entra y se detiene ante mí, con los hombros lanzados hacia atrás y la cabeza erguida. Solo entonces, cuando está en la cafetería, de pie bajo la luz, comprendo mi error y río a carcajadas; ella acaba por reír con cierta cautela, ignora qué me causa tanta gracia. Sus ojos redondos brillan. La invito a tomar asiento, me dirijo a la cocina para preparar más té sin dejar de reír, tratando de cubrirme la boca con la mano. Cuando regreso con dos tazas, Rilla está sentada muy erguida y sonriente. Su currículum reposa en la mesa.

—Lo siento —digo, sin dejar de sonreír.

—No problema —contesta y mira a su alrededor—. Este lugar es realmente muy agradable, señora.

—Gracias, Rilla. Ha supuesto bastante trabajo.

—Oh, sí. Recuerdo cuando era una cafetería portuguesa. Sucia y llena de ancianos. Ya sabe... —dice, hace una mueca y gesticula con la mano. Después alza la vista y vuelve a esconderla bajo la manga.

—¿Fumaban?

—Sí, siempre fumando. No era un lugar muy agradable. Pero ahora... muy bonito —murmura.

Recuerdo el olor pesado y rancio pegado a las baldosas, las paredes y los muebles; tiene razón con respecto a la clientela fumadora, es como si hubiera fregado y eliminado todas las caladas de los muebles y los suelos.

—Pues ahora somos una cafetería libre de humo.

—¿De veras, señora? —exclama Rilla, y parece sorprendida. En casi todos los restaurantes y cafeterías de Macao permiten fumar, y, por supuesto, en todos los casinos. En la mayoría de los locales el aire está muy cargado.

—Sí. Aquí está prohibido fumar. Solo se pueden consumir macarons. Y beber café. Te advierto que de vez en cuando hay bebés que chillan y también niños.

—Eso no es un problema —contesta, bebe un sorbo de té, se reclina en la silla y mira a su alrededor con interés.

Es como si examinara todas las lámparas y todas las mesas; parece sentirse cómoda aquí. Y feliz.

—Ha hecho que quede muy bonito. Y también parece seguro —dice en voz baja, casi para sus adentros, y se cubre distraídamente el pulgar de la mano izquierda con la manga.

—Sí, es un barrio seguro. Me gusta.

Echo un vistazo a mi bloc y la lista de preguntas; son ocho, apuntadas bajo el siguiente título: «Preguntas para la entrevista»; abajo hay un espacio para los comentarios y la puntuación. Cuando alzo la cabeza y contemplo a Rilla, veo que rodea la taza con ambas manos y mantiene la vista clavada en el fondo con una suave sonrisa. No es un día frío, pero al parecer el té le ha hecho entrar en calor. Es el efecto que suele tener en las personas; me encanta observar cómo proporciona consuelo. Rilla es tan pequeña que la taza parece grande junto a sus mejillas redondas y sus oscuros ojos de niña. Solo le hago una de las preguntas de la lista, la número ocho. «He de confiar en mi instinto, ¿verdad, mamá?»

—¿Cuándo puedes empezar a trabajar, Rilla?

Alza la cabeza y me dirige una mirada de entusiasmo.

—Cuando quiera, señora. ¿Mañana?

—Mañana —repito en tono firme, y me inclino hacia delante para estrechar su mano diminuta en la mía. Después, ambas intercambiamos otra sonrisa.

Cuando hace ya tres días que Rilla trabaja en Lillian's, consigo dormir por las noches en vez de quedarme despierta con los ojos abiertos, pensando en todas las tareas que debo realizar. Le dije que era un regalo del cielo, pero no estoy segura de que me haya entendido. Rilla sonríe, como siempre, y sigue lavando platos, canturreando y fregando. Trabaja con tanta rapidez y eficiencia que no necesito darle instrucciones. Antes de que le pida que limpie la despensa, ya ha pasado el mocho y todo reluce; antes de que le pida que limpie la máquina de calentar la leche, ya ha desmontado todas las partes móviles y las ha sumergido en un cubo. No habla mucho, pero, cuando dice algo suele ser «no es problema, señora», su respuesta estándar a cualquier pedido. Trato de animarla a llamarme Grace, como los demás, pero el resultado es que me dice señora Grace o señorita Grace y me suena raro. De vez en cuando no me doy cuenta que se dirige a mí. Hace un rato, con la vista perdida y las manos sumergidas en el agua tibia y jabonosa, yo me preguntaba si debía limpiar la minúscula ventana situada por encima del fregadero. La grasa y el polvo obstaculizan la vista del exterior.

—¿Señora? ¿Señorita Grace?

—Lo siento, estaba abstraída —digo, intento quitarme el pelo de la frente con el brazo, pero solo logro manchármela con el agua jabonosa.

Rilla ríe, me seca con un paño limpio y me quita el cabello de la frente. Su gesto es casual, casi fraternal.

—Hay un hombre que quiere verla. Está en la cafetería.

—¿Pete?

Me quito los guantes y me seco las manos con el delantal. Pete ha acudido un par de veces, pero no se queda mucho tiempo, siempre está muy ocupado con su trabajo y haciendo llamadas. No se lo digo, pero casi lo prefiero así, tener Lillian's para mí sola: es mi lugar.

—No, otro hombre. Eh... —dice Rilla, ladeando la cabeza en busca de las palabras correctas—. Alto, con camisa negra. Eh... ¿cabello gris?

—Oh, vale.

Por fin alguien ha acudido para arreglar el aparato de aire acondicionado del lavabo.

Cuando salgo de la cocina, el hombre me da la espalda; tiene el codo apoyado en el mostrador.

—Hola, ¿qué desea?

Cuando se vuelve, veo que es Léon y una sonrisa le ilumina la cara. Sostiene una botella, un grueso lazo amarillo rodea el cuello de la botella.

—¡Grace! —exclama; su modo de pronunciar mi nombre siempre me provoca un estremecimiento, la erre arrastrada, la voz suave...

Cuando me coge las manos pienso en mi aspecto lamentable: el pelo mojado, el delantal que me rodea la cintura...

—Lamento muchísimo no haber acudido antes. El restaurante del Aurora estaba muy concurrido. La gente habla de este lugar, y, ahora que lo veo, lo comprendo. Es fantástico —dice, sacudiendo la cabeza.

Noto que me sonrojo y no puedo pronunciar una palabra.

—Bueno... gracias a ti. Todo es gracias a ti, Léon. Tus enseñanzas, los macarons... —digo, indicando la nevera del mostrador con la cabeza—, y además está Rilla, por supuesto.

—Oh, no, no. Se debe a lo duro que trabajaste. Esto —dice, señalando el local— no es una empresa fácil. Debieras apuntarte el tanto, tiene un aspecto magnífico.

—Bueno, aún no es perfecto, pero gracias. Lo estamos logrando.

Estoy orgullosa de Lillian's, lo reconozca o no.

—Ahora que estás aquí, has de probar los macarons. La experiencia es la madre de la ciencia.

—Tienes razón. ¿Cuál me recomiendas? —pregunta, guiñándome un ojo como si fuéramos cómplices: colegas reposteros.

—Los recomiendo todos, desde luego... —contesto con una sonrisa de satisfacción—. Toma asiento y te traeré un surtido.

—Perfecto. ¿Tomamos un café mientras me ofreces esta visita guiada?

Miro a Rilla. Está secando una taza y asiente con la cabeza.

—Sí, claro.

Deposita en el mostrador la botella de champán con su maravilloso lazo y se sienta ante una de las mesas. Noto que los demás clientes lo contemplan; las mujeres por detrás de sus tazas de café: posee el mismo magnetismo que primero me atrajo en Pete. Me quito el delantal y procuro alisarme el pelo mientras me agacho junto a la nevera del mostrador. Escojo una variedad de macarons y me pregunto si la curiosa sensación en el estómago es hambre. O una pizca de deseo, quizá de inquietud. Tal vez de ambos.

Marjory se ha convertido en una institución matutina habitual. Parece caerle bien a Rilla. Dice cosas como «Fuera hace un día jodidamente maravilloso» y eso le hace reír. La sonrisa de Marjory es brillante y seductora, acorde con un carácter bondadoso: exactamente lo opuesto que uno esperaría, dado su aspecto elegante. A menudo me descubro observando su belleza cuidada y su gran confianza, y deseo ser más audaz, más confiada. Cuando estoy en la cocina preparando macarons, oigo su voz que surge desde la parte delantera de la cafetería, contando un chiste o protestando sobre Don, su marido, en tono afectuoso. Siempre salgo y le preparo el café personalmente, justo como a ella le gusta. Un capuchino con leche desnatada y sin «adornos»: sin canela ni chocolate, solo con un remolino de leche hervida. Solo toma un macaron diario con el café y me ofrece su opinión sincera sobre algunos de mis experimentos y los nuevos sabores. «Un desastre, Grace» o «sí, fabuloso» parecen ser sus dos respuestas estándar. Tiendo a estar de acuerdo con ella: el resultado de mis ideas suele ser impredecible, pero voy mejorando con la práctica. He dedicado las noches a estudiar menús de repostería francesa en la red: Mulot, Hermé, Ladurée, Lenôtre... mientras Pete dormita frente al televisor.

Hoy Marjory ocupa su lugar habitual al tiempo que limpio las mesas con un paño. Un niño de tres años ha desparramado azúcar en el suelo, las mesas y el alféizar; el azúcar cruje bajo las pisadas. Por suerte, tanto el niño como la madre se han marchado y sus chillidos se desvanecen a medida que se alejan. Observé que ella le dejaba beber la mitad de su café con leche y entonces la cafeína le empezó a surtir efecto. Limpio la mesa junto a la de Marjory y me disculpo.

—Lo lamento mucho. No sabía si decirles que se marcharan o no. Pero retrospectivamente... —digo y pongo los ojos en blanco.

Marjory solo asiente y guarda silencio, algo inusual en ella. Parece curiosamente tensa. Me acerco para quitar restos de azúcar de la mesa y noto que las lágrimas dejan huellas húmedas en su maquillaje y caen de su barbilla. Aún lleva gafas de sol y su rostro permanece inmóvil. Entonces se palmea la mejilla, borroneando el rubor y el maquillaje. La servilleta blanca se humedece y se ensucia, y ella la estruja en el puño.

—¿Quieres... —empiezo a decir y echo un vistazo furtivo a mi alrededor. Todos los demás clientes se han marchado, creando una pequeña pausa en el ajetreo matutino. Arrastro una silla hasta la mesa; las patas traquetean en las baldosas—. Quieres hablar de ello?

Mantiene la cabeza gacha y vuelve a enjugarse las lágrimas con la servilleta.

—No hay nada de qué hablar —responde, y suspira. Entonces su rostro se crispa de dolor y aprieta los labios. Solloza y suelta una exclamación—: ¡Es *Bianca*!

—¿*Bianca*?

—Mi perra —explica. Las gafas impiden que vea sus ojos. Suelto el paño, lo dejo en la mesa y me inclino hacia delante.

—Murió. Tuvimos que... verás... tuvimos que sacrificarla —dice, frotando las manchas de las lágrimas en su falda y luego sacude la cabeza—. Mierda. Lo siento. No es tu problema.

—Eh, eh, no pasa nada.

—No debiera llorar aquí, lo siento.

—No pasa nada, no pasa nada... —digo; le apoyo la mano en el hombro y ella alza la cabeza.

—No es tan sencillo —balbucea.

Le presiono el hombro con la mano, procurando tranquilizarla. No sé qué decir.

Ella suelta el aliento y por fin se quita las gafas. Tiene los ojos manchados de rímel, parece una india. Cuando nota que la miro, enrolla la servilleta y se limpia los párpados, pero da igual: su rostro maquillado está hecho un desastre.

—¿Por qué lloro? Ni siquiera me gustaba. Dios, eso suena muy mal, parezco una mala persona.

—Eh, no pasa nada, todo saldrá bien —digo con mucha suavidad, pero me siento como una inútil. Hace tanto tiempo que no tengo una amiga que no sé cómo consolarla.

—En realidad, la perra fue una pesadilla desde el principio y ahora... resulta que tenía un tumor cerebral. Quizá por eso siempre era tan agresiva. No pudieron hacer nada, nada.

—Oh. Lo siento mucho.

—No pasa nada —dice Marjory con una sonrisa llorosa—. Me sorprende que me haya puesto tan triste. La semana pasada confiaba en secreto que hubiera un motivo para devolverla. O... algo. A veces se convertía en un auténtico monstruo. Suena tan horrendo dicho en voz alta —añade con una risa extraña.

Quito la mano de su hombro y la apoyo en mi regazo.

—Bueno, parece haber sido un animal un tanto problemático. Quiero decir que no debieras sentirte mal. No fue...

—¿Culpa mía? Lo sé, lo sé de un modo lógico, racional —dice, meneando la cabeza—. Solo que esta mañana me levanté aún medio dormida y fui a ponerle comida en su cuenco y entonces lo recordé... y después... No creí que sentiría esto.

—Creo que estar triste es normal —digo.

—No, quiero decir, sí; estoy triste, pero no creí que me sentiría tan... ¿perdida?

Durante un instante es como si no me viera.

—Yo era bailarina, ¿sabes? Diablos, no se lo digas a ninguna de las señoras, que ya me miran como si fuera una especie de prostituta.

Baja la voz y juguetea con la servilleta.

—No era así. Claro que éramos un poco como el Moulin Rouge, pero con clase, no hacíamos estriptís ni nada por el estilo. Fue una época fantástica, Grace, la mejor. Ver mundo, emborracharse, maletas llenas de vestidos fabulosos... Era una vida genial, mejor que la de las otras chicas del instituto, que acabaron viviendo vidas tranquilas junto a maridos aburridos. ¡Puaj! Pero al final me estaba volviendo demasiado vieja y fue entonces cuando conocí a Don. Durante un tiempo, ser una esposa fue muy bonito, pero ahora... no sé, me siento...

En parte quisiera ofrecerle palabras, descripciones que se me ocurren con mucha facilidad: «vacía, confundida, desorientada».

Marjory deja de hablar con la vista perdida. Después se endereza y parece un tanto avergonzada.

—Oye, gracias por escuchar. Supongo que estoy un tanto aturdida y me parece que de algún modo *Bianca* hacía que los días no fueran tan vacíos...

Permanecemos en silencio durante unos minutos. Marjory aún está un poco llorosa y quisiera poder decirle algo que la ayudase. Sé lo que significa sentirse perdida, sentir que tus sueños se desmoronan en segundos. Que las cosas que supuestamente deberían ser de cierta manera resulten completamente diferentes. ¿Por qué no se me ocurre nada? Echo un vistazo a mi alrededor. Rilla está en la cocina lavando la vajilla; la oigo, oigo los golpes de los platos entrechocando en el agua jabonosa. Adoro ese sonido, el silencio en la parte delantera de la cafetería, el ajetreo en la cocina. De pronto me doy cuenta de que estoy dando gracias a Dios por este lugar, de que ya no me siento tan perdida.

—Todo irá bien, te lo aseguro —repito en tono de convencimiento. Quiero decir algo más, pero no se me ocurre nada. Espero haberle transmitido esa convicción a Marjory. Ella me dedica una débil sonrisa.

—¿Quieres una taza de té? ¿O un capuchino tal vez?

—Una taza de té sería estupendo.

Intercambiamos una sonrisa; ella estira el brazo y me palmea la mano; ambas bajamos la vista y contemplamos su mano bronceada y muy cuidada encima de la mía pálida y húmeda, de uñas cortas llenas de restos de harina de almendras.

—Gracias, Grace.

—De nada —contesto en voz baja.

Me pongo de pie y cojo una taza y un plato.

Por lo visto hemos conquistado a varios clientes que ahora siempre optan por venir a Lillian's para tomar su café matutino o su ración de dulces por la tarde; todos ellos con costumbres extravagantes que intento memorizar. Descubro algunas cometiendo errores; de vez en cuando, justo cuando creo haber comprendido el pedido de un cliente, este cambia de idea. Otros me informan de sus preferencias desde la primera vez que acuden a la cafetería, van directamente al grano y sin rodeos. Gigi pertenece a los de esta clase: pide el café como si lo hubiera pedido todas las mañanas de su vida.

Lleva pantalones negros y una camisa blanca, el uniforme inconfundible de una crupier, pero sin chaleco, porque los casinos no permiten que se los lleven a casa. Como mucho debe de tener diecinueve o veinte años, aunque resulta difícil darse cuenta con las chinas: su cutis siempre es tan liso y cremoso que resulta difícil no envidiarlas. Lleva una coleta en la parte superior de la cabeza y un flequillo oscuro le roza la frente. La imagino hosca y aburrida al otro lado de la mesa cubierta de fieltro verde. Aparta el flequillo y me dirige una mirada de curiosidad y enfado a la vez. Me resulta conocida.

—Hola, quisiera un capuchino espolvoreado de chocolate —dice muy deprisa, mientras yo la contemplo fijamente tratando de descubrir de dónde la conozco.

—Claro, toma asiento, ahora mismo te lo traigo. Si quieres algo para leer hay revistas en el estante, a la izquierda —digo, señalando, y ella dirige la mirada hacia allí. Cuando se vuelve le sonrío.

—Gracias —contesta en tono seco y sin sonreír.

Se apoya en un pie y luego en el otro y permanece ante el mostrador, sosteniendo el bolso ante el vientre, como si temiera que le pegaran un tirón. Aguardo un momento a que añada algo.

—¿Quieres algo más? —pregunto por fin.

—¿Cuál es la mejor?

—¿Cómo dices?

—De esas... cosas.

—Oh, los macarons.

Me acerco al estante donde los macarons forman filas prolijas.

—Bueno, depende, supongo. A mí me gustan los de sabor a caramelo; algunos prefieren los de sabor más suave, como los de rosa, al menos para empezar. Claro que los de sabor a chocolate son divinos... —Estoy divagando; es como tratar de elegir a un hijo predilecto: misión imposible.

—¿Y este de qué es? —dice, e indica mi última creación: blanco, cremoso con manchitas amarillas, como chispas de oro en el mármol.

—Es un *Rêve d'un ange*. Significa «Sueño de un ángel».

Ella ladea la cabeza con expresión interesada y yo me encojo de hombros.

—Un nombre muy romántico, lo sé. No pude evitarlo.

—¿De qué es el relleno? —pregunta, bajando la voz.

—Es mi macaron de chocolate blanco. El *ganache* es una especie de crema de chocolate a la que añadí un poco de corteza de limón y canela, pero la mayoría es incapaz de identificar esos sabores. ¿Te gustaría probarlo?

Se inclina por encima del mostrador escudriñando el macaron con los ojos muy abiertos. Se endereza y dice:

—Sí.

Se sienta a una mesa cerca de la ventana. Supuse que cogería una revista de moda o charlaría con sus amigas por el móvil, pero no lo hace. Apoya los codos en la mesa y la cabeza en los brazos. Después coge el menú y lo examina cuidadosamente una y otra vez. Cuando le traigo el pedido, contempla el macaron y después alza la vista.

—Gracias. Me llamo Gigi —dice y las palabras surgen como si no hubiera tenido la intención de pronunciarlas.

—Hola, Gigi, me llamo Grace.

—Fuiste a ver a mi tía —dice, y me dirige una mirada prolongada y seria. Entonces la recuerdo: llevaba un chándal, masticaba chicle y jugueteaba con un móvil.

—En el templo... —contesto lentamente. Es la que me tradujo las palabras de la adivina; tiene su misma mirada vivaz y curiosa.

Ambas guardamos silencio; pese a su juventud, su rostro expresa cautela y desconfianza. Como si hubiese visto más de lo debido o le hubiesen dado malas cartas. Algo ocurre entre ambas y no sé qué es.

—Solo ayudo un poco allí. No es mi auténtico trabajo —dice.

—Ah, vale.

—Ella es la hermana de mi madre —añade, y entonces parece abochornada, como si hubiera hablado de más. Cambio de tema y echo un vistazo a su uniforme.

—Así que eres crupier, ¿verdad?

—Era.

Vuelve a concentrarse en el macaron. Seguir haciéndole preguntas resulta demasiado incómodo.

—Bien, me alegro de verte aquí —digo, sonrío y me dirijo al mostrador.

Cuando me vuelvo, veo que mantiene la vista clavada en su vientre, con los brazos cruzados. Está un poco abultado. Me pregunto si... La pregunta me desazona y me la quito de la cabeza pensando en un *ganache* de chocolate: oscuro, dulce, cremoso y liso. Entran dos mujeres y piden cafés: son amigas de Linda. Se encajan las gafas de sol de montura de carey en la parte superior de la cabeza y charlan sobre su última excursión a Zhuhai para ir de compras.

Querida mamá:

¿Qué ocurrió aquel día en el que la señora Spencer te dijo que las mates nunca se me darían bien? Era una de tus mejores historias y la echo de menos. Has de volver a contármela.

Lo único que recuerdo es que te pusiste de pie y dijiste algo por el estilo: «¿Qué es exactamente eso que acabas de decir de mi hija, Pamela?»

Es increíble: la señora Spencer tenía un nombre propio. Pamela. Entonces titubeó y se llevó la mano a la garganta, tocó esas perlas que siempre llevaba y durante un minuto no logró pronunciar palabra.

Y tú dijiste: «¿Y bien?», enarcando las cejas.

Casi logro verla, frunciendo los labios y procurando cobrar valor, desde la punta de sus pies pequeños hasta las de sus cabellos erizados.

«Bien, señorita Raven», dijo acentuando lo de «señorita» en tono de desaprobación. «Grace carece de convicción, de acción. Si de verdad participara en clase en vez de acurrucarse en el fondo, tal vez aprendería algo.»

Entonces ella también se puso de pie; consideré que supuso un momento de una gran valentía por parte de la señora Spencer, puesto que su cabeza no te llegaba al pecho y ella lo sabía incluso antes de levantarse de la silla. Ello te proporcionaba una ventaja inmediata: eras mucho más alta y la contemplabas con expresión furibunda. Y ahora viene la mejor parte: hiciste una pausa, te inclinaste hacia ella, acercaste tu cara a la suya y oliste el pestazo de su aliento: su boca olía a pescado muerto, podrido y clavado en la pared durante tres semanas. Entonces susurraste: «Me parece que no tienes ni idea de cómo es mi Grace, Pamela. Resulta que está llena de convicción. Solo que la ahorra. Y la Emplea. Para. Las. Cosas. Importantes.»

Ese fue el final de la historia, ¿verdad? Te giraste y nunca más volviste a reunirte con una profesora. Yo solía darte las notas en las que te decían que te reunieras con un profesor y tú las rompías delante de mi nariz, ambas soltando risitas como dos loros.

Así que estoy segura de que te gustaría, mamá: resulta que voy en contra de lo que cree todo el mundo, una camarera acobardada puede abrir su propia cafetería y hacer que funcione. Y es capaz de obtener ganancias, aunque de momento sean pequeñas.

Tu hija que te quiere,

GRACE

Coeur curatif – Corazón curativo

Vainilla con frambuesa
y trozos de gelatina de frambuesa

Gigi, que ha estado viniendo a la cafetería y quedándose horas, está embarazada.

No puedo fingir que no lo está, incluso Rilla lo ha notado.

Durante un momento de charla, Rilla murmura:

—¿Crees que debería tomar tanto café?

Ambas sabemos a qué se refiere, pero no le contesto, simulo no haberla oído y ella sigue guardando botellas de leche en la nevera. Es una grosería, lo sé, pero no quiero hablar de ello. No puedo evitar el dolor que me atenaza el pecho al ver el vientre abultado de Gigi, que aumenta de volumen con cada día que pasa. Cuando puede, lo oculta bajo largas camisas y grandes bolsos, y también sudaderas, pero cada vez hace más calor; el verano está muy próximo, está al caer, aunque ambas preferiríamos que no fuera así. Notarlo hace que me sienta pesada, como si hubiera tragado piedras.

En general, Gigi mira fijamente la página de anuncios del periódico, quizás en busca de un empleo. Suele fruncir el ceño bajo el maquillaje y el delineador de ojos negro. Excepto cuando examina los macarons en su envase. Entonces su rostro se suaviza, se ablanda como la mantequilla en una olla.

Su predilecto es el mismo que el mío: *L'arrivée*: la dulzura del caramelo, matizada por el sabor salado de la sal de roca del relleno, pringoso y acaramelado. Veo cómo recoge las migajas con el dedo y lo lame. Nunca deja ni un trozo en el plato.

Está aquí semana tras semana, marcando anuncios con un rotulador color granate decorado con pequeñas imágenes de ratones y bebiendo cafés. Debe de acudir a entrevistas, pero sin obtener el empleo. Supongo que es una ciudadana de Macao, las empleadas más buscadas en este mercado donde escasea el personal. ¿Se deberá a su actitud? ¿A su falta de experiencia? ¿O al bulto evidente? Procuro no pensar en ello, de lo contrario empiezo a sentir una pizca de lástima. Un día le sugiero que pruebe un té de hierbas en tono indiferente, tratando de no sonar condescendiente ni sentenciosa. Me mira enfadada y vuelve a pedir otro capuchino, por favor.

Pero hoy Gigi no ha venido; de hecho, la cafetería ha estado curiosamente tranquila. Rilla limpia la máquina de calentar la leche y mira por la ventana con aire distraído. Reina el silencio e incluso el cielo parece flojo.

—Es un día raro —murmuro para mis adentros; Rilla asiente con la cabeza y frunce su oscuro entrecejo.

Hoy han venido muy pocos clientes, aunque Yok Lan a acudido por la mañana y se ha quedado un par de horas para tomar su té matutino y tres de sus macarons predilectos de color rosa. Nunca ha pedido ni comido más, y Rilla y yo intercambiamos miradas de extrañeza. Yok Lan se ha sentado cerca del mostrador y sonreía por encima del borde de su taza de té, contenta de observar cómo trabajábamos. Esa mujer es una diosa de la paz; juro que incluso los perros rabiosos o el mar turbulento se calmarían cuando ella está cerca.

Rilla y yo nos estamos quedando sin tareas de las cuales ocuparnos. He vuelto a llenar todos los saleros sin dejar de introducir granos de arroz en el fondo para que absorban la humedad. Ella ha plegado toda una caja de servilletas, apilándolas en forma de prolijos triángulos, listas para ser utilizadas. Hemos fregado todas las fuentes de horno y limpiado las ventanas. Rilla acaba de limpiar el aparato para calentar la leche y empieza a ordenar las revistas.

Apoyo las manos en la parte delantera del mostrador. A mi lado, los macarons no vendidos forman filas ordenadas dentro de su caja de cristal. Noto que me muerdo el labio inferior, porque sé que, si no los vendo hoy, me veré obligada a tirar a la basura algunas de esas preciosidades. Rilla se ha negado a llevárselos a casa; quizás acepte llevarse los sándwiches no vendidos. No sé por qué: tal vez considere que los macarons son demasiado exóticos y caros para ella, o que yo lo desaprobaría. Puede que los trate con excesiva veneración.

—Bien, Rilla, es hora de que disfrutes de una cata —le digo, colgándome el paño de cocina del hombro.

—¿Cómo dice, señora? —pregunta, alzando la vista.

—Una cata. Tú y yo haremos una cata.

—¡Oh! —exclama con los ojos muy abiertos.

Tras seleccionar los macarons, me acerco a la mesa ante la que ella está sentada con la espalda muy derecha y una mirada expectante bajo su corto y lustroso flequillo. Dispongo unas servilletas y lleno las tazas del humeante té verde que a ella le gusta.

—Bien, ¿estás preparada?

Ella asiente y al ver su rostro serio suelto una carcajada.

—Bueno, empezaremos por *Une petite flamme*. Es el macaron que servimos con el café *espresso*. Venga, pruébalo.

—¿Este? ¿El que tiene manchitas doradas? —pregunta, mirando el plato.

—Sí.

Se lo coloca en la lengua como si estuviera tomando la comunión.

—¿Está bueno?

Ella se apresura a asentir.

Luego deposito un macaron de color granate en su plato. Rilla lo coge y dice:

—Este está relleno de mermelada, ¿no?

—Sí, es el *Remède de déliverance*. Relleno de grosellas negras y crema.

Cierra los ojos y lo come lentamente, tan lentamente que temo que se quede sin aliento.

—*Remède de déliverance.* «Remedio de rescate.» Tiene sabor a violetas.

—Este es muy bueno, señora —dice, me dedica una sonrisa y yo se la devuelvo. Rilla rodea la taza con las manos, tiene una filigrana dorada en el borde. Fuera, el mundo parece haberse quedado quieto.

—Lo siento, Rilla; hoy ha sido un día tan tranquilo que tendría que haberte dado la tarde libre. Hace horas que tendría que haberte dejado marchar.

—No pasa nada. En mi casa demasiada gente.

La pensión donde vive Rilla alberga a docenas de trabajadores, sobre todo mujeres que envían dinero a sus hogares situados en otros países. Ella no suele hablar de ello, excepto para decir que está hasta los topes. Pete y yo disponemos de cuatro dormitorios para los dos y ella vive como una sardina en una lata. Dijo que antes trabajaba en Dubái, en la casa de sus jefes. Tampoco habla mucho de eso, pero a lo mejor disponía de una habitación propia. Aquí ni siquiera puede colgar pósters en las paredes: podrían dañar la pintura.

—¿No te gusta estar allí?

—Sí, me gusta. Es barato, así que más dinero para enviar a casa. A veces es divertido, gente siempre hablar y cantar —dice Rilla, y ríe.

Su generosidad me asombra. No dejo de notarla: suele llevarse comida para compartirla con sus compañeras de habitación, envía viejas revistas a sus hermanas y hermanos, envía dinero para los zapatos nuevos de una sobrina o sus libros de texto. Rilla me recuerda a una gerbera, una flor de colores brillantes y un tallo sorprendentemente fuerte.

Mientras bebo sorbos de té, me doy cuenta de que envidio el compromiso de Rilla con su familia. De algún modo, aun cuando yo dispongo de cuatro dormitorios y ella vive con extraños, tiene lo que yo siempre he querido. Para ella, compartir no resulta difícil, forma parte de algo más grande.

Prueba unos cuantos sabores más con deleite, después se pone de pie y recoge el plato vacío y la taza de té.

—Gracias. Muy deliciosos —dice, sonriendo, y se dirige a la cocina canturreando; canturrea en voz baja y desafina. Me pregunto si es consciente de ello; contemplo mi taza de té: es delicada, bonita y del borde cuelga un racimo de uvas pintado. El plato está cubierto por un motivo escocés de color malva y siempre cojo esa taza y ese plato; pienso en mamá, en llevarle tazas de té y retirarle el plato como Rilla acaba de retirar el mío, en cuando solía sonreírme como si acabara de hacerle un gran favor y murmuraba: «Gracias, cielo.»

Mi familia es muy reducida, a diferencia de la de Rilla, y me pregunto si tener una familia tan extensa e interconectada hace que se sienta completa. La nuestra era tan pequeña... Dos bastaban; de vez en cuando incluso eran demasiado. Suspiro y una sola palabra retumba en mi cabeza: «mamá, mamá, mamá...».

Cuando llevo la taza y el plato a la cocina, Rilla está lustrando los cubiertos, cantando y desafinando. Había imaginado que, dado que es tan diestra para todo, cantaría bien: su voz es ligera y dulce como la de un pájaro, pero, de hecho, su canto es realmente horroroso. Me saca de mi ensimismamiento y me hace reír. Cuando alza la vista y nota mi expresión, empieza a cantar en voz alta y yo canto con ella, ambas soltando risitas, canturreando y plañendo como un par de lobos melancólicos aullándole a la luna.

Nos interrumpe la campanilla de la puerta y las dos salimos de la cocina cuando Gigi entra apresuradamente en la cafetería, se aparta el flequillo de la frente y nos mira con recelo. Retrocede un paso, echa un vistazo a su alrededor y alza la cabeza para asomarse a la cocina.

—Hola —digo.

Gigi mantiene los puños apretados.

—¿Un café? —pregunto.

Ella se vuelve y me mira. Lleva una camiseta cubierta de pequeñas letras brillantes, pero no comprendo lo que pone.

—Estoy buscando a mi abuela.

—¿Yok Lan? —pregunta Rilla.

—¿Yok Lan es tu abuela? —pregunto, con una mirada de perpleja e incrédula: sus personalidades son tan diferentes... La diferencia entre generaciones...

Rilla asiente y susurra:

—Creo que sí. A veces habla con ella.

Me impresiona que Rilla sea tan observadora.

—Estaba aquí más temprano, pero ahora se ha ido —le digo a Gigi.

—¿Va todo bien? —pregunta Rilla en voz baja—. ¿Yok Lan se encuentra bien? —añade en tono afectuoso.

—Tenemos que encontrarla antes de que se entere de las noticias. Todas las personas que conozco están bien, pero quizá le dé un ataque si no está sentada. Es vieja, ¿sabes? —dice Gigi y se encoge de hombros—. De todos modos, creo que sé dónde está; suele jugar al *mah-jongg*. Estará en casa de Mei.

Hace semanas que no me decía tantas cosas. Reflexiono unos instantes antes de hacerle una pregunta.

—Lo siento, ¿qué noticias?

—Las noticias —dice ella, y entonces, cuando comprende que no sabemos de qué está hablando, añade— ya sabes. El terremoto de Sichuan. ¿No lo percibisteis ni siquiera un poquito?

—¿Hubo un terremoto?

—No han dejado de pasarlo por la tele. Deberías tener una tele aquí.

En la mayoría de los restaurantes de Macao hay teles colgando en los rincones; nunca deja de sorprenderme que los lugareños miren la tele mientras cenan fuera. Al parecer, hacen caso omiso de la persona con la que están cenando y mantienen la vista clavada en la pantalla. Sé que es una diferencia cultural que nunca me gustará y me niego rotundamente a instalar un televisor en Lillian's.

Gigi nos contempla con sus ojos oscuros.

—Fue un terremoto considerable.

Rilla y yo nos miramos. «Un terremoto», pienso.

—Tengo que irme —dice Gigi.

Cuando apoya la mano en el pomo de la puerta, hace una pausa, baja la cabeza y reflexiona, regresa al mostrador, coge una servilleta y un bolígrafo y garabatea su nombre y su número de teléfono.

—Eh, si un día ves que mi abuela está sola o triste o lo que sea... mamá es una inútil. Quiero decir que será mejor que me llames a mí en caso de que ella necesite ayuda. Procuro no perderla de vista, pero... De todos modos, es vieja, ya sabes —repite. Habla en voz baja y preocupada, aunque trata de parecer indiferente.

—Sí, desde luego, te llamaremos —digo, asintiendo y recogiendo la servilleta.

Antes de marcharse, Gigi me dedica una sonrisa amable.

Rilla y yo nos quedamos de pie un momento y luego cogemos nuestros bolsos en silencio. Ahora no es el momento de lustrar los cubiertos; hemos de cerrar e irnos a casa y ver qué ha ocurrido.

Querida mamá:

Los granos de pimienta de Sichuan son una de las cinco especias del polvo chino de cinco especias. Las cinco especias representan los cinco sabores de la cocina china: dulce, ácido, amargo, picante y salado. ¿Lo sabías? Me parece que es algo que quizá supieras, algo que debiste de susurrarme cuando me estaba durmiendo. Siempre creí que los granos de pimienta de Sichuan eran de un intenso color rosa, pero resulta que esos son completamente diferentes. Los de Sichuan son de un color rojo parduzco. Hoy es un día amargo, nada dulce. Quizás ácido. La clase de día que te quita el apetito y te causa dolor de garganta debido al esfuerzo por no llorar.

Cuando Pete regresó a casa, se sentó junto a mí en el sofá y ambos miramos las noticias durante una hora, sin movernos ni hablar. No se quitó la corbata, ni el cinturón, ni los zapatos. Nos limitamos a quedarnos ahí sentados, mirando y aguardando a que nos dieran más información y transmitieran más imágenes. Dicen que el terremoto puede haber acabado con la vida de hasta cuarenta mil personas, pero cada vez que el reportero volvía a aparecer con los labios apretados y el rostro ceniciento, la cifra no dejaba de aumentar. Por fin preparé alubias y tostadas y Pete se puso pantalones cortos y una camiseta, pero no apartamos la vista de la pantalla hasta que empezamos a frotarnos los ojos. Una y otra vez volvían a transmitir las mismas imágenes: calles silenciosas cubiertas de polvo gris, edificios derrumbados como si los hubieran construido con bloques de un juego infantil, el polvo espeso como la nieve y solo unas pocas personas deambulando por las calles, aturdidas y sin rumbo.

Empieza a hacer calor en Macao y tomé un baño antes de acostarme. No podía dejar de pensar en toda esa mugre y ese desorden y en los hombres y las mujeres desesperados, tosiendo y llorando en medio del caos. Las escuelas derrumbadas de los niños. Era como si se me rompiera el corazón. Cuando salí de la bañera, Pete estaba dormido. Me puse el pijama y me metí en la cama; aún tenía el pelo húmedo y dejé manchas en la almohada.

Tu hija que te quiere,

GRACE

El día después del terremoto, Lillian's está abarrotado, tan lleno de gente que los que no encuentran su propia mesa se sientan en la de un desconocido y empiezan a hablar. Es como si la catástrofe hubiese hecho surgir el espíritu comunitario de las personas; las conversaciones se desarrollan en voz baja y los clientes tardan en acabarse el café, envían a sus hijos a jugar con nuestro cesto de juguetes instalado en un rincón, donde estos se dedican silenciosamente a construir castillos o barcos con el LEGO; incluso los niños deben de sentir la necesidad de reagrupar y volver a edificar. Rilla y yo nos apresuramos a servir a todo el mundo, pero procuramos conservar la calma. Todos se muestran comprensivos, incluso cuando nos confundimos de pedido o tardamos en servirlos. Rilla ha traído una hucha de donaciones de la Cruz Roja y la depositamos en el mostrador ante una lata de bizcochos. Durante todo el día, las monedas caen al fondo como las gotas de lluvia sobre un techo de lata. Para el final de la tarde ambas estamos agotadas; llevo dos sillas a la cocina y le indico a Rilla que tome asiento.

—Hemos de tomarnos un descanso. ¿No tienes apetito? —musito.

Ella asiente agradecida y coge dos bollos de chocolate de la nevera del mostrador. Son los últimos que quedan y, aunque son populares entre los clientes, asiento con rapidez: necesitamos sustento. Permanecemos sentadas en silencio, comemos apresuradamente y acompañamos los bollos con tragos de leche fría. Posadas en nuestras sillas, debemos parecer un par de adolescentes que acaban de regresar a casa después de clase, el momento que siempre he deseado. Rilla suelta un suspiro y yo le sonrío: tiene la barbilla manchada de chocolate. No tengo tiempo de acabar el bollo cuando suena la campanilla de la puerta y la cara de Rilla se alarga.

—Yo me encargo. Quédate sentada.

—Gracias, Grace —murmura con la boca llena de bollo. Entonces noto que no me ha llamado «señora».

Gigi está ante el mostrador, lleva un jersey oscuro que le llega hasta las caderas, botas verdes de cordones y leotardos negros, maquillaje muy espeso, los ojos almendrados pintados de negro y mucho rímel. Y el pelo retirado de la cara.

—Hola —dice en tono firme, y se endereza.

—Hola, Gigi. Ese peinado te queda muy bien, el flequillo...

—Sí, lo sujeté con clips. Me gusta variar —dice, alzando el mentón.

—Es muy bonito.

—Gracias.

Parece sorprendida por el cumplido, su expresión se suaviza y se sonroja. Es como si su fachada de indiferencia se hubiera desvanecido un poco y de pronto veo que sus rasgos se parecen a los bondadosos de Yok Lan.

—¿Qué puedo servirte hoy? —pregunto, limpiándome las manos en el delantal.

Ella dirige la mirada a la nevera del mostrador —que ya está bastante vacía— y se da cuenta de que aún queda una tarta cubierta de estrellas plateadas comestibles. La llamo «Tarta Princesa» y las niñas pequeñas la adoran. Una mamá, una de mis clientas habituales, dice que es mágica, que hace que su hija se quede tranquila durante al menos veinte minutos.

—Una porción de tarta. Por favor. Y un *espresso*.

—Ahora mismo te lo sirvo.

Gigi me ofrece una sonrisa cautelosa. Algo ha cambiado entre nosotras, tal vez la tragedia que supone el terremoto nos haya acercado. O quizá se debe a que descubrí que Yok Lan es su abuela y que debido a dicha información es como si nos conociéramos mejor. Sea como sea, hoy Gigi se muestra más relajada conmigo.

—¿Cómo está Yok Lan? —pregunto.

Rilla se acerca y coge una taza de café *espresso* del estante. Debe de haber oído el pedido desde la cocina.

—¿Pau Pau? Oh, se encuentra perfectamente. Estaba con sus amigas jugando al *mah-jongg*. Se habían olvidado de la hora y a mamá le dio un ataque.

La máquina de café comienza a funcionar, el líquido oscuro surge del grifo de metal y una espuma espesa color caramelo se forma en la superficie. Rilla coge un plato y levanta la mirada con aire inquieto. Me doy cuenta de que Yok Lan debe de ser una de sus clientas predilectas.

—¿Tu mamá se enfadó? —pregunto, y le sirvo un buen trozo de Tarta Princesa con mucho glaseado.

Gigi se encoge de hombros y el jersey se desliza a un lado dejando ver el tirante de un sostén antes blanco y ahora de un color grisáceo.

—A mamá le disgusta que Pau Pau juegue al *mah-jongg*. Opina que es tan malo como los juegos de apuestas. No quiere que Pau Pau juegue: tendrías que haber visto la cara que puso cuando le dije que trabajaría de crupier. No pudo impedirlo, pero estaba muy disgustada... aunque no protestó cuando descubrió cuánto ganaba.

Vuelve a subirse el jersey y cierra la boca, como si ya hubiera dicho demasiado, y se dirige a su mesa predilecta. La sigo con el café y la tarta en una bandeja.

Antes de marcharse se acerca al mostrador para pagar la cuenta y descubre la hucha de la Cruz Roja, vuelve a sacar el monedero y deposita un buen puñado de monedas en la ranura; luego palmea la hucha como si enviara sus mejores deseos. Pese a la gruesa capa de maquillaje, su rostro parece suave y joven y, al alzar la vista, me dirige una mirada pensativa.

—Tendrías que preparar algo para esto.

—¿A qué te refieres?

—Tal vez un bollo con una cruz roja en la superficie. Ya sabes, proporcionar algunas ganancias a la causa. A la gente le gustaría.

Se lo agradezco, en tono vacilante. No estoy segura de querer que esta chica me dé consejos sobre negocios. Cuando se encoge de hombros, veo que un trozo de tarta se ha pegado a su jersey y una especie de instinto maternal hace que me incline e intente quitarlo, pero ella se vuelve con demasiada rapidez. Después Rilla y yo observamos que se marcha. Rilla está secando una taza y hace pasar el paño de cocina por el asa. Cuando Gigi ha desaparecido calle abajo, Rilla continúa mirando por la ventana.

—Lo del bollo es una buena idea —dice en tono vacilante.

Asiento y, de mala gana, reconozco que lo es.

Al día siguiente Rilla y yo estamos de cuclillas, echando un vistazo a través del cristal de la puerta del horno. Marjory se ha convertido en una clienta tan habitual que bebe su café matutino apoyada contra el marco de la puerta de la cocina y nos observa. Lleva una blusa sedosa, pantalones cortos y sandalias. A mi lado, Rilla se quita los cabellos de la cara y noto que se muerde el labio. Dentro del horno, los macarons se hinchan y se endurecen con lentitud.

Le pregunto a Rilla qué opina.

—No lo sé —murmura—. Supongo que podría funcionar —dice, y me echa un vistazo como para asegurarse.

—Tienen bastante buen aspecto —dice Marjory. La fuente del horno está cubierta de las mitades superiores de los macarons: son blancos y encima aparecen dos delgadas rayas de color frambuesa que forman una cruz. Rilla sugirió que probáramos la idea de Gigi preparando un macaron.

—Fue una idea genial —digo, rozándole el hombro.

—Bueno, en realidad fue Gigi quien... —empieza a decir Rilla. Pero de pronto suelta un chillido, se endereza y se cubre la boca con la mano. Pego un respingo y me vuelvo con una mano apretada sobre el corazón.

—¡Mierda! —chilla Marjory riendo, y el café le salpica las sandalias.

—¡Yok Lan! —grita Rilla, presa de un ataque de risa. Ninguna de nosotras oyó el tintineo de la campanilla de la puerta.

Yok Lan está de pie junto a Marjory, observando la ventana del horno con las gafas en la punta de la nariz. Guiña los ojos y arruga el rostro; tiene el pelo pegado a un lado de la cabeza, como si acabara de despertar. Parece sorprendida al vernos reír, pero nos imita; mira a Rilla y luego a mí intentando descubrir a qué se debe tanto alboroto. Es la primera vez que la hemos visto desde el día del terremoto y parece la misma de siempre: su rostro redondo y bondadoso de color avellana está sereno y sonriente, y al verla no puedo evitar una sonrisa.

—¡Dios mío, me diste un susto de muerte! —chilla Marjory.

Rilla abraza a Yok Lan y noto que son casi de la misma estatura. Acerca su joven cabeza de cabellos oscuros a la de la anciana y Yok Lan se apoya en ella y palmea la mano apoyada en su brazo delgado; Rilla la conduce hasta su asiento y le dice que le preparará una taza de té. Marjory se dirige al lavabo para lavarse las sandalias.

Me quedo en la cocina con la vista clavada en los macarons e intento buscarles un nombre. Ya he decidido que donaremos un cincuenta por ciento de las ganancias a la Cruz

Roja china, aunque sin duda Pete consideraría que no tengo sentido para los negocios. Decidí no decirle nada y ahorrarme una discusión al respecto. Todas las noches me persiguen las imágenes de las consecuencias del terremoto. Veo rostros parecidos al de Yok Lan, al de Gigi. Niños que deambulan perdidos buscando a sus padres, padres buscando a sus hijos, heridas profundas y espantosas y aún más pena y dolor. Cuando llegan, Rilla me tiende los periódicos y, con expresión lúgubre, me suplica que no contemple las imágenes. Me alejo del calor del horno y me siento junto al fregadero hojeando un diccionario francés cuyas tapas ya están desgastadas. Repaso mentalmente unas palabras: alivio, ayuda, consuelo. *Aide, appui, soulagement.* Entonces la palabra *coeur* aparece flotando en mi cabeza, como un globo suelto. *Coeur curatif*: corazón curativo. Me pregunto si en francés es correcto y decido llamar a Léon para preguntárselo. *Coeur curatif.*

Unos días después, cuando los macarons *Coeur curatif* se han agotado por completo, una mujer menuda de cabello oscuro aparece junto a la puerta de la cafetería, pero no le presto atención: estoy ocupada pensando en el pedido de Léon. Vino ayer y los nuevos macarons y su carácter caritativo le agradaron tanto que me encargó varias docenas para un *brunch* especial que se celebraría en el Aurora este fin de semana. Le dije que podía aprovechar la idea y prepararlos él mismo; al fin y al cabo se ha mostrado tan generoso con Lillian's que es lo menos que puedo hacer. Pero, con cara larga, me dijo que han vendido gran parte del equipo de cocina dedicado a la repostería porque necesitaban el espacio para instalar una nueva cocina de fideos chinos. Así que le dije que aceptaba el pedido y le ofrecí un descuento. Ahora quiero preparar unos macarons que lo enorgullezcan. Deben ser perfectos. Supone un pedido muy importante para nosotras y tendremos que trabajar hasta tarde por la noche. De momento me ocupo de otras cosas mientras reflexiono sobre los ingredientes extra que hemos de comprar.

Aunque se ha ocultado, noto la presencia de la mujer de cabellos oscuros mientras limpio las ventanas. Mantiene la vista baja y empuja una piedra con el zapato. Lleva los brazos cruzados como si se abrazara a sí misma. Aunque no hace frío, viste una sudadera verde oscura con capucha que le cubre los largos cabellos. No la reconozco.

—¿Rilla? —grito.

—¿Sí?

—Creo que alguien ha venido a verte.

Rilla sale de la cocina y dirige la mirada al otro lado de la calle.

—¿Señora?

—No, está allí —digo, la vuelvo hacia la izquierda y le indico la mujer que de repente alza la vista. Al vernos, permanece inmóvil. Una negra cabellera enmarca su cara redonda, sus ojos son negros como el carbón. Es mayor de lo que creí al ver su figura menuda; tendrá unos veinte años, como Rilla.

—Sí, vale. ¿Puedo...? —pregunta Rilla en un extraño tono de determinación que no había oído con anterioridad y una expresión sombría.

—Claro que sí.

Sigo fregando el cristal con un trozo de papel de diario. Fue Rilla quien me aconsejó que limpiara los cristales con papel de diario y tenía razón: funciona de maravilla. Doy un paso atrás y veo que el cristal brilla bajo la luz del atardecer.

Rilla ha conducido a la mujer al otro lado de la calle, se inclina hacia ella y la coge del brazo. Mueve los labios con rapidez, con expresión preocupada pero tierna. La mujer ha metido las manos apretadas en los bolsillos de la sudadera; veo el contorno de los puños a través del tejido. Rilla la coge de los hombros y la mira a los ojos. La mujer asiente con la cabeza y se deja caer hacia Rilla, que la abraza y la acuna como si fuera un bebé, con los ojos cerrados y articulando «silencio». Cuando Rilla abre los ojos, dirige la mirada hacia a mí, que estoy junto a la ventana, con el papel de diario en la mano y observándolas fijamente. Abochornada, me ruborizo, me vuelvo y casi tropiezo con la pata de una silla. Dejo el papel de diario y el limpiacristales en una mesa vacía y entro en la cocina. Los platos que Rilla estaba lavando flotan entre la espuma del fregadero; me pongo un par de guantes de goma de color dorado y sumerjo las manos en el agua.

Le dragon rouge – El dragón rojo

Pitaya rellena de crema de mantequilla y limoncillo

—Te están estafando —dice Gigi bruscamente al pagar la cuenta con un puñado de monedas.

—¿Estafando? —repito, recogiendo el cambio.

—Los chicos que te traen la harina, el azúcar, todas esas cosas, estaban comentándolo. Te están cobrando casi el doble.

Le lanzo un rápido vistazo.

—No estoy de broma —dice ella en tono defensivo.

—¿Dices que... lo comentan? —digo lentamente, cerrando la caja registradora.

—Sí. Los he visto entrar con anterioridad y la última vez hablaban del proveedor. Lo conozco... bueno, sé quién es.

Debo parecer desconcertada porque ella sigue hablando en tono enfadado.

—Mi abuela tenía un restaurante, mi familia siempre tuvo restaurantes, bueno, hasta que mi madre quedó agotada de tanto trabajar. Ahora trabaja en bienes inmuebles, como todos los demás codiciosos... —dice Gigi, sacudiendo la cabeza—. Bien, como iba diciendo, ese tío es un delincuente. Estafa a los *gweilos*, a los expatriados... Deberías comprar tus ingredientes en el Red Dragon, son mucho mejores y mucho más baratos.

Apoyo las manos en el mostrador e inspiro profundamente.

—¿Hablas en serio? Quiero decir, ¿de verdad crees que hacen eso? ¿Cobrar el doble?

Noto un ardor en la cara. Hago la pregunta, pero sé que Gigi no miente; mi instinto me dice que está en lo cierto. Consideré que el precio era elevado, pero ignoraba que eso podía pasar aquí. Había confiado en él y ahora estoy furiosa: todas esas provisiones extra para el pedido del Aurora, el coste. Podría haber donado más dinero a la Cruz Roja. Me siento tan ingenua por haber confiado en el señor Teng y creer que nos hacía un buen precio... Es una víbora.

Gigi me mira ofendida.

—No miento... —dice, pero recoge su cartera y se dispone a irse—. Vale, da igual... —se expresa con total frialdad.

Salgo de detrás del mostrador y la cojo del brazo antes de que salga por la puerta. Ella se vuelve hacia mí y su vientre abultado casi roza el mío. Vuelvo a tener esa sensación: la de tener piedras en el estómago; ella no tiene la culpa de mis problemas.

—Oye, aguarda. Lo siento —digo, tomando aire—. Te creo, solo que me siento como una idiota, eso es todo.

Ella se encoge de hombros.

—No recurrí a otro proveedor porque el señor Teng habla inglés y yo... no hablo cantonés —digo, a modo de explicación.

—Lo sé —replica ella en tono irónico. Permanece inmóvil, pero apoya una mano en la puerta.

—Bueno, es posible que necesite alguien que hable cantonés —digo, suspirando.

Ambas nos contemplamos como dos boxeadores en el cuadrilátero: con la vista fija pero en silencio, ambas esperando que la otra haga un movimiento.

«Debo comportarme como una adulta», pienso. Los ojos almendrados de mirada pensativa parpadean.

Así que contrato a Gigi como empleada a tiempo parcial en Lillian's. Estará a prueba durante tres meses. Veremos qué pasa.

Cirque — Circo

Ganache de lima y chocolate, espolvoreado con azúcar de naranja sanguina

Sin aviso previo, la primavera ha dado paso al verano; de pronto el aire se vuelve pringoso como la limonada. Los pies húmedos resbalan en las sandalias, los pantalones se pegan a las pantorrillas. El aire acondicionado de la cafetería supone una ayuda, pero cuando los hornos están encendidos la cocina se convierte en una pesadilla abrasadora. Ya no puedo llevar el cabello suelto; ahora lo apilo encima de mi cabeza, como un nido de ave a punto de caer. La única que no parece afectada por el calor es Rilla: aún lleva camisetas de manga larga y tira de las mangas hasta que le cubren las manos.

He preparado exquisiteces para ambas, plátanos sumergidos en chocolate y luego introducidos en el congelador. Antes de sentarnos junto a la ventana, justo debajo del aparato de aire acondicionado, aguardamos hasta que los clientes se marchan. Suelto un acalorado suspiro; Rilla se abanica la frente. Los plátanos están duros y cremosos y trozos de chocolate congelado se deslizan sobre la mesa y el suelo. Rilla contempla el desastre, tiene mechones de cabello pegados a la frente.

—No te preocupes por eso; tenemos que hacer una pausa. ¡Vaya mañanita!

Ella arquea las cejas indicando que está de acuerdo. Sé que está aliviada porque Gigi empieza a trabajar esa misma tarde. Sospecho que está un tanto nerviosa y se pregunta si funcionará, puesto que ella y yo hemos encontrado una especie de ritmo. Pero ella también está acalorada y cansada, y un par de manos más supondrán una ayuda.

Al otro lado de la ventana pasa un grupo de colegialas; todas llevan las mismas prendas: camisetas blancas y pantalones de poliéster de color granate. Llevan coletas y el largo flequillo les cubre la frente. Entonces empiezan a soltar risitas.

—Este clima es increíble. No es como en mi país —digo, meneando la cabeza. Esa tarde Pete participará en un torneo de golf junto con algunos proveedores. Regresará a casa del color de una remolacha y maldiciendo. Apoyo los pies en el asiento de una silla con ademán perezoso.

—¿Australia? —pregunta Rilla.

—No, Londres —contesto, y me sorprendo al comprobar que aún considero que es mi hogar.

—¿Lo echas de menos?

La pregunta me hace pensar. Cuando me trasladé a Macao tras vivir en Londres unos cuantos años, añoraba cosas que no creí que echaría de menos. Cosas ridículas, aparentemente intrascendentes: tostadas con *Marmite*, el anonimato que supone viajar en metro, los cálidos pubs, los anuncios de fin de semana del *Guardian*... ¡Oh, los echaba tanto de menos! Incluso añoraba el horrendo cielo gris londinense. Recordé esos primeros meses transcurridos en China, cuando solía olvidar objetos, perder las llaves, los calcetines y los periódicos. Y al visionar un episodio de *Little Britain*, en vez de reír me eché a llorar; puse las cáscaras de huevo en la harina y tiré los huevos a la basura. Y, claro, a quien más echaba de menos era a mamá, sus risas mientras tomábamos una taza de té, el sabor de su sirope especial de moras con *crêps*. La nostalgia es así, de verdad: una especie de dolencia, una tos o un sarpullido del que tienes que hacer caso omiso hasta olvidarlo y acostumbrarte o ambas cosas a la vez.

Lo veo en mis clientes —cuyo sufrimiento es tan patente— y me pregunto si se dan cuenta de lo evidente que es. Sus caras largas frente a teteras y platos vacíos cubiertos de migajas. Permanecen allí durante demasiado tiempo y hablan mucho, disfrutando del acento conocido o de un menú británico. Detalles de su vida personal que se confunden con pedidos o pagos, luego risas forzadas y sonrisas incómodas. Si les preguntas cómo se encuentran —ya he aprendido a no hacerlo—, siempre responden con una mentira amable, ingeniosa pero insustancial.

«¡Oh, Macao es maravillosa, supone una oportunidad genial! Imagínate: disponer de una criada..., todas mis amigas que viven en Inglaterra me envidian. Y el fin de semana iremos a Phuket, ¿sabes?»

Justo antes de que se deshagan en sonrisas oyes la pausa... si eres observadora. No es una pausa larga, pero basta. Ese fragmento de verdad, oscuro y silencioso. Detesto esa duradera necesidad de simular que tu vida es absolutamente feliz. Creo que es el motivo por el cual siempre he sido tímida; nunca aprendí ese código. Las mentiras empalagosas y las verdades a medias siempre me han puesto incómoda.

—Antes, sí —digo en voz baja. Ahora sé que, más que mi pasado, lo que realmente echo de menos es lo que creí que sería mi futuro. Tener niños, preparar tartas, crear una familia.

Rilla sonríe. Se repantiga en la silla y empieza a canturrear, cortando los últimos trozos de plátano pinchados en el palillo con los dientes. Su tez es transparente y lustrosa; durante esos momentos de quietud es hermosa. Está satisfecha. Si Pete y yo nos vemos obligados a abandonar Macao, siempre podemos regresar a Australia o Inglaterra.

¡Qué diablos, quizá podríamos ir a Canadá, a Europa, casi a cualquier parte con nuestros pasaportes! Sombríamente, pienso en las limitadas opciones de Rilla.

—¡Yok Lan! —exclama, con la boca llena de plátano helado.

La anciana señora entra apoyada en el brazo de su nieta. Gigi ha llegado temprano. Lleva leotardos y una camisa de talla grande; noto que está recién planchada. Lleva el cabello recogido. Alza la vista y me mira un tanto tímidamente; lleva mucho rímel. Rilla se pone de pie de un brinco y se dispone a preparar el té predilecto de Yok Lan.

—¿Queréis unos plátanos helados con chocolate? —pregunto.

Gigi traduce la pregunta para su abuela, pero ella sacude la cabeza.

—Pau Pau no, pero yo, sí —dice Gigi.

Se deja caer en una silla y veo que cada día está más pesada. Coge el bastón de Yok Lan y lo deja a un lado, luego coge un menú de la mesa y abanica a su abuela: un gesto pequeño pero muy afectuoso. Yok Lan sonríe y cierra los ojos, y los pliegues de sus mejillas se acentúan.

—Pregúntale a Yok Lan si quiere que hoy prepare té helado —dice Rilla desde detrás del mostrador.

—No, por más calor que haga lo toma caliente —contesta Gigi en su lugar y, arqueando las cejas, murmura—: Es de la vieja escuela, ya sabes, muy tradicional.

Yok Lan sonríe a su nieta.

—Eh... tenemos algo para ti —dice Gigi en tono incómodo.

Rilla trae una taza, una tetera, un plato con diversos macarons y los deposita en la mesa. Le alcanza a Gigi un plátano helado y esta lo coge e introduce la otra mano en el bolso a sus pies; al inclinarse hacia delante resopla un poco.

—¿Pau Pau...? —dice Gigi y acaba la pregunta en cantonés.

Yok Lan se endereza y asiente con la cabeza, me dirige una mirada alegre y bebe sorbitos de té.

Gigi me tiende un delgado sobre de plástico que contiene un trozo de papel.

—Pau Pau lo encontró y quiso dártelo a ti —dice.

El trozo de papel es suave y desgastado, de unos diecisiete centímetros cuadrados. En la imagen impresa aparecen niños que llevan pantalones cortos y camisetas de colores brillantes, bailan y hacen girar anillos rojos que emiten chispas. Las chicas llevan largas trenzas oscuras que parecen cuerdas y los chicos llevan el pelo cortado en forma de casquete; una brisa simulada les levanta los cabellos. Llevan zapatos y largos calcetines blancos. En el cielo aparece una delgada media luna; a la izquierda hay una franja desteñida formada por caracteres chinos, debajo de la que se lee en inglés, *Yick Loong Fireworks Co*: Fuegos artificiales Yick Loong. Noto el aliento de Rilla en el hombro; se asoma para ver qué es.

—Es un viejo póster. La empresa era famosa, la fábrica estaba aquí mismo, en Taipa; sus amigos enrollaban los petardos a mano. Consideró que quizá te gustaría colgarlo en la cafetería, pero solo si te apetece —se apresuró a añadir.

Yok Lan me mira; una sonrisa estira sus mejillas y me observa, para ver mi reacción.

—Es estupendo... —afirmo y ya estoy pensando dónde colgarlo; tal vez le pondré un marco verde y le pediré a Pete que me ayude a poner el gancho correcto. Me levanto de la silla y recorro todo Lillian's con el póster en la mano. Una de las paredes está bien iluminada, pero quizá la luz acabará por desteñirlo. Lo sostengo contra las otras paredes; Yok Lan sonríe encantada, une las palmas de las manos y parlotea en cantonés. Gigi se pone de pie y se acerca, se ajusta la coleta y comprime los labios, evaluando el lugar ideal.

—¿Allí, tal vez? —sugiere, inclinándose por encima de

una mesa. Ladeo la cabeza y contemplo la pared baja junto al mostrador: está bastante bien iluminada, pero la luz del sol no desteñirá la imagen.

—Tendremos que mover la mesa... —dice Rilla, señalando con una mano y sirviendo té a Yok Lan con la otra.

—Yo lo haré.

Gigi coge la mesa con ambas manos; su abuela alza la vista y suelta un torrente de palabras en cantonés parece asustada y coge su bastón.

Gigi suelta la mesa y da un paso atrás, roja como un tomate.

—¡Puedo hacerlo, Pau Pau!

Rilla apoya una mano en el hombro de Yok Lan para calmarla; las mejillas de Gigi están arreboladas. Siento el impulso de hacerle un millón de preguntas, pero no sé por cuál optar. Rilla me está mirando fijamente, pero no logro despegar la mirada de Gigi y solo noto la mirada elocuente de Rilla con el rabillo del ojo. Las cuatro permanecemos inmóviles, el ambiente se ha vuelto pesado y silencioso.

Por fin Rilla carraspea y dice:

—¿Eh, quién quiere un macaron? Tenemos uno nuevo... ¿Cómo se llama, Grace?

—*Le dragon rouge* —respondo.

—Es de pitaya...

Y relleno de crema de mantequilla y limoncillo.

—Es afrutado y cremoso a la vez —dice Rilla—, está buenísimo.

Gigi mira a Rilla y después a mí, baja la cabeza y susurra:

—Me encuentro bien, ¿sabéis?, puedo trabajar.

La expresión de su rostro es seria, libre de su cólera habitual y casi tengo ganas de abrazarla, pero hay algo profundo y fuerte en ella que me lo impide. Asiento con la cabeza y apoyo la mano en su hombro delgado.

—Lo sé. No pasa nada.

Oigo como Rilla hace comentarios sobre los diversos macarons con Yok Lan, señalando cada uno y describiéndolo pese a que la anciana no comprende ni una palabra de inglés. Yok Lan observa el movimiento de los dedos de Rilla, indicando cada uno de los círculos de color brillante apoyados en el plato blanco.

Gigi me mira directamente a la cara con expresión decidida.

—¿Por dónde empiezo? ¿Quieres que mueva esta mesa? Puedo hacerlo.

Niego lentamente con la cabeza.

—No, no hasta que haya hecho enmarcar el póster y nos aseguremos que está en el lugar idóneo. Además, hay cosas más importantes que hacer. Necesito que me ayudes a decirle al señor Teng dónde puede meterse sus provisiones.

—¿Que dónde puede meterlas?

—Sí.

Gigi suelta una risita y contesta en tono sardónico.

—Pues eso se me da muy bien.

Desde la cocina oigo la voz de un cliente; dejo los platos sucios que acabo de llevar a la cocina en el fregadero y corro hacia la entrada.

—¡Esto es ridículo! —ruge un cliente, apoyando una panza abultada contra el mostrador—. No puedes servir café frío, tendrás que traerme otro. ¡Pero ahora se me ha hecho tarde! —añade, depositando la taza en el mostrador con gesto violento.

Había hecho caso omiso de Rilla cuando ella se lo sirvió en la mesa, ocupado en hablar por teléfono a gritos con alguien, con un brazo gordo apoyado en la mesa. Ella encontró un lugar para dejar la taza, pero cuando el hombre dejó de hablar y notó que estaba allí, el café ya se había enfriado.

Rilla se baja las mangas y contempla los azulejos; aguardo hasta que alce la vista y se dirija al hombre. En general, logra resolver la tensa situación con una de sus pacíficas sonrisas, pero algo la ha dejado muda.

—¿Y bien? —dice el hombre.

Rilla permanece callada.

Gigi alza la vista del fregadero, llena de platos sucios, y me mira furiosa.

—Es un gilipollas —sisea.

—Le serviremos otro café en envase para llevar, señor, no tardaré nada.

Cuando salgo de la cocina, él se endereza, me recorre con la mirada y la detiene unos segundos de más en mis pechos antes de volver a mirarme a la cara.

Le dedico una sonrisa dulzona.

—Tome asiento y se lo serviremos, no tardaremos ni un minuto.

—De acuerdo.

Su aliento es tibio y agrio, huele a café amargo. Mira elocuentemente a Rilla —que no se ha movido— y se sienta soltando un gruñido. Hace otra llamada y la expresión enfadada desaparece de su cara rechoncha. Camino en torno a Rilla y cojo un envase para llevar.

—¿Estás bien? —murmuro.

Ella asiente y coge el envase de cartón, llena la máquina de *espresso* con café molido y coloca el envase bajo el grifo. Tiene las manos temblorosas; le palmeo el hombro y noto que se apoya ligeramente contra la palma de mi mano. Me mira con expresión de disculpa.

—Yo... solo era ese individuo. Lo siento —dice, sacudiendo la cabeza como si quisiera desprenderse de algo.

Gigi ha salido de la cocina secándose las manos con un paño. Parece enfadada.

—Es un cabrón maleducado. Iré a hablar con él.

—Maldita sea, Gigi, estás manchando el suelo de agua.

Vuelve a la cocina y nosotras nos encargaremos del asunto. No pasa nada —digo.

Gigi se encoge de hombros con aire furibundo y se vuelve.

—Lo siento, Grace —susurra Rilla.

—No pasa nada, no te preocupes —murmuro.

Rilla le lleva el café, sosteniendo el envase para que el hombre lo vea. Él le dirige una mirada colérica y asiente con expresión truculenta, coge sus papeles y sus revistas, se los mete debajo del brazo y abandona el local sin dejar de hablar por teléfono.

Cuando la campanilla colgada por encima de la puerta tintinea, Rilla lanza un suspiro de alivio y una sensación de paz se instala en la cafetería. Al regresar junto al mostrador, se apresura a cambiar de tema.

—¿No ibas a ir al circo esta noche?

—Oh. Sí, tienes razón, iré.

Lo había olvidado. Antes de irse para pasar un fin de semana largo con Don, Marjory había ganado cuatro entradas al Cirque du Soleil en una subasta organizada por una institución benéfica y me invitó a acompañarla. Me las mostró con aire casual, pero su cara expresaba una extraña esperanza. Solo las mujeres que no hacen amigos con facilidad reconocen a una igual; Marjory parecía una de ellas... y yo lo sabía. Además, en el último mes, Pete y yo solo habíamos pasado unos cinco minutos juntos. Echo un vistazo a Lillian's: hay que limpiar las mesas, cuadrar el dinero de la caja registradora y limpiar las máquinas de café. Los platos se secarán durante la noche, pero aún queda mucho por hacer. Rilla nota que me muerdo los labios y observo las mesas sucias.

—No es necesario que te quedes, Grace, nosotras cerraremos.

—No, no, a Marjory no le importará, puedo ir otro día...

—No, deja que lo hagamos nosotras. Deberías ir. Sé cómo lo haces todo, todo irá bien —dice, me roza la espalda y se dirige a la cocina.

Oigo la voz de Gigi protestando sobre los hombres estúpidos y diciendo que algunos tíos creen que son los reyes de todos y lo que le gustaría decirle a ese gordiflón. Limpio las mesas con un paño húmedo, están pringosas y cubiertas de migajas de los macarons. Meto la mano debajo del delantal y toco el móvil metido en mi bolsillo. Podría llamar a Marjory ahora mismo y comprobar si podemos postergar la visita al circo. Oigo la risa clara de Rilla resonando desde la cocina y, al volverme, la veo a través de la pequeña ventana que da a la cocina.

Termino de limpiar la última mesa y me asomo a la cocina.

—¿Rilla?

Ella alza la vista con las manos enguantadas sumergidas en el fregadero.

—Vosotras dos cerraréis la cafetería, si no tenéis inconveniente.

Ella asiente con una sonrisa.

—Gracias.

Camino a casa a paso ligero, inspirando el fresco aire del ocaso. Adoro el circo: algodón de azúcar, payasos de caras pintadas, música a todo volumen, colores demasiado brillantes... Me recuerda a mamá, pero lo había olvidado todo hasta que Rilla lo mencionó. El día ha sido un torbellino de tazas rotas, provisiones que había que desempacar y apilar, platos cubiertos de crema de mantequilla y *ganache*. Gigi supuso una salvación, no le incomoda tratar con los proveedores y con cualquiera al que hay que mangonear. También adora los macarons, lo noto en su joven rostro. Me hace cientos de preguntas acerca de cómo se elaboran, del origen de las recetas, del sabor que tienen en París. Ella y Rilla empiezan a formar una pequeña sociedad propia y cada una hace lo que sabe hacer mejor. Aún hay miles de tareas, todavía estamos muy ocupadas. Todos los días, a la hora de irnos, una película salada me cubre de pies a cabeza. Lillian's no solo ocupa todo mi tiempo, sino también todos mis pensamientos. Mi cabeza parece una maleta repleta de recetas, citas, listas de lo que debo hacer, horarios, una cita con Don y Marjory para ir al circo... Lo último que figura en la lista a menudo parece ser lo primero que recuerdas.

Cuando entro por la puerta como un derviche, Pete está sentado en el sofá hojeando una revista. Lleva tejanos y está listo para partir. Su rostro, apenas iluminado, no revela su estado de ánimo.

—Lo siento, lo siento, un día ajetreado, demencial. No tardaré nada —exclamo y me dirijo a la habitación y al armario. De camino a casa, ya resolví qué me pondría esa noche, así que solo tengo que enfundarme unos tejanos y ponerme una blusa blanca de hilo; doy gracias a Dios que la blusa ya esté planchada. El aire nocturno penetra a través del tejido y me refresca la piel; suelto una maldición cuando el desodorante penetra en la tela y deja una pequeña mancha en cada axila, pero no tengo tiempo de cambiarme. Busco mis pendientes de plata, saco las sandalias plateadas del fondo del ropero y regreso al salón, aún calzándome las sandalias. Calculo que prepararme ha llevado unos ocho minutos. Casi el mismo tiempo que lleva preparar un *ganache* para rellenar un macaron.

—Vale, estoy lista —digo, y le sonrío a mi marido.

Cuando él alza la vista, compruebo que su rostro no expresa resentimiento, solo cansancio. El color de sus mejillas es ceniciento, tiene el ojo izquierdo inyectado de sangre; resulta evidente que se lo ha estado restregando. Se le empiezan a notar los años.

—Muy bien, cielo. Estás guapa. Distinta —murmura.

—Gracias. Quizá se deba a los tejanos, empiezan a quedarme estrechos. He devorado mi versión del macaron *Ispahan* de Hermé durante toda la semana. Es una maldición.

—¿Comiendo qué?

—*Ispahan*. Es un macaron de rosas relleno de jalea de frambuesas. No tiene importancia.

El reloj me distrae: nos quedan once minutos para encontrar un taxi y llegar hasta el Macao veneciano, donde han montado un teatro a medida para el espectáculo. Linda y sus amigos del club de lectores no han dejado de hablar de ello durante semanas.

—Es una maravilla —le oí decir en tono efusivo, mientras afirmaba conocer personalmente a los coreógrafos. Me pregunto cómo serán los trajes; he visto un cartel de una chica con un largo pañuelo de seda color mandarina flotando tras el trapecio al tiempo que ella vuela a través de un cielo negro y estrellado lanzando destellos del color de un cítrico... parece un confite.

Mientras Pete y yo bajamos en el ascensor, veo mi reflejo lechoso en el espejo sucio de la pared y me doy cuenta de que no llevo maquillaje. Me inclino hacia delante para ver mejor: tengo un aspecto horroroso, la piel blanca como la harina y las cejas sin depilar. Pete me coge de la mano: su mano es como una piedra fría y lisa en la palma de la mía, tibia y húmeda.

—No llevas maquillaje, ¿verdad?

—Por eso tengo un aspecto diferente. Mierda. ¿Por qué no me lo dijiste?

Él me aprieta la mano.

—No lo sé. Supongo que me gusta, tienes un aspecto natural.

Pete habla en voz tan baja que debo aguzar los oídos. Me contempla; el cabello sedoso y recién lavado le cubre la frente y sonríe.

—No tengo tiempo de volver a subir, ¿verdad?

—No, quédate aquí. Yo... te queda bastante bien, ¿sabes, Grace? —dice en un tono un tanto apocado.

No estoy convencida. Mis pestañas están pálidas, sin pintar; mis labios son de un tono gris rosado. Noto que tengo manchas oscuras en torno a los ojos y más patas de gallo. Alzo la cabeza con decisión y confío en que esta noche Marjory no se parecerá demasiado a una estrella de cine, aunque eso es como desear que el Papa sea un poco menos católico.

El aspecto de Don me resulta inesperado. Creí que alguien como Marjory tendría un marido muy guapo: musculoso, de dientes blancos y cabellos perfectos. Don ni siquiera es tan alto como Marjory, que permanece a su lado como una columna y lo aferra firmemente de la mano. Lleva un minivestido y lustrosas sandalias doradas. De sus orejas penden aretes dorados. Está tan guapa como mamá solía estarlo cuando se ponía algo elegante para asistir a una velada: todo piernas y sonrisas. Los hombres que pasan a nuestro lado se vuelven y sé que no es a mí a quien miran. Ha estado en Boracay un par de días y su piel resplandece como si hubiera atrapado el sol en cada uno de sus poros. Me coge del codo y susurra:

—Me alegro mucho de que hayáis venido. Don y yo teníamos muchas ganas de conoceros un poco mejor.

Recorro la multitud de cabezas con la mirada y me detengo en una plateada. Léon pasa una copa de champán a su mujer, Celine. Hay diamantes chispeando en sus orejas y al sonreír aparecen hoyuelos en sus mejillas. Él apoya la mano en su hombro desnudo al tiempo que ella acepta la copa. Los contemplo fijamente durante demasiado tiempo y él debe de haberlo notado cuando su mirada se cruza con la mía. Sus ojos son azules y brillan bajo la luz artificial. Levanta la mano y sonríe; lo imito y me ruborizo.

Marjory me presenta a Don, que sonríe y me estrecha la mano; debe de tener diez años o más que ella. Es bajo, calvo y tiene cara de tortuga, ojos grandes y una amplia sonrisa.

—He oído hablar mucho de ti, Grace —dice cordialmente—. Marjory afirma que Lillian's es la mejor cafetería de Macao.

—Vaya...

Me siento invadida por el orgullo, aunque bajo la vista con expresión modesta.

—Es verdad —dice Marjory.

Pete permanece a un lado; se genera una pausa extraña y comprendo que debo presentarlo. En general, es a la inversa.

—Este es Pete, mi marido. Trabaja en el proyecto del Marvella Resort.

Pete les estrecha las manos y Don le pega una palmadita jovial en el brazo. Puede que sea mayor, pero posee la energía de un hombre más joven; es vivaz, pese a un vientre un tanto fofo. Arruga los ojos cuando sonríe.

—¡Pete Miller! He oído hablar de ti; es bueno que haya otro australiano por aquí, encargándose de que las cosas funcionen.

Marjory sonríe a su marido y le apoya la otra mano en el brazo.

—Nos perderemos la primera mitad si no entramos, muchacho.

Suelta la mano de Don y ambas nos dirigimos a la entrada mientras Don y Pete nos siguen, charlando sobre el proyecto. Mientras cogen nuestras entradas, Marjory se inclina hacia mí.

—Es como si hubiera estado fuera durante semanas. Has de contarme qué tal te va con Gigi y si se entiende con Rilla. Quiero que me lo cuentes todo.

Querida mamá:
Esta noche te habría encantado. Tan extraña y hermosa, mamá. Aún tengo el pulso acelerado; mis ideas se arremolinan y entrechocan. Me arde la piel y no puedo dormir.

De la aterciopelada oscuridad del teatro surgió un espectáculo circense inigualable. Un sueño, una fantasía vibrante. Como una de tus historias, mamá. Personajes volando por el aire, cuerpos mágicos y eléctricos, las llamas parecían surgir directamente de las gargantas... ilusiones y visiones.

Si vieras el modo en el que los actores usan sus cuerpos, mamá. La música los atraviesa como un torrente, como si poseyera sus cuerpos. La pasión, la fuerza y la música fluyen a través de sus venas y músculos; se mueven como si se hubieran entregado a un poder mayor que cualquiera de nosotros, como si se hubieran entregado a la mismísima fuerza vital. Brincando, rodando, zambulléndose, los cabellos lanzados hacia atrás, los ojos muy abiertos y las caras vueltas hacia arriba con mirada desenfrenada. Observarlos resultaba casi insoportable. De algún modo, parecía demasiado íntimo. Cuerpos abrazados y arrojados, el olor del sudor y del maquillaje teatral, rostros concentrados y extáticos. Me costaba respirar y los latidos de mi corazón se aceleraron. Ansiaba estar allí con ellos, moviéndome al unísono, sintiendo sus manos atrapándome y arrojándome a la oscuridad. Percibir los músculos bajo esos trajes contra mi cuerpo, mi piel; su cálido aliento en el pelo y la nuca.

Entonces, el mundo quedó inmóvil. El escenario, negro como la noche. Un hombre y una mujer aparecieron como iluminados por la luna, las luces hacían que sus cuerpos parecieran de nieve: gris, plata, azul y blanco. Ambos se abrazaban sobre un pedestal en forma de iceberg flotante y se movían al unísono, como si estuvieran en trance. Se alzaban y se deslizaban uno sobre el otro como si fueran líquidos. Formaban un único ser, abrazados y con los rostros pegados, como los amates de Klimt. Cada respiración se confundía con la del otro, encajaban en sus respectivos cuerpos como las piezas de un rompecabezas. El rostro del hombre era etéreo y plateado, fuerte y perfecto, como tallado en mármol. Casi podía sentir su pómulo presionado contra el mío, sus dedos frescos y gruesos en mi piel acalorada. Un estremecimiento dulce me recorrió el cuerpo. La idea de sentirlo presionando contra mi cuerpo, introduciéndose en él. Me quedé sin aliento.

Pete se inclinó hacia mí como para hacer un comentario. Me cogió la mano; tal vez me contemplaba en la oscuridad. Pero no pude volverme hacia él. Tenía la vista clavada en el escenario, en el ser que parecía hecho de hielo. La maravillosa sensación me hizo temblar. El Deseo. Mi piel ardía con la idea de un roce que me hiciera estremecer, que refrescara mi piel ardiente e hiciera que sintiese que me estaba derritiendo.

Tu hija que te quiere,

GRACE

La fièvre – La fiebre

Rosa con chocolate amargo y ganache caliente de jengibre

Gigi está en desacuerdo con Rilla acerca de cómo distribuir los macarons y se inclina por encima del mostrador chasqueando la lengua en señal de desaprobación.

—No puedes poner ese macaron junto a aquel —dice en tono exasperado, repiqueteando los dedos en el cristal y señalando un *Rêves d'un ange* y un *Coeurs curatifs* situados uno junto al otro como dos amantes casuales.

Echo un vistazo por encima del hombro de Rilla al tiempo que cubro un capuchino con espuma. Ambos son blancos, y quedarían mejor separados; Marjory no despega la vista de su revista y su café, pero oigo como reprime una risita cómplice, así que sé que está escuchando.

Rilla adopta una expresión ofendida y vuelve la vista hacia mí con la esperanza de que interceda a su favor. Me encojo de hombros: esa no es mi lucha.

—Bien... —tartamudea Rilla y se endereza, pero no deja de ser muy bajita—. Bueno, gracias. Pero eso solo es tu opinión.

Gigi pone los ojos en blanco y sacude la cabeza. Lleva los párpados pintados de gris oscuro, muy a la moda, y un enorme reloj pulsera rojo cuelga de su muñeca delgada.

—Sí, vale. Da igual —dice, con un suspiro teatral.

Rilla vuelve a mirarme y se muerde el labio; yo le guiño el ojo para animarla y ella sonríe y recupera la confianza. Cuando suena la campanilla de la puerta, ambas se vuelven hacia allí.

—*¡Bonjour!* —Su voz resuena en la cafetería a medida que Léon se acerca al mostrador con una bolsa en la mano izquierda. Su mirada es risueña y una amplia sonrisa le atraviesa la cara. Rilla lo saluda en tono cortés, pero Gigi retrocede contemplándolo con suspicacia.

—Hola, Léon, ¿cómo estás?

—Estoy bien, Grace, ¿y tú?

Se inclina hacia delante y me besa en ambas mejillas; su aliento tibio me acaricia las orejas.

—Muy bien —balbuceo, carraspeando.

Rilla coge el capuchino y se lo sirve a un cliente sentado ante una mesa junto a la ventana. Noto que Marjory alza la cabeza y su mirada oscila entre Léon y yo.

—Esta es Gigi, Léon.

Gigi me mira y luego le tiende la mano a Léon, quien la estrecha ligeramente; ella le mira desconfiada.

—Hola y enhorabuena —dice Léon con una sonrisa.

Me pregunto cómo se las ha arreglado para darse cuenta de inmediato que Gigi está embarazada, puesto que logra ocultarlo bastante bien. Yo siempre lo noto: su vientre tenso se destaca bajo la ropa, pero quizá se deba a mi propia historia. Gigi lo mira con expresión sorprendida, baja los hombros y su camisa se abullona. Musita unas palabras y sus mejillas de color almendra se sonrojan.

—¿Sabes si es niño o niña? —pregunta él.

Gigi alza la vista con rapidez y su mirada se vuelve hosca. Su bochorno da paso a la altivez.

—Ni idea —dice, se vuelve y regresa a la cocina con un café para ella.

—No sé si tanta cafeína es buena para el bebé —murmuro.

—No te preocupes. Celine bebía de todo cuando estaba embarazada, incluso vino. En Francia no armamos tanto alboroto —dice, meneando la cabeza con expresión encantada—. Esa muchacha me recuerda a alguien. Tiene mucho carácter.

—¿Carácter? Es una gata salvaje. Lo siento, a veces es un tanto... descortés —digo, riendo.

—Oh, no —replica él con voz tan melosa como la mantequilla untada en una tostada caliente—. Es apasionada; las personas como ella serán las que tendrán éxito. Ella estará perfectamente, aún es joven después de todo.

Asiento con la cabeza.

—Dime, ¿qué tal va el negocio? —pregunta, apoyándose en el mostrador.

—Muy bien. Incluso obtenemos ganancias, ¿te lo puedes creer?

—Tienes talento para esta clase de empresa, debes de llevarlo en la sangre.

Asiento y me doy cuenta de que ha dado en el clavo. El hombre, la panadería. Mamá. Una sensación extraña me recorre la espalda, me cosquillea los omóplatos.

—¿Te apetece un *espresso*? Cortesía de la casa, desde luego.

—*Oui*. Con mucho gusto, y también quiero comprar una caja de esos —dice, señalando los macarons blancos con una cruz roja en el centro—. Son mis favoritos y si esta noche los llevo a casa quedaré como un rey, como decís vosotros. ¿Aún sigues recogiendo un poco de dinero? Me parece una idea genial.

Rilla ha regresado y coge una caja blanca de cartón de los estantes detrás del mostrador.

—Sí, así es, una pequeña donación bastante regular cada semana y la idea fue de Rilla y de aquella gata salvaje de allí.

Pongo café recién molido en la máquina; el aroma es intenso y embriagador.

—Pues, verás, yo sabía que ella era de las que tienen talento.

El agua caliente penetra a través del café, la máquina suelta un chillido y un chorro caliente se derrama en la pequeña taza. Léon se vuelve y veo el brillo en su mirada. Tiene unos ojos azules como huevos de pato, el azul del cielo otoñal antes de la lluvia. El blanco es claro y lustroso, las pestañas negras y grises, y mirarme en ellos me marea un poco.

—Te he traído un regalo —dice con suavidad.

Le acerco el café y después hago gala de mis buenos modales, salgo de detrás del mostrador y me seco las manos en el delantal.

Léon saca un tenedor de mango largo de tres dientes de la bolsa: tiene un aspecto peligroso, como el tridente de un diablo.

—¿Qué es?

Al ver mi cara desconcertada, él ríe.

—En francés lo llamamos *fourchette à tremper*.

Las palabras se deslizan de su lengua como canicas dulces. Sostiene el tenedor con ambas manos y me lo tiende.

—Pensé que quizá te serviría cuando prepararas chocolate para incorporarlo a una tarta o a algo por el estilo.

—¿Un tenedor para chocolate?

Recuerdo al chef de la cocina del Aurora, sumergiendo almendras en una oscura lava de chocolate, cubriendo su carne pálida como el mármol. Al recordarlo se me hace agua la boca.

Léon me mira sonriente.

—Sí, un tenedor para chocolate, estoy seguro de que sabes usarlo. Puede que tengas que practicar un poco, pero... —se interrumpe, se encoge de hombros con ese gesto típicamente francés y frunce el labio inferior casi con petulancia.

Un tenedor para chocolate. ¡Vaya regalo!

—Gracias, Léon, es muy considerado de tu parte —digo,

cojo el tenedor con ambas manos y me inclino hacia él para besarle las mejillas. El pelo áspero de su barba me roza los labios; huele a pan caliente horneado y a canela.

Por encima de su hombro, veo cómo se abre la parte superior de la puerta y luego se cierra, haciendo sonar la campanilla: tintinea como las copas de champán entrechocando durante una boda.

—¡Pete! —exclamo en un tono demasiado animado.

La mirada de mi marido oscila entre Léon y yo; luego la dirige al tenedor que sostengo en la mano. De su dedo índice cuelga un llavero.

—¿Qué estás haciendo aquí? —pregunto con una sonrisa.

—Pensé que te gustaría que te acompañara a casa en coche.

Tiene el ceño fruncido; entonces se percata de la presencia de Rilla, que lo saluda con la mano.

—Hola, Rilla.

—Hola, Pete —contesta ella.

Gigi se asoma desde la cocina; aún no conoce a Pete, pero retrocede con rapidez con la taza de café en la mano. Pete acude a Lillian's de vez en cuando, pero no es lo que yo llamaría un cliente habitual. Sé que nos hemos distanciado: es como si nuestras vidas fueran lunas que giran en torno a planetas diferentes. Pete pertenece a Marte, yo a Venus, pero ahora está aquí y resulta curiosamente incómodo encontrarlo en mi territorio, en el trozo de Macao que es solo mío. Pete vuelve la mirada hacia Léon, una mirada bastante fría. Una corriente eléctrica circula entre Pete, Léon y yo, una que no comprendo, por no hablar de explicarla. Es como si Pete pudiera leerme el pensamiento, el corazón, esas pequeñas oleadas adolescentes de deseo.

Léon carraspea y da un paso adelante para saludarlo; estrecha la mano de Pete con una amplia sonrisa y con la otra le agarra el hombro. Tal vez no nota que Pete se inclina hacia atrás, poniendo distancia entre ambos.

—Hace tiempo que no nos vemos —dice León.

—Sí, sí. Eres Léon, ¿verdad? —añade Pete, pronunciando el nombre con deje inglés, prolongando la «e» y acentuando la «n» final. Noto que Léon pone cara larga.

—Sí, Léon —replica, corrigiendo la pronunciación de Pete.

—Vaya. ¿Qué tal estás? —dice Pete, sonriendo con los labios apretados y sin dejar de fruncir el ceño.

—Estoy estupendamente. El negocio marcha viento en popa, quizá no tanto como Lillian's, pero no puedo quejarme.

Pete echa una mirada a su alrededor. Marjory esboza una sonrisa y él se la devuelve.

—El negocio marcha bien, ¿no? —reconoce; en su voz se mezclan el orgullo y la vergüenza. Me parece que quiere añadir algo más, pero entonces baja la vista.

En cambio, Léon toma la palabra en un tono ligero y espontáneo; a lo mejor es el único que no percibe lo evidente.

—Bien, he de ponerme en marcha. Gracias por el café y los macarons —dice, alzando la caja de *Coeurs curatifs* que Rilla ha sujetado con una cinta.

—No hay de qué. Gracias por el tenedor para chocolate.

—De nada —contesta en tono amable y se marcha sin besarme.

Cuando se ha ido, la cafetería parece recuperar la calma. Dirijo la mirada a la puerta a través de la que salió a medida que el cielo del ocaso comienza a oscurecer. La caja registradora se cierra soltando el habitual campanilleo y me vuelvo hacia Pete, que me mira fijamente.

—Solo he de ordenar un poco, prepararme para mañana... —me apresuro a decir rodeando el mostrador y quitándome el delantal.

—Claro. Charlaré con Marjory. Hace días que quiero pedirle el número de teléfono de Don y tomar una cerveza con él.

—Vale.

—Vale —dice él.

Pero tarda un momento en girarse, y yo, otro momento en limpiar la nevera del mostrador.

Me despierto en el sofá en medio de la noche; uno de mis pies ha caído al suelo y suelto una mezcla de gruñido y gemido. Más allá de la cortina abierta está oscuro y estoy bañada en sudor, con el pelo pegado a la frente. La televisión está a todo volumen: imágenes de personas brincando arriba y abajo sosteniendo banderas de colores de brillantes. Tardo unos segundos en ordenar los detalles y recuperar la lucidez. Me encuentro en el salón, Pete dormita en el sofá frente a mí; hemos estado viendo un documental sobre las próximas olimpíadas de Pekín. Se han producido protestas y detenciones, violencia en Tíbet, personas evacuadas de sus hogares al tiempo que sus casas son reemplazadas por estadios. Me restriego los ojos y miro a Pete. Está estirado y sus ronquidos son sonoros.

Me tambaleo hasta la cocina. La cabeza me pesa, es como si encima del cuello tuviera una sandía. Confío en que no estoy a punto de caer enferma; no tengo tiempo de estar enferma. Bebo un vaso de agua a grandes sorbos. Cuando lo dejo en la encimera, calculo mal y el vaso se desliza a un lado antes de caer al suelo y romperse. Las astillas se desparraman; peligrosas astillas por todo el suelo.

—Mierda.

Me pongo en cuclillas, me tiemblan las piernas, y empiezo a recoger los fragmentos. Un diminuto trozo se me clava en la punta del dedo y vuelvo a soltar un taco. Estar en cuclillas, con la cabeza a punto de estallar y notando que del corte empiezan a caer diminutas gotas de sangre al suelo, me trae un recuerdo. La cocina oscura podría ser cualquier cocina, la de aquí y ahora o la de allí y en aquel entonces.

Intento recoger los últimos fragmentos, pero un recuerdo borroso me distrae.

—¿Mamá?

Allí está, en el rincón. Sentada en el suelo y con las rodillas apretadas contra el pecho.

—Eh, mamá.

Tiene los ojos enrojecidos y la mirada perdida.

—Gracie —susurra, como si alguien pudiera estar escuchando.

—¿Qué estás haciendo?

Lleva su vestido de satén encima de un pantalón tejano y me mira fijamente, desconcertada y perdida. Sus ojos asemejan dos pozos pardos en su rostro. Guiño los ojos para poder verla mejor; el vestido está desgarrado bajo una axila, como si hubiera tratado de quitárselo con excesiva prisa.

—¿Qué estás haciendo aquí, mamá?

—Oh. Bueno... —dice, mira a ambos lados sin soltar las rodillas—. Supongo que solo estaba buscando algo —añade y oigo el temblor de su voz.

—¿Qué estabas...?

—Ven aquí, Gracie, mi niña. Ven y siéntate junto a tu mamá.

Palmea el suelo a su lado como si yo fuera todavía una niña y no una adolescente torpe de piernas largas, y me dedica una sonrisa trémula.

—Mañana tengo un examen.

—Venga, cielo, solo un minutito, por favor.

Su voz es muy áspera y suplicante y procura mirarme a

los ojos; me acerco y me siento en el suelo; las baldosas son duras y están heladas.

—¡Ya, ya! —dice para tranquilizarme, como si yo lo necesitara; sus ojos se iluminan cuando me palmea la rodilla—. Cielo, estaba pensando que podrías tomar esas clases de equitación que querías, incluso quizá podríamos comprarte un poni.

Bajo sus ojos muy abiertos y afiebrados tiene las mejillas arreboladas.

—No quiero tomar clases de equitación.

—Claro que sí, no has dejado de hablar de ello.

—Sí, cuando tenía ocho años, mamá.

—No... —empieza a decir y luego me mira fijamente: piernas demasiado largas, acné en el mentón, pechos todavía sin desarrollar... Su mirada es prolongada y extraña y me hace sentir incómoda.

—Tengo dieciséis años, mamá. Dentro de un par de años iré a la universidad.

—No, Gracie —dice, sin despegar la vista de mí.

—Sí, estudiaré geografía. Lo recuerdas, ¿verdad?

Entonces su rostro se crispa y empieza a susurrar en tono insistente.

—No, no, Gracie, no puedes hacer eso. Eres demasiado joven, debes quedarte aquí.

—Pero tú dijiste...

Mamá no se deja interrumpir y continúa susurrando en tono angustiado.

—No puedes ir, cariño, eres demasiado joven.

—Tengo dieciséis años, mamá.

—Además, necesito que te quedes aquí, ya sabes.

Miro la oscura cocina. Solo estamos nosotras dos y el suelo está sin barrer.

—No irás, ¿verdad, Gracie? —dice en un tono todavía más desesperado, apoya una mano en mi cara y me obliga a mirarla—. No te marcharás, ¿verdad, Gracie?

—Mamá...

—No puedes abandonar a tu mamá, Gracie. Ambas nos necesitamos; tienes que quedarte aquí conmigo.

—Quiero...

Incluso en la penumbra veo las lágrimas que se derraman por sus mejillas y su rostro expresa tanta desesperación que me quedo en silencio. Observo sus labios, donde el color del lápiz de labios casi ha desaparecido, y sus mejillas hundidas; ha adelgazado mucho en lo últimos meses, y parece mayor.

—Di que no te irás.

—Mamá...

—Prométemelo, Gracie, promete que no te irás.

Inspiro profundamente y siento un peso en los hombros.

—Lo prometo, lo prometo...

Ella quita la mano de mi cara y me palmea la rodilla; permanecemos sentadas en silencio con la vista clavada en el suelo.

—¿Has almorzado hoy?

—Supongo que sí —contesta ella en tono distraído.

—¿Qué comiste?

—No lo sé, cielo. Había salido, tenía que hacer un millón de cosas. Encontré un huevo de ave azul, ¿te lo mostré? Es increíble, el arte de la naturaleza, Gracie.

—Lo vi.

—Es hermoso.

—Sí, es bonito.

Ella sonríe y me coge la mano, la apoya contra su mejilla, la besa y suspira. Bajo mis dedos su pómulo es tan duro y blanco como una pieza de ajedrez.

—¿Qué te parece si preparo una *quiche*?

Ella asiente.

—Sería estupendo, cariño.

Me pongo de pie y ayudo a mamá a levantarse; echo un

vistazo a una bolsa de cebollas apoyada en la encimera y sacudo la cabeza.

La cocina de mi infancia desaparece y se convierte en nuestro apartamento de Gee Jun Far Sing. Tengo las manos llenas de trozos de cristal, las agito por encima del cubo de la basura y los trozos caen al fondo. Me sirvo otro vaso de agua y me dirijo al dormitorio, pasando junto a la oscura y dormida figura de Pete. Me tiendo en la cama y apoyo la cabeza en la almohada. Me duermo de inmediato y sueño cosas extrañas y afiebradas.

Vuelo a través de un cielo tenebroso salpicado de estrellas titilantes; los dedos largos y frescos del viento me acarician el pelo.

Suspiro, sonrío apenas y abro los ojos. Hay alguien por encima de mí... no: me acuna con suavidad, como el abrazo de un amante.

—¿Eres feliz, Grace? —murmura él. Su voz me atraviesa. Más allá de nosotros reina un profundo silencio. Inspiro su aroma, un trozo de su pecho desnudo apoyado contra mi piel. El aroma me resulta familiar; huele a pan recién horneado e inspiro el olor, dejo que me llene.

De pronto volamos hacia arriba, cada vez más arriba, donde el oxígeno escasea, y durante un instante flotamos, antes de precipitarnos hacia el suelo trazando espirales. Él me estrecha entre sus brazos y me fundo con él, dejando que me controle y me proteja al mismo tiempo. Poco después volvemos a volar trazando grandes óvalos. Me siento mareada y tengo calor, como si me hubieran besado lenta y profundamente. Alzo la mirada y veo que aferra lazos de brillante seda anaranjada en una mano, mientras sigue rodeando mi cintura con su otro brazo musculoso.

—¿Y bien? —vuelve a susurrar: esa voz, más sedosa que una caricia. Una caricia: quiero sentirla en mi cuerpo, en los pechos, y me recorre un escalofrío caliente. Cierro los ojos y el aire me acaricia los párpados.

«Tócame, tócame», ruego en silencio.

—¿Eres feliz?

Suelto un gemido. Algo palpita en mi interior, ese algo que me convierte en mujer y ansío que sus labios me rocen.

«Por favor.»

Léon desplaza los labios hasta mi oreja como si fuera a decirme algo, pero empieza a besarme el cuello. Noto que suelto un quejido. Su boca es cálida y húmeda al tiempo que respira, susurra y me besa la oreja. Sus labios carnosos me rozan la mejilla. Anhelo recorrer su cuerpo con la boca y me debato, intentando volverme hacia él.

—Ten cuidado —me advierte, pero me sonríe y veo sus dientes pálidos como el marfil. Tiendo los brazos hacia él y por fin saboreo su boca con la mía. Es como si me derramara dentro de él, dentro de ese beso, me sumergiera y me ahogara. Mi cuerpo ansía formar parte del suyo, sentir que él forma parte de mí.

Entonces noto el peso de la gravedad. Léon solo me rodea la cintura con un brazo, me besa el cuello y mi cuerpo palpita con el anhelo de volver a sentir su boca sobre la mía. Lo deseo. Quiero que me pertenezca. Me muerdo los labios al percibir el calor y la forma de su cuerpo en la cara interior del muslo y noto el sabor salado y apasionado de mi propia sangre.

—Por favor... —Esta vez suplico en voz alta, con la voz enronquecida por el deseo.

Me acerco aún más y me deslizo a lo largo de su cuerpo. Él me coge y me rodea el torso con el brazo, justo por debajo de mis pechos.

—Ten cuidado —me advierte, y esta vez su voz es un gruñido que hace que lo desee aún más.

Pero nos hemos desequilibrado y caigo, y, al perder el contacto con el calor y el aroma de su cuerpo, suelto un grito desesperado.

—¡Grace! —grita, intentando cogerme de la muñeca.

De repente oigo un rumor, como el murmullo del mar cuando apoyas una caracola contra la oreja: el sonido de las olas rompiendo contra una playa de guijarros. De la oscuridad surge una pared de rostros con las bocas abiertas y guiño los ojos, tratando de enfocarlas. Es un teatro lleno de personas observando cómo cuelgo de la mano de Léon; sus ojos, bocas y rostros se vuelven más nítidos; una señora china se vuelve hacia su amiga, susurrando, chasqueando la lengua. De pronto veo su cara con claridad y ella arquea una ceja delgada como la línea de un lápiz. Siento dolor en la muñeca aferrada por Léon y suelto un chillido. Entonces la mujer desaparece en medio de la oscuridad. El terror me invade, siento los latidos del corazón y le miro suplicante:

«¡No me sueltes!»

—¡Grace! —exclama desde arriba con deje intenso y ronroneante, y en un tono tan desesperado que el deseo es casi como una puñalada. Estoy cayendo.

Cayendo.

Cayendo.

Cayendo.

—Eh, eh, eh —alguien gorjea.

Trato de tomar aire.

—Eh, Gracie, no pasa nada, cielo.

Pete me abraza mientras me debato y me retuerzo. Está detrás de mí, procurando aferrarme de los antebrazos y evitar que los agite.

—¡No! —grito, resollando.

—Solo tuviste una pesadilla. No pasa nada...

Es como si mi cuerpo se hubiese vuelto eléctrico, vivo y temblando de deseo. Jadeo. Es como si mi cuerpo gritara «¡Léon!», mientras yo trato de recuperar el aliento. Entonces vuelvo a notar la pesadez de mi cabeza y el zumbido permanente en el cráneo.

Dejo de debatirme y me dejo caer sobre el colchón.

—¿Qué pasó? —susurra Pete, soltándome; tengo el pulso acelerado, como si hubiera corrido un kilómetro. Los giros y la caída del sueño aún me marean, la habitación gira en torno a mí. «Léon.» Cintas. La caída. «Léon.» Ojos azules como un río.

—¿Eh?

—Nunca te he visto en este estado. ¿Te encuentras bien?

Me quito la manta y me tiendo de espaldas, desnuda y jadeando. Mi cuerpo desprende afiebradas oleadas de calor. La habitación deja de girar y por fin permanece inmóvil.

Giro la cabeza y miro a Pete; tiene el ceño fruncido y su mirada es grave.

—Creo que estoy a punto de caer enferma —contesto. Luego trago saliva y me vuelvo, todavía estremeciéndome de deseo y sabiendo que el rostro de Pete no es el que esperaba ver.

Brise d'été – Brisa estival

Yuzu relleno de guindas

Hace calor. El aire es pesado y pringoso. Es como si acabara de salir de una bañera llena de agua hirviendo; el vapor se pega al vello. Tengo que parpadear para evitar que el mundo se deslice hacia un lado; tengo la cabeza hecha un bombo. Esta mañana, cuando desperté pero aún seguía medio dormida, me encontré en un lugar en el que mamá se inclinaba sobre mí, cantando y girando. «París, París, París», suplicaba. «Nos trasladaremos a París, Gracie. No es necesario que te vayas. Iremos a París.»

El único modo de quitármela de la cabeza consistió en obligarme a tomar una ducha fría y salir de casa dando tumbos.

Antes de alcanzar la farmacia paso junto a una tienda china naturista y una tetería. En general, camino a paso tan ligero que no me percato del entorno, apresurada por ir a comprar harina o azúcar, depositar las ganancias diarias en el banco o llevar un cojín manchado de café a la tintorería. Hoy apenas puedo caminar más rápido que Yok Lan; cada paso supone un esfuerzo que me deja sin aliento. En la tienda naturista no hay envases de vitaminas ni vistosos carteles con imágenes de caras sonrientes. En vez de esto, hay aletas de tiburón secas cuya piel es del mismo color que los callos: amarillenta y transparente; botellas llenas de setas arrugadas, hierbas y olor a pescado. Junto a la entrada hay un santuario en miniatura, rojo con inscripciones doradas, y restos amarillos de varillas de incienso en una vieja taza. En el interior, una mujer se abanica con una vieja revista y me mira a través de la ventana, con los músculos de la cara relajados debido al aburrimiento o al calor.

En la tetería, las mujeres charlan animadamente detrás del mostrador. Llevan delantales de color granate, se inclinan por encima de las tapas de latón de las grandes urnas de té, meneando la cabeza, chupándose los dientes y cotilleando. Da igual que no pueda oírlas ni entender lo que dicen: la postura y los ademanes de mujeres juzgando a otras mujeres son universales.

«No, no es una buena madre. Tienes razón, ha engordado. ¿Y su marido, acaso no se da cuenta? Dios mío, cuán metomentodo es. ¿Quién puede soportar a semejante suegra?»

Parecen llenas de energía, aunque solo sea para calumniar y decir verdades a medias. Me pregunto si el té que sirven curaría mi resfriado, pero opto por el sistema más tradicional y me dirijo a la farmacia.

El interior está bien iluminado y tras el mostrador hay un hombre de cabello ralo enfundado en una bata blanquísima. Tiene las manos plegadas; los escasos mechones de pelo cubren su cabeza de un lado al otro: parecen la arena de un meticulosamente cuidado jardín zen. No me sonríe, está demasiado ocupado escuchando a otro cliente con expresión perpleja y la vista clavada en la boca de la mujer. Es menuda como una niña, pero bajo una amplia sudadera con capucha se oculta un cuerpo de mujer. Se debe de estar asando; tiene cabellos oscuros, largos y satinados. Se dirige al farmacéutico con susurros insistentes, inclinada hacia él como si estuviera a punto de agarrarlo de las solapas. Alza la voz temblorosa pero no oigo qué dice. Me acerco y la reconozco: las arrugas de preocupación en la frente, el cabello bonito: es la mujer que se detuvo delante de Lillian's para hablar con Rilla. El farmacéutico repiquetea los dedos con impaciencia contra el mostrador de cristal. El tiempo es dinero. La punta amarillenta de la uña del dedo meñique es más larga que la mía.

—Perdón —interrumpo—. ¿Puedo ayudarle?

Cuando le apoyo una mano en el brazo con mucha suavidad, la mujer pega un respingo.

—Rilla trabaja conmigo; la he visto en la cafetería —murmuro.

La mujer me reconoce y asiente con la cabeza.

—Yo... necesitamos un ungüento para quemaduras —dice con un fuerte deje filipino.

Estoy segura de que es una criada o una doncella que se ocupa de una casa y de los hijos de otro. Debe de haber tocado una olla caliente o tal vez la víctima es uno de esos niños revoltosos y rebeldes que acuden a Lillian's con sus mamás, se cuelgan de las mesas y corren alrededor de las sillas embriagados por el subidón de azúcar. Me invade una oleada de compasión por ella. El farmacéutico nos oye hablar en inglés y le indica a su joven hija —sentada en un taburete y chupando una piruleta— que se acerque. La niña se levanta y se quita la piruleta de la boca.

—Ungüento, para quemadura, caliente, ¡ay! —digo alzando la voz, gesticulando para que la muchacha detrás del mostrador me comprenda. Ella asiente, traduce mis palabras y su padre coge un tubo del estante a sus espaldas. Llamas rojas y anaranjadas cubren la parte inferior del tubo, así que comprobamos que nos ha entendido. La mujer mete la mano en el monedero. Sus cabellos casi lo ocultan, pero veo que contiene docenas de billetes plegados en forma de pequeños cuadrados. No parece que sean unos cuantos billetes que su jefe le haya dado para hacer la compra. Saca un billete con mucho cuidado y se lo da a la muchacha.

—Me llamo Grace —digo, sonrío y tiendo la mano a la amiga de Rilla.

Ella no la estrecha. Se muerde los labios y murmura:

—Soy Jocelyn, señora.

—Encantada de conocerte, Jocelyn.

Ella me saluda con la cabeza y sale de la farmacia con pasos pequeños y la vista clavada en la acera.

—¿Y usted, señora? —dice la muchacha detrás del mostrador; habla con la piruleta en la boca; parece una ardilla con la mejilla abultada por la piruleta.

—Resfriado, gripe.

La muchacha traduce mis palabras al cantonés y su padre deposita los remedios en el mostrador. Los contemplo agradecida durante unos segundos. Si funcionan podré regresar a Lillian's en un par de días. Me preocupa cómo se las arreglarán Rilla y Gigi sin mí. Seguro que todo irá bien; Marjory quizá también estará pendiente de que todo funcione, pero me siento sorprendentemente vacía y descompuesta: yo soy la responsable de Lillian's.

Finalmente, tras unos cuantos días borrosos, la fiebre desaparece. La primera vez que me despierto sin fiebre me incorporo con cierta cautela, temiendo que se esté burlando de mí, que aceche en un rincón, pero no reaparece. Pete ya se ido a trabajar; en el lugar ocupado por su cuerpo, el colchón está hundido y las sábanas, arrugadas. Me sigue chorreando la nariz y me arde la garganta, pero no tengo fiebre y no he soñado con mamá. Me levanto y tomo una ducha tibia, me enjabono y canto alegremente entre un ataque de tos y el siguiente.

Rilla suelta un chillido cuando entro, Marjory aplaude e incluso Gigi sonríe. Yok Lan me contempla con una sonrisa suave y tierna. Parece cansada, pero me alegro mucho de verla: irradia serenidad. Apoyo una mano en su hombro y, con gesto espontáneo, la coge y deposita un beso húmedo en la palma.

—No creerás que estás aquí para trabajar, ¿verdad? —me advierte Marjory, agitando un dedo cuya uña está pintada de rojo. Gigi está a su lado, apoyada en el respaldo de la silla y entre ambas hay una revista de moda abierta; la modelo lleva leotardos de color granate y está sentada en un taburete, parece incómoda. Tiene la boca abierta: labios rojos, lustrosos y húmedos.

—Me encantaría —contesto—, pero aún no me he recuperado del todo.

Rilla sale de detrás de la caja, corre hacia mí y me abraza.

—Te echamos de menos, Grace —exclama—. Todos han preguntado por ti. ¿Quieres un té?

Asiento con gratitud y mientras Rilla se dispone a llenar una tetera, digo, tratando de no parecer nerviosa:

—¿Va todo bien? ¿Algún problema?

Marjory palmea una silla a su lado y, cuando me siento, susurra:

—Han estado fantásticas, Grace. Muy atareadas, pero se las han arreglado perfectamente. Tienes que estar orgullosa de ellas.

—Todo ha salido bien —dice Rilla cuando regresa; ha dispuesto un macaron *Thé pour deux* en el plato. Está relleno de Earl Grey: un dulce contraste con el chocolate; noto que el borde es perfecto y circular.

—Los hice yo —dice Gigi, como si me leyera el pensamiento; lleva las manos apoyadas en el vientre abultado que ya no la abochorna, tenso e hinchado bajo la camiseta. Lleva pantaloncitos cortos y botas, el cabello en un moño y brazaletes tintineantes en el brazo izquierdo.

Como un bocado del elegante macaron de color rosa y saboreo el relleno.

—Está muy bueno —le digo, guiñándole un ojo a Rilla, que sonríe—. Buen trabajo, ambas.

Tras tomar el té, permanezco detrás del mostrador con Rilla y ella me explica lo ocurrido durante los últimos días.

Unos detalles que los demás considerarían de escasa importancia me hacen sonreír: Léon acudió para comprar otra caja con una docena de macarons para la reunión de su equipo. Una selección mixta, pero reconoció que *Cirque* es su predilecto actual. Se ha roto una tetera; una de las cucharillas de mango de perlas falsas ha desaparecido. «La señora Thompson», ambas decimos al unísono. Lleva perlas todos los días, incluso en verano, y tiene tendencia a hurtar pese a que tiene más dinero que todos mis clientes juntos. No me preocupa; el mes que viene puedo comprarle más cucharillas al proveedor. Necesitamos más nata, más harina de almendras. Gigi derramó media bolsa de azúcar al preparar los macarons, confiesa Rilla en tono nervioso. Le aseguro que no supone un problema: añadiremos azúcar a la lista. Se dirige a la cocina para comprobar si necesitamos comprar algo más, canturreando al atravesar la puerta y agitando su oscura cabellera.

—¡Hola, Gracie!

Me giro y veo que Linda me saluda desde un rincón.

Le dedico una débil sonrisa.

—¿Cómo te encuentras, cariño?

—Mejor, gracias, Linda.

—Me alegro de volver a verte —dice en tono cordial.

El club de lectores de Linda se reúne en Lillian's cada dos semanas. Ella y tres de sus amigas pasan un par de horas en la cafetería antes de ir a recoger a sus niños a la escuela. Ignoro si leen los libros que traen consigo, porque en todo caso no hablan de ellos. Al principio de cada reunión, Linda coge papel y bolígrafo, se supone que para tomar notas, pero una vez transcurridas el par de horas, guarda el papel en blanco en el bolso. Las otras mujeres son delgadas, de largas cabelleras, peinados elegantes y grandes gafas de sol. Llevan vestidos sin mangas y zapatos de tacones. Una de ellas solía ser una modelo de catálogos de tiendas, me dijo Pete; conoce a su marido del trabajo. Otra está casada con un piloto; oigo que habla de una casa en Boracay, la mejor playa de Filipinas. Aprecio su presencia, pese a las sonoras carcajadas y el cotorreo, que hacen que el local parezca abarrotado incluso cuando está casi vacío.

Linda se acerca para pagar la cuenta.

—Gracie, querida, pensaba preguntarte dónde encontraste a tu muchacha —echa una ojeada por encima de mi hombro.

—¿Cómo dices?

—Tu muchacha —repite.

—Oh, ¿te refieres a Rilla? Léon me ayudó a encontrarla; es de gran ayuda.

Linda frunce los labios y busca cambio en su monedero para pagar su último café con leche.

—Linda, los niños saldrán de la escuela en unos minutos —grita una de las mujeres desde la puerta. Las otras dos hablan de un nuevo anillo comprado por uno de los maridos. ¿Cuántos quilates? ¿Hecho dónde? ¿Cuánto costó?

Linda me tiende dos billetes de veinte *patacas*; le devuelvo algunas monedas.

—¡No tardo ni un segundo! —responde en tono alegre, se inclina hacia mí y baja la voz—. Pues ten cuidado, querida.

—¿Qué?

—Con las empleadas —dice—. No siempre son lo que parecen. Y todas se conocen, todas son primas o algo así.

Abro la boca para replicar, pero no digo nada y noto que mi cara se enrojece.

—A Elsie, la que está junto a la puerta, le han robado cosas más de una vez. Sospecha que su doncella es amiga de lo ajeno, ya sabes —dice Linda.

Supongo que Elsie es una de las mujeres del grupo. Las dos señoras que hablaban del anillo empiezan a reír. Cacarean como gallinas y ahora hablan del sistema japonés del planchado de cabello. La que está junto a la puerta suspira y pone los ojos en blanco.

—¿Linda?

—Yo... —empiezo a decir.

—Oye, no le digas nada a nadie. Resulta muy bochornoso para Elsie, pero sé astuta, ¿vale? No te muestres demasiado amistosa. Eres un encanto y ellas podrían aprovecharse, ya sabes a qué me refiero —dice, arquea las cejas y me mira elocuente; luego se endereza, sonríe y se lleva el cambio en vez de dejar una propina. Cierra el bolso con un sonoro chasquido—. ¡Ya voy! —gorjea, y se pone las gafas oscuras—. Cuídate ese resfriado, Gracie. Circulan unas horrendas bacterias por ahí. Todos los niños se han contagiado.

—Sí, bien... lo haré. Gracias.

Sus risas y sus pasos en la acera se desvanecen y las cigarras, invisibles entre las altas hierbas y los escombros de una obra próxima, pronto recuperan la confianza y entonan su canción estival.

—Aquí dentro reina el silencio —dice Rilla, saliendo de la cocina. Sostiene un paño caliente en las manos y se lo pasa de una a la otra.

—Sí —murmuro.

—¿Te encuentras bien, Grace? —pregunta, echando un vistazo a mis mejillas enrojecidas.

—Sí, estoy perfectamente. Gracias, Rilla.

Empieza a limpiar la mesa que las mujeres acaban de abandonar: pringosas manchas de café, servilletas manchadas de lápiz de labios y sobres abiertos de sacarina.

Unos días después, Rilla ha salido a comprar colorante vegetal, así que Gigi y yo estamos solas en la cafetería, ideando una nueva receta de macarons. La cocina parece un poco más pequeña debido a su presencia, sobre todo ahora que lo primero que entra en una habitación es su vientre abultado. Todavía trata de llevar sus prendas habituales, pero empieza a fracasar. Un día estiró el brazo para coger mi cuaderno con recetas de macarons depositado encima de la nevera y se le levantó la camisa. La cremallera de sus pantaloncitos cortos estaba completamente abierta y dejaba ver su ropa interior de encaje color verde lima. Se había fabricado una especie de cinturón con una cinta y aún los sostenían, pero a duras penas.

Advirtió que la miraba y entornó los ojos.

—No digas nada. Sé que tengo un aspecto absurdo, pero tendrías que ver lo que pretenden que lleve.

Supongo que se refiere a su madre y su abuela.

—Absoluuuutamente horrendo, en serio...—dice, arrastrando las palabras.

Supongo que, respecto a ese punto, comparto sus sentimientos. En Macao no hay muchas opciones en cuanto a prendas para madres embarazadas; muchas mujeres llevan vestidos amplios hasta la mitad de las pantorrillas y circulan por ahí con andares de pato, como Tweedledum o Tweedledee, pero, a partir del incidente de los pantaloncitos cortos, Gigi empezó a llevar prendas más amplias, sobre todo camisetas talla XL y leotardos. Se compró un par de sandalias iguales a las predilectas de Marjory, así que continúa vistiendo a la moda. A mí me gustan los eslóganes impresos en las camisetas, traducidas incongruentemente del inglés:

¡EL AMOR HACE LA PAZ PARA TODO EL MUNDO,
HACE TIEMPOS FELICES!
MAÑANA HAY SOL, SONRÍE, BAILA
AL RITMO DEL CORAZÓN.

Y mi favorito: ANOCHE ME LO PASÉ DE FÁBULA, ¿Y TÚ? Ver a Gigi envuelta en esa camiseta, notablemente embarazada, resultaba muy irónico. Su inglés es casi perfecto, así que estoy convencida de que sabe lo que el eslogan insinúa.

Estamos intentando elaborar un macaron de *yuzu*, cítricos y albahaca; me he sentido inspirada por los sabores de temporada de Ladurée tras leer en alguna parte que crearon un macaron de cítricos y albahaca para un artículo de *Vogue*, o quizá para la versión francesa de *Elle*. En todo caso, era *trés chic*. Yo también intento ser *trés chic*, pero de momento eso significa que estoy cubierta de sudor y de un extraño *ganache* que huele a hierbas.

—Esto tiene un olor totalmente asqueroso, Grace —dice Gigi.

—Lo sé, no es un buen resultado, ¿verdad? No me sale.

—¿Utilizas albahaca? —pregunta haciendo una mueca.

—Es una especie italiana y me parece que a la condenada no le gusta Macao —digo, sosteniendo una hoja marchita cuyo color se ha vuelto de un ominoso color verde oscuro.

—Sí, bueno, a mí tampoco. Hace demasiado calor con este bulto enorme —protesta, sumergiendo el dedo en el *ganache* y arrugando la bonita nariz. «Vaya, eso no se venderá», pienso.

—Creo que abandonaré —digo—. ¿Qué te parece si preparamos un *ganache* de guindas y rellenamos estos moldes con *yuzu* en vez de hacerlo con eso? Pueden ser una especialidad de temporada: un macaron de *saison* —añado, tirando la mezcla con albahaca a la basura.

—Como tú quieras —dice, y el brillo regocijado de su mirada la delata.

—Ese es el entusiasmo que anhelo —contesto con una sonrisa—. ¿Qué nombre le ponemos? Ha de ser francés.

Ambas nos sumimos en un silencio pensativo. Fuera, las cigarras interpretan su ruidosa sinfonía estival: las imagino entonando serenatas desde viejos neumáticos, olvidadas pilas de leña y cuencos de plástico, de esos en los que los chinos comen tallarines.

—Algo relacionado con el verano... —murmura.

Tras echarle un vistazo a mi gastado diccionario francés-inglés cubierto de harina, acordamos ponerle *Brise d'été*. Gigi se ofrece voluntaria para escribir una traducción al chino en la pizarra. Pienso en Yok Lan, entrando y leyendo los bonitos caracteres chinos y me pregunto si reconocerá la escritura, la forma particular de cada ideograma, como procedente de su nieta. Damos un paso atrás, hombro contra hombro, y lo contemplamos. Noto la sonrisa de Gigi; lleva los brazos cruzados por encima de su abultado vientre.

—Bien, ¿podré comer uno de esos, o me limito a ser tu esclava que escribe en la pizarra? —se burla, sin mirarme.

—Sí, sí, de acuerdo. Pero primero has de prepararme una taza de té: también eres la esclava del té.

Ella sonríe con la cabeza gacha, a lo mejor cree que no lo noto.

Nos sentamos ante mi mesa favorita en un rincón, desde donde puedo ver a los clientes, si es que acuden, aunque hoy no creo que vengan en tropel. Marjory, que vive en el mismo edificio de apartamentos ocupado por muchas de las mamás expatriadas, me dijo que hoy se celebran competiciones deportivas en la Escuela de las Naciones, así que muchos padres estarán animando a sus hijos; instintivamente, me inquietan las quemaduras del sol y los síncopes. Recuerdo que mamá solía embadurnarme de zinc: parecía una princesa india de una vieja película del Oeste, aquel verano que fuimos a Brighton.

Gigi se sienta frente a mí y me sirve una taza de té antes de servirse ella misma. Soy mayor que ella, lo hace sin pensar. Bebo un sorbo: Ceilán negro con corteza de mandarina, uno de mis predilectos. Gigi se mete un macaron entero en la boca, lo muerde y se repantiga en la silla, suspirando.

—Caramba... —balbucea con la boca llena, y luego, una

vez se ha tragado el bocado, añade—: *Brise d'été*. Guau, está muy bueno.

No logro evitar una carcajada.

—Brindemos por *Brise d'été*, y por el verano —digo, alzo la taza de té, ella me imita y entrechocamos las tazas de porcelana. Hoy parece más contenta, un poco más alegre, como si la cafetería vacía supusiera una especie de alivio.

—¿Por qué no tienes hijos, Grace? —pregunta.

Sus palabras me golpean como las frías aguas del océano, y a punto estoy de hacer un gesto de dolor. Trago saliva con dificultad y recuerdo la pena y la sensación de que se me rompe el corazón. Ojalá no me hubiera hecho esa pregunta; contemplo su vientre y siento una especie de punzada en el mío.

—Es complicado.

Ella frunce el ceño e insiste con aire ingenuo.

—No querías hijos, ¿verdad? Marjory dijo que nunca querría tener hijos. Que te atan, ¿no?

Incluso bajo el maquillaje, su cara es tierna e infantil y sus ojos redondos como los de una lechuza expresan temor.

—No, no... —digo, suspirando—, no es eso, queríamos tener hijos.

Ella deja la taza en la mesa y me dirige una mirada inquisitiva.

—¿Cuándo?

—¿Que cuándo quisimos tenerlos?

—Sí, ¿qué pasó, cambiasteis de idea? —pregunta con suavidad, como si se hubiera dado cuenta de que tal vez no debería de haber preguntado.

—No, no cambiamos de idea; no recuerdo cuándo empezamos a querer tener hijos, me parece que fue hace mucho tiempo. Vivíamos en Londres.

—Pero ¿ahora no?

—Sí, ahora queremos. Creo que sí, quiero decir.

Hace mucho que no hablo de ello con Pete, nuestras conversaciones rodean el tema como una bifurcación. No se trata de que queramos evitar una confrontación o una discusión, puesto que es como si riñéramos todo el tiempo. La pelea de anoche giró en torno a comprar un abrelatas o no. Pete consideraba que el que teníamos resultaba inútil y yo le dije que era un derrotista. El estúpido abrelatas de algún modo se convirtió en motivo de discusión. Estaba tan enfadada que despedía oleadas de calor y —hecha una furia— me quedé tendida toda la noche junto a su oscura figura que no dejaba de roncar. Hablar de los niños solo nos entristece. Siempre podemos comprar un abrelatas nuevo.

Alzo la vista y me corrijo.

—No es que lo crea: lo sé. Sé que queremos tener hijos, de verdad.

Ella me mira fijamente, aguardando a que siga hablando. Pero no sé qué decir.

—Pero no podemos tener hijos; es físicamente imposible. Bien, lo es para mí, no puedo tener hijos —digo en tono apagado, tan apagado como la esperanza que Pete y yo hemos perdido.

—Creí que quizá no querías tener hijos —susurra Gigi.

—No, queremos tenerlos. Pero yo no puedo —digo, suspirando.

No se lo he dicho a nadie salvo a Pete; creí que me echaría a llorar si lo hacía y seguro que nunca pensé que se lo diría a una joven mientras comíamos macarons. Entonces sigo hablando.

—No tengo... óvulos. Ya no. Resulta que no nos decidimos a tiempo y me quedé sin óvulos demasiado pronto. Supongo que podría decir que dejamos pasar el momento oportuno.

Tomo aliento y espiro lentamente. Ella me mira y noto que me escucha con mucha atención. Su mirada se vuelve más dulce y es como si penetrara en mis entrañas, como si supiera lo que siento. Es la primera vez que me mira directamente a los ojos.

—Eso es una mierda —afirma.

Asiento con la cabeza. Es una mierda. ¿Quién hubiera imaginado que el oscuro nudo de pena y desilusión podía describirse con tanta sencillez? Gigi permanece sentada en silencio. Se oye el estrépito de un taladro y el claxon de un coche; hace un día estupendo y las nubes recorren el cielo con lentitud. Ambas bebemos nuestro té.

—¿Grace?

—¿Sí?

—Lo siento. Todo eso sobre los bebés.

—Sí, yo también, cielo, yo también...

Ella baja la vista y se contempla las manos y luego la mesa. El plato está cubierto de macarons del color del sol: parecen un ramo de margaritas.

Gigi levanta el plato y me lo ofrece.

—¿Macarons?

Devoramos todo un plato de macarons, charlamos y bebemos más tazas de té. Ella incluso me coge la mano, la apoya en su vientre y deja que note las patriditas. No me echo a llorar, las cigarras siguen cantando y siento que me desprendo de cierta carga.

A fin de mes descubrimos que hemos tenido ganancias, incluso en los días en los que estaba ausente por enfermedad. Estoy tras el mostrador haciendo cálculos y me siento tan orgullosa que tengo ganas de reír. Rilla está en la cocina y Yok Lan bebe té a sorbos en su lugar habitual. Gigi charla con Marjory al tiempo que los rayos del sol de la tarde penetran a través de las ventanas. Oigo fragmentos de la conversación: hablan sobre los lugares que Marjory ha visitado. Gigi la escucha con sus ojos pintados de negro muy abiertos.

—¿Incluso en París?

Marjory asiente.

—Incluso en París. París es el hogar de los macarons. Solo los había tomado en Francia, hasta que llegué aquí —concluye, volviéndose hacia mí—. ¿Has estado en París, Grace?

—*Mais oui, bien sûr*. Ladurée, Pierre Hermé, los mejores chefs pasteleros están en París.

—¿Quiénes son? —pregunta Gigi en tono curioso.

—Son las estrellas del rock del mundo de los macarons —le explico, guiñándole un ojo.

Recuerdo como mamá y yo solíamos sacar macarons de una caja blanca como si fueran gemas; sus colores eran como los de las piedras preciosas: rojo rubí, azul turquesa, pálidos como las perlas. Los saboreábamos con la lengua y con los ojos cerrados para gozar de su dulzura decadente. Claro que después no tendríamos dinero para pagar la cuenta del hotel, pero ella compraba los macarons de Ladurée para el desayuno. Nada menos que para una niña.

—París posee las cafeterías más extraordinarias del mundo... —dice Marjory, suspirando.

Entonces pienso en Pete. La semana pasada me invitó a cenar a un restaurante francés cercano; adoptó una expresión extraña cuando dije que estaba demasiado cansada, que a la mañana siguiente teníamos que preparar un enorme pedido de macarons. De pronto, parecía más viejo y triste.

—Has estado en todas partes —dice Gigi en tono impresionado.

—Sí, es verdad, hemos estado en muchas partes —contesta Marjory—. Pero tú también, ¿no?

—No realmente. He estado en Hong Kong, por supuesto y en Guangzhou. Y también en Tai Pei, fuimos allí con los alumnos de la escuela. Tuve que vender globos en San Malo durante seis meses, para ahorrar el dinero del viaje. Eso es todo, —dice y apoya las manos en el vientre con gesto automático.

—Llega un momento en que todos los lugares se parecen —comenta Marjory en tono nostálgico. Bebe un sorbo de su capuchino y se lleva a la boca un *L'espoir*. Antes de comer un bocado hace una pausa—. En todas partes existen las mismas cosas: la riqueza, la pobreza, la felicidad, el sufrimiento. Resulta fácil creer que eres mejor que los demás porque siempre te estás marchando. No quedarás atrapada en sus horarios de oficina, en sus tediosas rutinas. Siempre cuentas con la posibilidad de trasladarte a un lugar distinto.

Gigi baja la vista y se contempla las manos; los brazaletes en torno a sus muñecas brillan.

—Debe de ser fantástico.

—Lo es. Durante un tiempo. Después empiezas a sentirte un poco... ¿envidiosa? Los demás tienen seguridad —dice, y su voz se convierte en un susurro—. Al menos ellos pertenecen a un lugar —añade, come un bocado de macaron y mira alrededor de Lillian's con mirada perdida.

«Es verdad», pienso.

Permanecen sentadas en silencio durante unos instantes hasta que la voz cantarina de Rilla surge de la cocina. La desafinada melodía corta el aire, Marjory tose con la boca llena, Yok Lan suelta una risita, y Gigi, una tremenda risotada.

—Mierda, canta como el culo —dice Gigi con su falta de tacto característica.

Rilla sale de la cocina: de sus manos enguantadas caen gotas en las baldosas y nosotras ocultamos nuestras sonrisas con la mano.

—¿De qué os reís? —pregunta perpleja.

Todas soltamos risitas. Dirijo la mirada a las cuatro mujeres: Gigi, Rilla, Marjory y Yok Lan... y sonrío.

Querida mamá:

A veces me pregunto qué habría ocurrido si hubiese elegido algo distinto, si me hubiera casado con otro, si me hubiera trasladado a otro país.

¿Sería como Marjory? Saltando de un lugar a otro como una piedra por encima de la superficie del agua. Empacando y desempacando cada pocos años. No haciendo amigos por si los vínculos han de romperse con demasiada rapidez. Sintiéndome como un repuesto. ¿Presentaría un aspecto exterior perfecto y uno interior desencajado?

¿O sería como Rilla? Parece bastante feliz, pero resulta difícil de saber si lo es. ¿Se pregunta, tal como lo he hecho yo durante todos esos años que trabajé en restaurantes, si hay algo más? ¿Algo más significativo? ¿Algo que ella puede considerar propio?

Tal vez hubiera sido como Gigi. Joven y destrozada, procurando fingir que todo está bien. Está embarazada, mamá. No es tan joven como parece, así que no tendría que sentirme sorprendida. Tendrá unos veintitantos, pero parece una quinceañera, es tan menuda... Si yo hubiera tomado la misma opción, ahora sería una madre. Supongo que podría haber tenido un bebé a su edad. Pero estaba demasiado ocupada tomando la píldora y preocupándome por otras cosas, sin saber que ese reloj interior no dejaba de hacer tictac, tictac, tictac. Ella nunca sabrá lo que significa que te quiten la maravillosa posibilidad que supone la maternidad. Pero creo que su vida no siempre es tan dulce: se nota en su rostro, oculto tras la osadía y la arrogancia; palabras no dichas, sueños rotos. A veces parece perdida y solitaria, como un ratón que, al despertar, descubre que está en una jaula.

Pero incluso con todo lo que ignoro sobre su vida y su carga, no puedo dejar de pensar que un día será como

Yok Lan, que contemplará a una nieta más alta que ella, que le apoyará una mano en el hombro y le susurrará palabras bondadosas al oído. Ella dispondrá de eso: alguien a quien le importe si juega al *mah-jongg* cuando no debiera. Alguien que le preste atención.

¿Podría haber sido una de esas mujeres, mamá?

¿O podría haber sido como tú? Una cabeza cubierta de una cabellera pelirroja, historias de grillos y piruletas y peces voladores. Cantando a las dos de la madrugada, bailando como si estuviera borracha por la tarde. ¿Acaso escogí no ser como tú? ¿Podría haber sido como tú? Pienso en ti, tan viva que tus dedos y los dedos de tus pies resplandecen. Tus ojos brillantes y tus cabellos agitados. Nunca fuiste nada a medias, mamá. Siempre fuiste un ser completo.

Supongo que eso es todo lo que hay. Soy la que soy. Ahora ya no puedo cambiar las cosas.

Tu hija que te quiere,

GRACE

Saison orageuse – Estación de tormentas

Limón y jengibre con relleno de crema de mantequilla marrón

La estación de los tifones desciende sobre Macao. Durante un instante el cielo es tan azul como los acianos, el sol se derrama como la miel sobre las aceras y un momento después pasa la próxima tormenta, gris y ventosa. Hoy disfrutamos de la versión tarjeta postal: un día soleado y claro. Marjory dice que el cielo está tan maravillosamente azul porque todas las fábricas de China han cerrado durante las olimpíadas. También han dejado de conceder visados, con el fin de impedir el paso de los manifestantes. Para las damas expatriadas, se acabaron las excursiones de compras a Zhuhai, y, en consecuencia, Lillian's está lleno de mujeres aburridas. La espera durante los largos y calurosos días hasta que pase la próxima tormenta pone a todo el mundo de mal humor.

«Al menos todos se sienten como en casa», procuro pensar con optimismo. La mayoría de los días, Lillian's parece una sala de estar grande y desordenada.

Hoy hasta Marjory se ha quedado sin asiento. Cuando regreso de hacer las compras, está de pie detrás del mostrador, sosteniendo su taza de té. Gigi y Rilla ríen a carcajadas mientras Marjory realiza elegantes movimientos ascendentes y descendentes, se pone de puntillas y pliega las rodillas en un ángulo de casi noventa grados. Gigi la imita, pero suelta un quejido con una mano apoyada en el vientre y la otra en el mostrador.

—¿Qué estáis haciendo?

Todas alzan la vista con una sonrisa.

—¡Marjory intenta matarme! —protesta Gigi, pero sin dejar de sonreír.

—Esta chica nunca hace ejercicio. ¿Lo sabías? —dice Marjory, chasqueando la lengua.

—¿Cómo se llaman esos movimientos...? —pregunta Rilla.

—*Pliés*. Le serán útiles cuando se ponga de parto; ha de ponerse en forma y coger fuerza.

—¡Oh, es demasiado perezosa!

Gigi azota a Rilla con un paño de cocina. Rilla coge las bolsas de la compra y ambas se dirigen a la cocina para desempacarlas. El aire acondicionado de la cafetería me refresca la frente sudorosa; me pongo un delantal y le sirvo otra taza de té a Marjory.

—¿Irás al evento que se celebrará en el club de tenis de señoras la semana que viene? —me pregunta.

—¿Qué? Oh, eso.

Me brinda una sonrisa esperanzada y luego ríe.

—Creo que debes ir, Grace, porque yo tengo que ir. Don quiere que lo acompañe, pues me parece que intenta seducir a unas personas de la empresa. Linda y las señoras del club de lectores me lo han estado preguntando toda la semana y hasta ahora logré evitar responder directamente. Si no vas, tendré que soportar a esas esnobs, procurando no meter la pata.

Marjory se expresa de manera muy graciosa y no puedo evitar una carcajada. Gigi no es la única que no hace ejercicio; he comido tantos macarons que un michelín asoma por encima de la cintura de mis pantalones. Además, Pete quiere que vayamos y, teniendo en cuenta lo distanciados que estamos desde que Lillian's tiene éxito, complacerlo es una buena idea. Hace mucho tiempo que no hacemos nada juntos.

—Venga...

—De acuerdo. Pero me debes una —digo, agitando un paño de cocina mojado; ella sonríe.

Desde la cocina surgen las voces de Rilla y Gigi, discutiendo y riendo; cada vez se parecen más a un par de hermanas desiguales.

—Parece que se divierten allí dentro —dice Marjory, apoyada en el mostrador.

—Sí. Por lo que parece, se detestan y se adoran a partes iguales.

Quito unos restos de café y azúcar del mostrador con el paño de cocina.

—¿A veces sientes como si estuvieras fuera mirando hacia dentro? —pregunta Marjory en voz baja y tono serio, como si fuera algo que hace tiempo que ella misma se pregunta.

—¿Qué quieres decir?

—No lo sé. Vivir en Macao. Nunca seremos de aquí, nunca seremos chinas, pero mira a Rilla: hasta ella encaja mejor que nosotras.

Como si se percatara que hablamos de ella, Rilla empieza a canturrear y Gigi chilla y le dice que se calle, que de lo contrario empezará a sangrar por las orejas. Marjory y yo intercambiamos una mirada y nos reímos.

Marjory se lleva la taza a los labios, pero luego vuelve a dejarla y, en tono pensativo, dice:

—Nunca quise tener hijos, ¿sabes? En realidad, ni siquiera quería un marido...

Siento que se me encoge el estómago, pero no tanto como antes. Marjory se ruboriza, como si se avergonzara de hablar de temas personales.

—Las hijas de Don consideran que soy una madrastra

mala, pero ya me he acostumbrado a que me aborrezcan, así que no me molesta demasiado.

—¿No?

—No —dice, sacudiendo la cabeza—. Solo se debe a su exmujer: les llena la cabeza y tengo que aguantarme. Creo que, a la larga, se les pasará. De todos modos, adoro a Don y con eso me basta, pero de vez en cuando pienso: ¿y ahora, qué? Quiero decir... —añade, y una arruga le surca la frente—, ¿sientes que perteneces a alguna parte, Grace?

Dejo el paño con el que limpiaba el mostrador y primero pienso en Pete: su cabeza de cabellos oscuros, su mirada llena de palabras no expresadas. En mamá: su roja melena. El frío de Londres y el cielo azul de Australia... las imágenes se suceden con rapidez.

Marjory aún me contempla; a sus espaldas, las mujeres beben café y chismorrean. Yok Lan está sentada en un rincón dormitando junto a una taza de té medio vacía. Un niño hace chocar un camión de juguete contra la pata de una mesa.

—¿Pertenezco a aquí? —contesto en tono de pregunta, pero sé que es verdad.

Ella asiente; noto que reflexiona con la vista perdida y las manos rodeando la taza. Me pregunto si cree que me refiero a Macao o a dónde se encuentre Pete, sea donde sea. Percibo su aprecio por Don: cuando habla de su marido irradia el amor que siente por él. Puede que ella sea una princesa y él, una rana, pero es evidente que lo adora y eso hace que, con cierta sensación de culpa, comprenda cuánto he estado evitando a Pete. Pero lo que quiero decir es que este es mi lugar, aquí en Lillian's, esta pequeña cafetería y la cocina: mi mundo diminuto.

Por fin ha caído una tormenta ligera tras una serie de días cálidos y despejados. El pronóstico dice que se trata de un tifón de categoría tres, pero en Hong Kong afirman que es de seis. Los clientes escasean. Observo a las criadas filipinas luchando por proteger los cochecitos de los niños con un paraguas, pero no a sí mismas. Las lonas colgadas de los edificios en construcción se hinchan y se agitan como pañuelos de señoras. El viento parece soplar de todas las direcciones, de derecha e izquierda, de arriba a abajo, y me pregunto, esperanzada, si cancelarán el evento del club de tenis programado para mañana. Gigi se inclina por encima del mostrador de los macarons con el vientre apoyado contra el fresco cristal, mientras yo limpio la máquina de café. Parece cansada; ya ha acabado de pasar el mocho por el suelo.

—¿Qué tal la visita a la doctora del lunes?

—Todo bien.

—¿Era simpática?

—Claro —dice, encogiéndose de hombros—. Bastante simpática, supongo. Dice que me encuentro bien y el bebé, también, que no hay problemas.

—Estupendo.

—Sí, me dijo que salgo de cuentas el veintinueve de octubre.

—¿De veras? —digo, y la miro; Gigi no parece afectada. Intento contar las semanas mentalmente: faltan unas nueve, el tiempo ha pasado con mucha rapidez; debo parecer perpleja, porque ella ríe.

—Algún día tendrá que salir, Grace —dice, enarcando las cejas.

—Tienes razón —digo.

—Pero prefiero no pensar demasiado en ello —añade Gigi, dando un paso atrás pero apoyándose en el mostrador con ambas manos. Hace girar un pie y baja la vista observando los círculos trazados con expresión frustrada.

—¿Ya sabes si es niño o niña?

—Pues no es un niño —contesta con total naturalidad.

—Vaya...

—Estoy bastante segura de que es una niña. ¡Dios, me duelen los pies! —protesta—. Están casi tan grandes como los tuyos y muy hinchados debido al calor y a este estúpido embarazo.

—Muchas gracias —digo, fingiendo estar ofendida.

Gigi me dedica una sonrisa, pero no se disculpa; ahora ya sé que es su manera de conectar conmigo, burlándose y tomándome el pelo como si fuera su hermana mayor. Sus labios sonrientes dejan ver sus pequeños incisivos: la sonrisa la hace parecer mucho más joven. Arrojo los restos del café molido al cubo de la basura y me restriego la frente; el sudor me causa picor.

—¿Cómo sabes que es una niña?

—Tanto Pau Pau como mi tía creen que es una niña; a mamá le da igual lo que sea. —Coge una silla de una de las mesas y se sienta—. Pau Pau echó mano de un antiguo calendario para comprobarlo, una especie de calendario chino.

—Vale, es una niña. Guau.

Gigi entorna los ojos pero vuelve a sonreír.

—En serio, Grace: o bien es un niño o una niña. Hay un cincuenta por ciento de posibilidades de que sea lo uno o lo otro.

—Sí, sí, lo sé... —contesto y también entorno los ojos para demostrarle que me da igual, pero los latidos de mi corazón se aceleran. Gigi rasca algo encima de la mesa con expresión abstraída, un fragmento de macaron, de *ganache* o de leche seca que no ha sido eliminado.

—¿Has pensado en algún nombre?

—No. Bueno, no realmente. Hay un nombre chino que me gusta y que encaja con mi apellido. Es gracioso, creo. Pero no he pensado en un nombre en inglés.

—¿Tendrá ambos nombres? ¿Quiero decir, en su pasaporte o partida de nacimiento? —pregunto.

—En sus documentos solo figurarán sus nombres chinos. Pero también le pondré un nombre inglés. Nos ponen uno a todas.

Me dedico a lustrar la superficie del mostrador y el metal brilla como un espejo; en la superficie curva mi rostro parece alargado, como el morro de un caballo.

—¿Quién te puso tu nombre inglés? ¿Tu mamá?

—No, Pau Pau; consideró que era fácil de pronunciar y creo que había una famosa cantante llamada Gigi. No lo sé.

Extraigo las bandejas de macarons y las deposito en la lustrosa superficie con sumo cuidado.

—Quiero que esto salga bien. Frank, mi novio... —se interrumpe y frunce los labios. Es la primera vez que menciona a su novio; supongo que es el padre del bebé.

—¿Qué pasa con Frank?

—Oh, nada. Solo que se comporta de manera extraña.

—¿Sí?

—Es como si me evitara. Supongo que está muy ocupado; lo han ascendido a supervisor, así que ha de realizar varios turnos, creo. Pero también se va de juerga, nunca nos vemos —dice, y hace una pausa—. A mí también iban a ascenderme, ¿sabes? Pero...

—¿Pero?

—Pero entonces me quedé embarazada y una de esas zorras flacas, quizá Crystal, se lo dijo al jefe y no conseguí el ascenso. Y después acabaron por decirme que ya no me necesitaban... ya sabes lo que quiero decir.

—¿Qué? —exclamo, alzando la vista y frunciendo el ceño—. Eso es demencial, no lo sabía. Si te merecías el ascenso, Gigi, deberías haberlo conseguido —insisto.

—No lo comprendes, Grace: esto no es Londres —dice con mirada irónica.

Se lleva un macaron rosado a la boca y, cuando se disuelve contra el velo de su paladar con un ligero chasquido, cierra los ojos durante un instante.

—De todos modos, no importa. Me gusta más estar aquí; ojalá pudiera estudiar y aprender a hacer macarons tan ricos como los tuyos.

Hago caso omiso del inesperado cumplido.

—Bien, estás comiéndote todas nuestras ganancias —digo, río y le palmeo la mano.

Ella sonríe, dirige la vista hacia el exterior y baja la voz al continuar hablando.

—Lo único que quería hacer era ganar dinero y comprar cosas bonitas. Por eso Frank y todos los demás trabajan en casinos. Mi madre cree que el dinero es el único motivo para hacer algo. Sé que no me dejó estudiar, sobre todo nada relacionado con la cocina, porque cree que los restaurantes son una mala inversión: metes dinero pero nunca lo recuperas.

Me muerdo la lengua, pensando en mamá, en mi propia imposibilidad de estudiar, en sentirme atrapada. Me vuelvo hacia Gigi, con su vientre tan abultado y pesado y sus ojos tan oscuros...

Ella sigue hablando, como si el macaron le hubiera soltado la lengua.

—¿Te he hablado de la foto de un bolso Louis Vuitton que colgué de la pared junto a mi cama?

—No.

—Permaneció allí durante doce años —dice en tono nostálgico.

Esos bolsos cuestan un ojo de la cara; en esta parte del mundo los tratan como si fueran huevos de Fabergé; nadie dejaría su bolso en el suelo junto a sus pies. En algunos de los restaurantes más elegantes incluso proporcionan sillas diminutas para depositarlos.

—¿Te hiciste con el bolso?

—Sí. Lo compré con la bonificación que el gobierno nos dio hace unos meses; con eso y unos ahorros —dice, y bebe un sorbito de té.

—¿Louis Vuitton? —comento, enarcando las cejas—. ¡Bien por ti! Tanto trabajo... debes de adorarlo.

Nunca lo he visto colgado de los ganchos de la cocina; ella y Rilla suelen llevar mochillas repletas; Gigi ha cubierto la suya de chapas e insignias.

—¿Dónde está? —pregunto.

—No lo uso. Lo quería llevar en cierta ocasión, pero no me atreví a sacarlo de casa. De vez en cuando lo desenvuelvo y lo contemplo: es precioso, pero... —dice, suspirando— no me hizo sentir lo que creí que sentiría. Creí que todo sería perfecto una vez tuviese ese bolso.

Se contempla el vientre y parece un poco triste. Entonces cambia de tema.

—De todos modos, da igual. He de llamar a esos proveedores por la harina de almendras. La calidad no es la misma, ¿no te parece? Me oirán, si nos están vendiendo un producto barato.

Se dirige a la cocina y por un instante la sigo con la mirada, cojo uno de los macarons y me lo llevo a la boca; la masa crujiente se disuelve y suelta su dulzor, pero deja un regusto un tanto amargo. El sabor es menos delicado, como el del mazapán. La mayoría ni siquiera lo notaría: puede que a veces Gigi parezca una adolescente despreocupada, pero no cabe duda de que posee el paladar de un chef.

Salvo unas cuantas ramas rotas y lonas desgarradas, es como si el día siguiente sufriera amnesia con respecto a la tormenta del día anterior. El sol irradia rayos anaranjados y el aire sabe a sirope. Me quedo sin energía incluso antes de llegar a las pistas de tenis; el calor y la humedad me vuelven letárgica y lenta; en cambio, Pete tiene muchas ganas de que todo empiece. Se apoya contra la red y estira los músculos de los muslos: siempre ha sido muy competitivo. Esta mañana su cuerpo despide un olor animal, especiado y feroz, que me revuelve el estómago y también me desmoraliza. Observo la llegada de los demás; evidentemente son parejas aunque no se besen, se toquen o se cojan de las manos. Intercambian miradas, cargan con sus bolsos, utilizan el mismo lenguaje abreviado que nunca requiere más explicaciones. Al contrario de Pete y de mí, que bien podríamos ser dos extraños. Apenas nos hablamos o nos miramos, por no hablar de hacer el amor o dormir uno junto al otro, como antes. Sé que se trata de una distancia que he trazado entre ambos; le he dado la espalda y me he sumergido en el trabajo. El mundo de Lillian's es más seguro, uno que no me causa tanto dolor. Porque cuando lo miro a la cara, esa cara que conozco tan bien, veo ira y desencanto y, detrás, pena y dolor. Eso es lo que me resulta insoportable.

—¡Hola a ambos! —exclama Marjory cuando la puerta de la pista de tenis se cierra con estrépito. Va vestida de blanco y lleva un gorro con visera azul. Abrazada a una raqueta plateada, salta al terreno de juego con la elegancia de un antílope—. Don bajará en seguida; nosotros y otra pareja nos enfrentaremos los unos a los otros.

Hace rebotar una pelota en la raqueta sin mirarla; se siente cómoda realizando cualquier actividad física, cómoda dentro de su propia piel. La imagino bailando en un escenario: hubiera supuesto un espectáculo memorable.

Pete dirige la mirada hacia nosotros, guiñando los ojos bajo el sol, y saluda a Marjory con la mano.

—¿Quieres un poco de agua? —pregunta, al ver las botellas de agua vacías que sostengo en las manos.

—Sí, por favor, me estoy derritiendo. El sol me está matando.

—Y que lo digas. Espero que te hayas puesto protector solar esta mañana, de lo contrario te asarás en un minuto.

Contemplo sus brazos y piernas largas y bronceadas, y no logro imaginar que sufra quemaduras de sol, ni siquiera que sude. Ya hay manchas oscuras bajo mis axilas, noto el sabor salado en los labios y desearía estar en Lillian's, disfrutando de la fresca penumbra de un día poco ajetreado. Llenamos las botellas en la máquina dispensadora de agua del club, y, cuando volvemos a salir, veo a Celine y a Léon: están en la pista charlando con Don. El cabello plateado de Léon brilla bajo el sol; Pete permanece ligeramente apartado del grupo, con la vista clavada en su raqueta y sus zapatillas deportivas.

Don alza la vista.

—Eh, señoras, tendremos que esforzarnos. ¡Nos toca jugar contra los franceses!

—*Bonjour!* —gorjea Celine al verme.

Lleva un vestido azul claro y zapatillas blancas. Léon saluda a Marjory, se aproxima y me besa en ambas mejillas pese a que están cubiertas de sudor. Me sonrojo y advierto que Pete nos observa. Siento alivio al ver que Don suda más que yo: el sudor le chorrea por el cuello y se desliza bajo su camisa. Al tiempo que explica el programa, Pete dirige la mirada hacia Léon y hacia mí, y después hacia Don.

—Vale —dice Don—, primero jugarán Léon y Celine contra vosotros dos, después nosotros jugaremos contra los vencedores, y quienes ganen la primera vuelta pasan a la siguiente. Deberíais prepararos para recibir una paliza, ¡os barreré de la pista!

Levanta su brazo fláccido con gesto orgulloso; su bíceps parece haberse deslizado hacia un lado y todos reímos. Marjory le pega un golpe con la raqueta y le sonríe.

Mientras ocupamos nuestros lugares en el terreno de juego, Pete se vuelve hacia mí.

—¿Te encuentras bien?

—Sí, solo que hace mucho calor —digo, secándome el sudor de la frente.

—Ajá —dice, y dirige la mirada al otro lado de la red; Léon lo saluda con la mano; Pete no lo imita, pero esboza una sonrisa y alza la cabeza—. No esperaba encontrarlo aquí.

—¿Qué? —digo, pero antes de que pueda contestar, Léon grita:

—¿Estáis preparados?

—¡Sí! —respondo.

—Venga, adelante —masculla Pete en voz baja.

Los primeros puntos son rápidos y Léon y Celine no tardan en ganar el *game*. Cuando me toca sacar, pifio el golpe; observar a Léon me distrae: juega con tanta calma, tanta serenidad... Cuando, por fin, acierto con el saque, la pelota devuelta cae a los pies de Pete, que logra un golpe perfecto, fuera de la línea del juego de individuales pero dentro de la del juego de dobles; Léon suelta un gruñido tratando de alcanzarla.

—¡Buen tiro! —grita Marjory desde el borde de la pista.

No dejo de dar golpes muy malos y de disculparme.

Léon solo menea la cabeza y ríe.

—Eh, no te preocupes, solo es un juego.

Pete y yo los alcanzamos y pronto empezamos a llevarles ventaja. Pete está muy concentrado y parece tenso.

—Vale, ¿quién está ganando? —pregunta Léon.

—Nosotros. —Pete se apresura a responder.

Un sol anaranjado luce en el cielo, borroso y chillón.

Le toca sacar a Celine y la pelota cae justo en el centro del cuadrado, allí donde debiera caer. Léon exclama:

—¡Choca esos cinco!

Finalmente, tras unos cuantos golpes afortunados, le toca sacar a Pete.

—¡No te canses, compañero, quizá luego tengas que jugar con nosotros! —grita Don desde el borde de la pista.

Todos reímos salvo Pete, que saca con fuerza y mantiene la vista clavada en su oponente. Léon le devuelve la pelota con efecto, esta vuela por encima de la red y Pete corre para devolver el golpe, aún inclinado hacia delante tras sacar. Entonces la pelota le golpea la frente por encima del ojo izquierdo, provocando un sonido desagradable. Pete se lleva la mano a la cara y suelta un aullido antes de echarse hacia atrás; se le doblan las rodillas, sus pies se deslizan hacia un lado y cae al suelo soltando la raqueta. Me llevo la mano a la boca al tiempo que el golpe de la raqueta contra el suelo hace que me estremezca.

—¡Pete! —chilla Marjory, y echa a correr hacia nosotros. Ambas nos acuclillamos a su lado.

—*Merde!* —exclama Léon, y corre hacia nosotros sorteando la red; Celine se protege los ojos con la mano para ver; Don se pone de pie.

Marjory sostiene la cara de Pete con ambas manos y dice:

—¿Puedes oírme? ¿Te encuentras bien?

Léon le tiende una botella de agua.

Me he quedado boquiabierta, pero no digo nada.

—¿Grace? —dice Marjory, mirándome.

El *shock* que supuso ver el cuerpo laxo y encogido de Pete me ha dejado sin aliento.

—¿Se encuentra bien? —susurro.

Pete abre los ojos; durante un instante tiene la vista perdida; entonces Léon le arroja agua a la cara y Pete suelta algo parecido a un chillido y un graznido. Primero ve a Marjory, inclinada sobre él, después a mí y, por fin, a Léon, que ha dado un paso atrás con la botella de agua en la mano.

—¿Te encuentras bien, Pete?

Pete me mira.

—Mierda —dice; imagino su dolor. Se quita el agua de la cara.

—¿Estás bien? —dice Marjory lentamente—. Acabas de recibir un golpe.

Pete intenta incorporarse y le ayudo apoyando una mano en su espalda. El dolor le crispa el rostro y mira, iracundo, a Léon.

—¿Qué hago, voy en busca de hielo? —pregunta Don.

—Sí, buena idea —dice Marjory—. Ve a ver si hay una bolsa de hielo en el congelador del club.

—Iré contigo —dice Celine.

Ambos se marchan y Pete no deja de mantener la vista clavada en Léon con expresión airada.

—Eres un hijo de puta —sisea.

—¿Qué? —dice Léon; su rostro expresa preocupación y perplejidad.

—Digo que eres un hijo de puta.

Léon se vuelve hacia Marjory y hacia mí, como buscando una explicación. Ambos intercambiamos una mirada.

—Joder, Pete —murmuro, frotándole la espalda.

—No fue culpa suya —dice Marjory con suavidad.

—¡Claro que lo fue! —gruñe Pete, se encoge de dolor y cierra los ojos.

Léon se endereza; ahora la expresión de Pete y su tono de voz no requieren ninguna explicación.

Pete vuelve a abrir los ojos.

—¡Me lanzó la pelota directamente a la cara! ¡Y como si eso no bastara, acaba de echarme agua!, ¡estoy empapado!

—Pete, no creo que... —digo, alzando la voz con la esperanza de que entre en razón. O de acallarlo.

—Maldito cabrón francés. Lo hiciste aposta y lo sabes. Primero Grace... y ahora esto.

Marjory me mira fijamente pero sin decir nada. Léon ni siquiera me mira. Es como si el agua me arrastrara por un sumidero y siento ganas de vomitar.

La confusión de Léon ha dado paso a una expresión distante.

—Lo siento, pero te equivocas, Pete. No te golpeé ex profeso —dice.

—¡Ja! —exclama Pete.

—¿Por qué iba a golpearte queriendo? Eso... eso es absurdo.

Marjory vuelve a mirarme, atrapada en medio de este conflicto inesperado.

—¡No sé por qué habrías de golpearme! ¡Mierda! Lo ignoro, y también ignoro por qué insistes en tirarle los tejos a mi mujer. ¿Cómo habría de saberlo? —dice Pete; su voz se ha convertido en un gruñido—. Todos los cabrones franceses son iguales.

Léon retrocede otro paso.

—Creo que quizás has sufrido una conmoción cerebral, Pete, creo que... —dice Marjory, pero se interrumpe.

—¿Pero de qué estás hablando? —susurro; siento náuseas.

—¡Dios mío, venga ya! ¡Sabes muy bien a qué me refiero, Grace! —dice Pete, alzando una mano—. Te ayuda en el supermercado, prepara macarons para ti, compra champán, jodidos tenedores para el chocolate...

—¿Qué diablos ocurre? —pregunta Marjory en voz baja, dirigiéndose a mí por encima de la cabeza de Pete.

—Eres mi mujer, Grace —espeta—. ¿Acaso lo has olvidado? —añade en tono acusador.

Vuelvo a tener esa sensación confusa y de culpabilidad, y procuro no mirar a Léon. Pete se apoya contra mi mano y trata de ponerse de pie. Suelta un débil gruñido: sus sentimientos a flor de piel le confieren un aspecto desagradable.

—¿Eh, qué haces? ¡Siéntate! —digo, agarrándolo de los hombros—. Por favor, siéntate y tranquilízate.

—¡No soy un estúpido! —le grita a Léon.

Léon se endereza aún más; está un poco pálido.

—Nunca he... nunca intentaría seducir a tu mujer —dice, mirando hacia atrás como en busca de Celine, pero ella aún está en el club. Recoge su raqueta de tenis y se dispone a irse, pero entonces Pete se abalanza sobre él, le pega un puñetazo en el estómago y Léon se encoge. Oigo cómo suelta el aliento con un gruñido. Marjory lanza un grito agudo y entonces me percato de que Don se ha acercado por detrás. Coge a Pete de los hombros y lo obliga a retroceder. Durante un segundo, Léon alza la vista y la mirada de sus ojos azules se cruza con la mía.

Verre de mer — Cristal de mar
Pistacho relleno de crema de mantequilla

El médico le recomienda que tome analgésicos y se aplique hielo en la frente y luego se marcha. Mientras nos alejamos, la tensión entre ambos llega a su punto máximo. No mencionamos el incidente; temo abrir la boca, temo decir algo demasiado horrendo, algo de lo que luego no podré desdecirme. No puedo mirarlo. Pete dice que preparará un pollo al horno, tal vez en cierto tono de disculpa. Asiento pero no digo nada y me dirijo al despacho para acabar de hacer un pedido *online* para Lillian's. Uno de los proveedores de productos de pastelería ahora está dispuesto a enviarlos a Macao. La perspectiva me resultaba muy excitante, pero ahora solo me siento confusa y culpable y furiosa, al tiempo que en la pantalla aparecen peladuras de limón, moldes de tartas, termómetros para medir la temperatura del azúcar y cuencos marca Mauviel.

Pete juguetea con los trozos de comida: budín de Yorkshire, zanahorias y trozos de crujientes patatas. El aroma es embriagador. Estamos sentados ante la mesa, frente a frente.

—No ha ocurrido nada, Pete. Léon es un amigo —digo, carraspeando.

Pete deja el cuchillo y el tenedor en la mesa y une las manos; prefiere contemplar su plato, no a mí.

—Él... me ha ayudado. Con Lillian's. No hay nada entre nosotros.

Pienso en el tenedor para chocolate, en el azul de los ojos de Léon, en mi sueño. Trago un trozo de pollo al que mi sensación culpable parece haber hinchado.

—Veo cómo lo miras —dice Pete en voz baja.

Abro la boca para replicar, pero no se me ocurre una explicación. Tiene razón; puedo dar cuenta de mis actos, pero no de mis fantasías. La pausa revela mis sentimientos y ambos lo notamos.

—No ha pasado nada entre nosotros —repito, aferrándome a la verdad encerrada en mis palabras y pese a notar que me sonrojo—. Nada, Pete.

Él me clava la vista durante un momento y luego se pasa la mano por el cabello. Empuja una patata de un lado a otro del plato con el tenedor, después deposita el cubierto en la mesa y espira largamente, como si estuviera espirando una carga enorme. Después se apoya en los codos y se lleva los puños a la boca.

—Tenemos que hablar, Grace. Lo siento —dice en tono asfixiado.

—Pues no tendrías que haberlo golpeado.

—No es eso.

—Entonces, ¿qué?

Pete hace una pausa.

—Gracie... me acosté... con...

Es como si el aire se volviera espeso y caliente.

—¿Qué? ¿Quién...?

—Una prostituta. En el Lisboa.

Es como si me hubieran pegado un codazo en el estómago.

—En el Lisboa —repito, cojo mi copa de vino y siento su peso, y su tacto liso y fresco, en la mano.

Pete baja la vista. Contemplo su coronilla: está perdiendo pelo.

—En el Lisboa —vuelvo a decir.

Veo algunos cabellos plateados en su coronilla, nuevos, o al menos unos cuya presencia no había notado. Imagino su cabeza inclinada por encima de otra persona, alguien que viera lo mismo que yo.

—Dios —añado, como si fuera una breve plegaria. Me pregunto si estoy a punto de vomitar.

—Grace, yo... —Ha levantado el mentón y veo su cara, las arrugas y los profundos surcos. Parece distinto, desconocido. Es como si le hubieran arrancado una máscara; su rostro es diferente, como si lo viera por primera vez: los pelos que crecen entre sus cejas y por encima de la nariz, las arrugas del cuello, los mechones demasiado largos junto al cuello de la camisa... Pete no acaba la frase, me contempla con la boca abierta, como haciendo una pausa para decir algo más pero parece haberlo olvidado.

—¿Cuándo? —pregunto. Mi voz parece surgir de un lugar remoto.

—Marzo, fue en marzo. Me emborraché... yo...

Recuerdo las noches en que regresó tarde a casa. Tal vez borracho. No lo sé. De repente tengo la sensación de que hace tiempo que no le presto atención. Mi marido; más bien parece un compañero de piso. ¿De verdad hemos estado viviendo así desde marzo?

—Fue un error, Grace. No sé en qué estaba pensando.

Y entonces dice eso de que ninguno de los dos tiene el valor de manifestar y menciona el tema que ha flotado en el ambiente durante meses; habla con lentitud, saboreando cada una de las amargas palabras.

—Cuando dijiste... cuando el médico dijo que no podíamos tener...

Pienso en Pete, el día de nuestra boda. Su camisa anaranjada, el calor de Bali, su expresión. Pero entonces imagino su cabeza inclinada por encima de otra persona. Su rostro tenso vuelto hacia abajo, contemplando el cuerpo de otra mujer. Me duele el estómago, me cuesta respirar; lo observo como desde fuera de mí misma: la sensación extraña, el bocado atascado en mi garganta, la tensión en el pecho.

—¿Te acostaste con una prostituta porque no podemos tener hijos?

—No fue por eso. Es solo que... Mierda. Nunca hablamos de ello, Grace, me refiero a los bebés. Los tests. Nunca hablamos de ello.

—¿Es que quieres hablar de ello?

Me pongo de pie, no sé qué hacer, pero no puedo permanecer sentada. La tensión en el pecho da paso al ardor; quiero decirle cosas horribles, quiero decirle palabras que jamás olvidará. Quiero hacerle daño.

—¿Quieres hablar de ello tras acusarme a mí... a mí... de mirar a un hombre de manera incorrecta? Después de que tú te acostaste con otra mujer...

—Grace...

—¿Una mujer a la que le pagaste para que se acostara contigo?

—Mierda. No fue... quiero decir que fue horroroso... yo... —dice, tratando de cogerme de la mano, pero deslizo la silla hacia atrás y pienso: «¿Cómo has podido? ¡Jamás te perdonaré!»

Me siento como mamá, airada y furibunda, casi puedo ver su rostro, pálido y feroz.

—Por favor, Grace, no te vayas —dice—. Hemos de... hemos...

—¿Hemos de qué? ¿Eh? ¿Qué hemos de hacer, Pete?

Mis palabras parecen gruñidos y siento una oleada de calor intenso en la sangre, en las venas. Es como si me hubieran inyectado a mamá, roja y salvaje. Quiero decir cosas de las que no puedo desdecirme, cosas como «no debería haberme casado contigo». Las cosas que antaño me dijo ella: «No te necesito. Quiero que te marches. Quizá fue un error tenerte.» Noto que empiezo a temblar. Pete trata de cogerme la mano.

—¡No me toques! ¡No me toques! —tartamudeo.

Él me contempla en silencio, con la boca abierta, y me dirige una mirada suplicante y melancólica.

Quiero gritar esas cosas que dijo mamá. Esas últimas cosas horrendas y eternamente imborrables: «¡Vete! ¡Déjame sola! ¡Vete y no regreses jamás! ¡Nunca vuelvas!» Siento cómo las lágrimas surgen desde lo más profundo de mi ser.

—No quiero hablar contigo; ni siquiera quiero mirarte.

Cojo mi plato con mano trémula y lo arrojo contra la pared. Se hace trizas estrepitosamente y la salsa se desliza hacia abajo dejando una huella marrón y pringosa. El corazón me late con fuerza, como si quisiera salirse de mi pecho. No puedo permanecer en esta habitación, aparto la silla y oigo que cae al suelo. No vuelvo la vista, me meto en el despacho y cierro de un portazo. Me siento ante la pantalla del ordenador, resollando, y las lágrimas se derraman por mis mejillas.

Sollozo y las manos me tiemblan. Inspiro y espiro, lenta, muy lentamente. La tensión en el pecho da paso a un dolor apagado, similar al de cabeza cuando tienes resaca. Estoy agotada, como si hubiese corrido una maratón.

Finalmente oigo un tintineo: Pete, recogiendo las llaves. Se marcha y cierra la puerta detrás de sí sin hacer ruido. Apoyo la cabeza junto al teclado y clavo la vista en la tecla Tab hasta que se vuelve borrosa.

Querida mamá:

Estoy muy cansada. Siento que soy como un trozo de cristal en el mar. Al principio era brillante y lustroso, y ahora verde, desgastado y opaco, tirado en la arena. ¿Hay alguna manera de regresar desde aquí?

¿Despertaste un día, mamá, y te sorprendiste de la

vida que vivías? Me sentí así esta mañana; los rayos del sol penetraban a través de la ventana de la habitación de huéspedes. Pete no estaba a mi lado. Tendí la mano para tocarlo pero solo toqué sábanas lisas y vacías y me desperté invadida por la ira. Alcé la mano, la miré y pensé: «¿De quién es esta mano?» ¿Acaso no dicen que conoces tu mano como la palma de tu mano? Pero yo no la reconozco en absoluto, mamá. No reconozco mi mano ni mi pierna ni mi cara. Y ciertamente no reconozco los sentimientos que alberga mi corazón.

Soy una extraña para mí misma.

El único lugar donde sé quién soy es en Lillian's.

Tu hija que te quiere,

GRACE

Une vie tranquille — Una vida tranquila

Piña con ganache de caramelo

Suena la campanilla colgada por encima de la puerta y me arranca de mi ensimismamiento; mantengo la vista clavada en el horno observando como los macarons se hinchan, la suave formación de algo nuevo. Al oír una voz masculina hablando con Rilla se me hace un nudo en el estómago; sé que no debiera, pero me inclino hacia el sonido de la voz. Rilla se asoma a la puerta de la cocina y, en voz baja, dice:

—¿Grace? Es Léon; quiere verte.

Me pregunto si nota mis ojos muy abiertos, los latidos del corazón vibrando en mi pecho. No dice nada, solo se acerca al fregadero y deposita tazas y platos. Me paso las manos por el cabello.

Lleva una cazadora negra de cuero y tejanos; me dirige una sonrisa cautelosa y una oleada de calor asciende por mi cuello y colorea mis mejillas.

—Hola, Léon, ¿cómo estás?

—Muy bien —contesta en tono sereno, se inclina por encima del mostrador para depositar un beso en mis mejillas y choco contra él. La tetera se agita.

—¿Puedo servirte algo? —pregunto, y los latidos de mi corazón se aceleran.

—No, gracias..., quería hablar contigo.

Señalo una mesa y me quito el delantal.

—¿Rilla?

—¿Sí?

—¿Te importaría servirnos un par de cafés y unos macarons?

Ella sale de la cocina y su mirada oscila entre Léon y yo.

—Claro que no, Grace.

Léon me sonríe de manera forzada.

—Lo siento, no quería interrumpirte durante el trabajo, solo consideré que sería mejor hablar de... Bien, ya sabes.

Asiento: lo sé.

Se acomoda en la silla, mira a su alrededor durante unos instantes como si comprobara quién está presente. El silbido de la máquina que calienta la leche perfora el silencio incómodo.

—Lamento lo del otro día, Léon...

—Aquí están los cafés —dice Rilla, y deposita un *espresso* ante Léon y un capuchino ante mí, acompañados de un plato de macarons. Son de piña rellenos de caramelo: *Une vie tranquille*. Rilla sonríe y regresa a la cocina.

Me dispongo a tomar la palabra, pero en ese momento Léon alza una mano.

—Por favor, Grace, quiero darte una explicación.

—Vale.

—Puede que haya cosas que se han, eh, perdido en la traducción. No lo sé, tu marido estaba muy disgustado; es obvio que cree que hay algo entre nosotros.

—Léon, Pete... él...

Hace días que Pete y yo apenas hemos intercambiado una palabra. Solo hablamos de las tostadas, de dejar la ropa en la tintorería, de ir a comprar leche a la tienda. Casi no puedo mirarlo sin sentir ira y una profunda amargura; no le digo si llegaré tarde a casa ni lo que ocurre en Lillian's. El silencio es como una ponzoña que lentamente lo invade todo.

Léon suspira y se inclina hacia mí. Despide un aroma a loción para después del afeitado y, como siempre, a pan.

—Necesito decir lo siguiente con toda claridad, Grace. Eres una mujer excepcional.

Noto que me ruborizo.

—Todo lo que has hecho aquí, con tan escasa experiencia... Me refiero a que tienes talento para la cocina, para este negocio. Te respeto por ello —dice, indicando el mostrador junto al que Rilla canturrea y repone macarons—. Tu equipo... realmente parece apreciarte, parecéis muy amigas. Creo que debes de ser una jefa estupenda, como si fueras una madre para ellas.

Quiero tocarle una mano, pero ha apoyado ambas en su regazo.

—Todo esto me causa una gran impresión, pero Grace... —dice, y sus ojos brillan, son del color de un cielo sin nubes—. No siento interés por ti y no quise transmitiros un mensaje equivocado, ni a ti ni a Pete.

Hace una pausa y luego añade:

—Lo siento.

Asiento con la cabeza y me obligo a conservar la calma, a parecer normal, pero cuando levanto la taza se me cierra la garganta. Me arde la cara; quizás esté colorada como un tomate. Aunque el café está caliente y me quema la lengua, bebo un sorbo.

—Por supuesto. No tienes por qué sentirlo —digo con una sonrisa forzada—. No hay nada entre nosotros, es... es una locura.

Cuando bajo la taza, traquetea contra el plato.

Léon suspira y me palmea la mano.

—Me alegro mucho de que comprendas que se trata de un malentendido.

Oigo mi propia risa, tensa y demasiado aguda.

—Sí, sí. Dios, ¿no habrás pensado que...?

Él también ríe, visiblemente aliviado.

—Celine creyó que quizá tú creías que... De todos modos, tú y yo nos entendemos. Solo somos un par de locos por la repostería, ¿verdad?

—Exactamente.

Él coge un macaron y lo come lentamente. Yo lo imito.

—A lo mejor, de vez en cuando... —dice y se encoge de hombros—. Bueno, Celine dice que coqueteo. Para llamar la atención como un niño pequeño.

Léon menea la cabeza, no parece convencido.

—Creo que es una ridiculez; soy amable con todo el mundo, ¿sabes?

Asiento. Es como si se hablara a sí mismo; ha echado azúcar al café y lo revuelve; el líquido negro gira dentro de la taza.

—Me gusta la gente. Me gustan las mujeres. ¿Y qué? Me gusta la comida, la bebida y jugar a las cartas, eso es vivir la vida, quiero decir.

Deja la cucharilla y se lleva la taza a los labios.

—De todas maneras es un disparate, tal como tú has dicho. ¿Tú y yo? —exclama, resoplando, como para destacar la ridiculez de semejante afirmación—. Tengo razón, ¿verdad?

—Claro.

Río con él, pese a que me duele el pecho, me arden las mejillas y quiero arrojar la taza contra la pared. Recuerdo la salsa deslizándose por la pared detrás de la cabeza de Pete. La adrenalina palpita en mis venas; sorbo el café lo más cuidadosa y tranquilamente que puedo. He sido una estúpida.

Esa tarde Gigi llega con retraso. Tiene el pelo hecho un desastre y nos dedica una sonrisa a mí y a Rilla.

—Bueno, los metí en cintura a esos.

—¿A quiénes? —pregunta Rilla, alzando la cabeza.

—A los proveedores tramposos —contesta, y cuelga su bolso del gancho de la puerta de la cocina. El cuello de su camisa está manchado de sudor.

»Afirmaron que no notaban la diferencia entre una harina de almendras y la otra. Son idiotas o mienten. De aquí en adelante no compraremos más de esa mierda barata.

Rilla suelta una carcajada. No siente el mismo interés culinario que sentimos Gigi y yo por los macarons, pero adora que Gigi suelte tacos, algo que hace con frecuencia cada vez mayor, sobre todo cuando está excitada. Al parecer, Marjory supone una mala influencia.

—No sueltes tacos en la cafetería, Gigi —le advierto.

Gigi mira el local: casi no hay nadie, solo un individuo sentado en un rincón, hablando por el móvil: la pausa anterior al ajetreo cuando terminan las clases.

—No hay nadie —dice, señalando a su alrededor—. Bien, ¿prepararemos algo hoy? Tengo una idea que te dejará pasmada, es buenísima.

—¿Un nuevo macaron? —pregunta Rilla, lustrando los cubiertos con un paño de cocina.

—Oh sí, amiga mía. ¡Es fantástico! Necesitaremos la ralladura de más limones, Grace.

Una oleada de calor me inunda el pecho.

Los mechones sueltos de la coleta cubren el rostro de Gigi. Se ata las cintas del delantal que ahora casi no le cubre el vientre.

—Si no te vuelve loca, soy la jodida reina —dice, sonriendo con mirada brillante.

La miro con dureza.

—Te ruego que no sueltes tacos, Gigi, da igual quién está en la cafetería.

Rilla y Gigi intercambian una mirada.

—Y procura ser puntual. Son y cuarto y nosotras aún no nos hemos tomado un descanso.

—¿Qué te pasa? —pregunta Gigi, cruzando los brazos.

—Soy la propietaria de este lugar, por si no lo has notado. Soy la que te paga el sueldo. Has llegado tarde.

No puedo detenerme y algo me impulsa a añadir en tono ponzoñoso:

—Y pareces una golfa.

—¿Una qué? —Rilla le susurra a Gigi.

—Dice que tengo un aspecto de mierda —dice Gigi con toda claridad y con expresión tensa y hosca, pero se mantiene erguida.

—¿Estás sorda? Te dije que nada de tacos.

He levantado la voz y el cliente alza la vista. Me enderezo; no soy ni su hermana, ni su maestra ni su madre: soy su jefa. ¿Por qué es como si nadie me escuchara? Bajo la voz y siseo:

—Sí, tienes un aspecto de mierda, y sí, una vez más: has llegado con retraso. Procura tomártelo un poco más en serio, Gigi. Compórtate como una adulta, ¿vale?

Con los ojos muy abiertos, Rilla se aleja y se acerca al cajón de los cubiertos.

Gigi frunce el ceño.

—¿Que me lo tome un poco más en serio?

—Sí.

Suena la campanilla de la puerta y noto que el cliente se ha marchado; en el plato hay monedas. Lillian's está vacío; la luz de media tarde es brumosa, aceitosa.

Gigi inspira lentamente, alza la cabeza con los labios apretados y arquea una ceja.

—Bien, intentaré hacerlo, Grace —dice, y golpea la puerta de la cocina contra la pared al abrirla, empujándola con la palma de la mano. Vuelvo a oír la voz de mamá en mi cabeza: «¡No vuelvas!».

Cuando la puerta se cierra, grito:

—Bien, me alegra oírlo, Gigi —e incluso yo misma percibo mi tono rencoroso.

Esa noche estoy sola en casa. A Pete le toca el turno nocturno y solo lo sé porque oí como hablaba de ello con algún administrador. Cuando voy a la cocina para servirme una copa de vino, descubro una hoja de papel plegada junto al aceite de oliva. Está dirigida a mí y la desdoblo.

Grace:

Hace muchos días que no hablamos de ello. El silencio me está matando.

Te prometo que solo fue una vez y que nunca, jamás, volverá a ocurrir. Lo siento mucho, Grace. Me sentía perdido y furioso y no sabía qué hacer. Estaba borracho, fui un estúpido. No sé si me creerás, pero sé que nunca volverá a pasar. Ojalá pudiera darte algo más que esto. Supongo que lo único que queda es la fe y la confianza. No mucha, a lo mejor solo la suficiente, no lo sé.

Quiero que hablemos. Creo que ambos tenemos la necesidad de decir un par de cosas. En realidad, ambos tenemos que decir muchas cosas, quizás el equivalente a cinco años de cosas no dichas. ¿Acaso no notas el silencio? ¿Todo ese silencio? Te echo de menos, Grace. Te echo muchísimo de menos.

Háblame, por favor.

PETE

Sostengo la carta en la mano. Los vecinos de abajo deben de estar celebrando una fiesta; un retumbo rítmico y apagado surge a través del suelo, luego un chillido, unas carcajadas y el ruido de sillas arrastradas por el parqué. Me llevo una mano a la cabeza: la frente me palpita. Además del dolor de cabeza, parece como si todo mi cuerpo estuviera ardiendo, cada poro exuda una gota de sudor. Sé que es un sofoco, otro síntoma de la menopausia, la malvada bromita que me juega mi cuerpo. Vuelvo a doblar la carta y me abanico con ella.

«Fe y confianza.»

Meneo la cabeza.

Todas las copas están sucias, y también hay un patético montón de platos, ollas y cuencos de cereales a un lado del fregadero. Cojo la botella, bebo y un chorro de frío Sauvignon blanco se derrama por mi garganta. Los truenos siguen sonando en mi cabeza: bum, bum, bum.

En el piso de abajo todos ríen a carcajadas, voces de hombres y mujeres, gruesas y agudas, risitas, cacareos...

Aporreo el banco de la cocina con el puño.

—¡Callaos de una puñetera vez!

Al día siguiente trato de meter la llave en la cerradura iluminada por la pálida luz de la mañana. Anoche bebí demasiado vino antes de revolcarme en la cama y me duele la cabeza. Pete llegó a casa a eso de las tres de la madrugada y se deslizó en la habitación de huéspedes. Yo estaba soñando sueños horrendos: niños atropellados por coches, brujas pelirrojas montadas en escobas, caídas de un trapecio. Esta mañana estoy tan cansada que me duelen los ojos.

Cargo con un saco de harina apoyado en la cadera y, cuando vuelvo a guardar el llavero en el bolso, veo que junto a una de las mesas del fondo hay dos sillas en el suelo. Me detengo: por la noche, siempre amontonamos las sillas en las mesas para poder limpiar el suelo. Meneo la cabeza y abro la puerta de la cocina.

La puerta de la despensa está entreabierta.

El saco de harina me pesa y siento una gran presión en el pecho. Dejo el saco encima del mostrador intentando no hacer ruido. El corazón me palpita con fuerza y me presiono el pecho con las manos. «No seas ridícula», me digo. ¿Por qué diablos alguien querría robar en una tienda de macarons?

Me inclino hacia la puerta, tratando de percibir algún

ruido: alguien que respira, que arrastra los pies contra el suelo, pero todo está en silencio, como en la iglesia. Me asomo pero no veo nada, la despensa está demasiado oscura. Alzo la vista y procuro tranquilizarme y pensar con claridad. Me acerco a la puerta, cojo el pomo con suavidad y tiro de él un poquito. Silencio. Inspiro profundamente y abro la puerta de golpe. La luz penetra en la despensa y cruzo el umbral, obligándome a cobrar valor para enfrentarme a lo que hay dentro.

Dos figuras yacen en el suelo, una acurrucada contra la otra. Parecen inmóviles pero al acercarme noto que respiran suavemente; están cubiertas por una manta.

Reconozco a Rilla y suelto un suspiro de alivio. Rilla debe de haber percibido la luz porque suelta un quejido, baja el mentón y lo apoya en la cabeza de la otra persona. Veo que se trata de una mujer menuda; su cara permanece oculta pero tiene cabellos largos y negros. ¿Quién es? ¿Qué están haciendo aquí las dos?

Mi alivio no tarda en dar paso al enfado y vuelvo a contemplar a Rilla. Miles de preguntas forman un torbellino en mi cabeza, miles de ideas luchando por abrirse paso. ¿Qué está haciendo aquí? ¿La han echado de su pensión? ¿Por qué no me lo dijo? Y si no me dijo eso, ¿qué más ha omitido? ¿Acaso Linda tenía razón? ¿He sido demasiado confiada? ¿Cuántas semanas hace que no cuento el dinero recaudado todos los días? He permitido que Rilla lo hiciera todo: cerrar la cafetería de noche; depositar nuestras ganancias en el banco... Debería haberla vigilado. ¿Podría estar aprovechándose de mí? ¿O de Lillian's? ¿Qué hace durmiendo aquí con una desconocida? ¿Cómo pudo hacerlo? En Lillian's. En mi Lillian's.

—¡Rilla! —siseo.

Las dos mujeres pegan un respingo; Rilla abre los ojos y la luz la hace parpadear.

—¡Levántate!

Rilla vuelve a parpadear, deslumbrada, mirando a su alrededor para ver quién está hablando. Entonces identifica la sombra en el umbral y abre los ojos.

—Despiértate.

La mujer tendida entre sus brazos trata de ocultar la cabeza contra el hombro de Rilla, confusa por la luz y por mi voz. Es Jocelyn, ahora la reconozco; veo su figura pequeña y humilde, como si tratara de convertirse en el empapelado y volverse invisible. Tiene moratones en la mejilla y ojos grandes y oscuros de pupilas casi negras. ¿Quién sabe en qué lío se habrá metido? Jocelyn se encoge en el suelo con las rodillas apretadas contra la barbilla, al tiempo que Rilla se pone de pie.

—Grace, yo... nosotras lo... —dice, retorciéndose las manos.

—¿Qué diablos estáis haciendo aquí? —digo, alzando la voz más de lo esperado. No sé qué preguntar primero, me siento perpleja. Siento que me han mentido, traicionado. De pronto me invade una furia incontrolable. La confesión de Pete aún arde en mi corazón.

—Puedo explicarlo... Hay un buen motivo, te lo prometo. Es complicado...

—¡Maldita sea, Rilla, me diste un susto de muerte! Creí que allí dentro había un ladrón —digo, mi voz casi es un rugido.

Veo que se encoge, abochornada y aparta la cabeza.

—No desvíes la mirada.

—Lo siento, Grace. Lo siento mucho, nosotras solo... —dice, mirando a Jocelyn aún acurrucada en el suelo.

—¿Solo qué? ¿Creísteis que mi despensa es un jodido hotel? —grito, temblando. Es como si estuviera en la piel de otra persona.

—No, no... Solo necesitábamos un lugar para dormir —dice, evitando mirarme.

—¡Miradme, ambas!

Rilla alza la vista, pero no Jocelyn. Parece balancearse de un lado al otro y sus largos cabellos le cubren la cara y los hombros como una oscura cortina. Las lágrimas se derraman por el rostro de Rilla, ahora vuelto hacia mí. Mantiene los labios apretados.

—¿Y bien, Rilla?

—Jocelyn... —empieza a decir, y dirige la mirada hacia su compañera—. Por favor, Grace —suplica con los ojos llenos de lágrimas.

La sensación airada palpita en mi pecho como un segundo corazón tenebroso. Estoy muy nerviosa, dolida, mareada... Primero Pete y ahora Rilla. ¿Es que no me he enfrentado a bastantes cosas ya? ¿No puedo fiarme de nadie? Es como si mamá hubiera penetrado en mi torrente sanguíneo, ahíta de calor y furia y ardor.

—Largaos. Ambas. ¡Largaos ahora mismo!

Vuelvo a oír la voz de mamá: «¡No vuelvas!», y aprieto mis puños temblorosos. El temor inunda el rostro de Rilla y Jocelyn se levanta del suelo. Pasan apresuradamente a mi lado, las sigo hasta la cafetería y observo cómo se precipitan al exterior. Aguardo un momento para ver si Rilla se vuelve y me mira, pero no lo hace.

Una vez que ambas se han ido, un pesado silencio reina en toda la cafetería. Las observo desde la ventana y se aferran como si lucharan contra un ventarrón y chocan entre sí al tiempo que se dirigen a la parada del autobús. Inspiro profundamente, jadeo como si me estuviera ahogando.

Me dejo caer en una silla, la cabeza me palpita. ¿Qué ha ocurrido? Todo sucedió con tanta rapidez que me siento mareada; es como si ni siquiera hubiese estado presente durante los últimos minutos, como si un extraño poder se hubiera apropiado de mí. ¿Por qué no me detuve a pensar qué le pasaba a Rilla? ¿A Jocelyn? Oigo el eco de su voz: «Por favor, Grace.» Pero ¿acaso no tenía motivos para estar furiosa? Es mi cafetería, ¿no? Se han estado aprovechando de mí. ¿Por qué no me dijeron que necesitaban un lugar donde albergarse? ¿Por qué nadie habla de nada? Mis ideas chocan entre sí.

Me froto las sienes con los dedos; deseo que unos brazos me rodeen: un abrazo, un susurro, un beso en el cabello. Alguien que me diga que todo saldrá bien, que hice lo correcto. «Ay, mamá.» Recuerdo su gesto cariñoso; luego recuerdo cómo solía despertar junto a Pete por las mañanas. Sábanas tibias, el aroma salado del sueño, sus labios en mis cabellos y sus manos en mis pechos.

Me cubro la cara con las manos y dejo que los sollozos me sacudan.

Pardon – Perdón

Ciruela e hibisco con ganache de chocolate

Es viernes y ya han pasado tres días desde que Rilla dejó de venir y Gigi apenas me dirige la palabra; de hecho, insiste en hablar casi solamente en cantonés, con los clientes, con Yok Lan, con ella misma en la cocina. Sin traducir ni una palabra. Me lanza furiosas miradas de soslayo que expresan todo aquello que se niega a decir. Intento llamar a Rilla, pero su móvil está apagado o desconectado. Hasta ahora nunca tuve necesidad de llamarla: siempre llegaba puntualmente y nunca estaba enferma. Una mañana me parece verla al otro lado de la calle mientras le sirvo un té a Yok Lan, pero al alzar la vista no hay nadie, solo el viento agitando la hierba.

Sin Rilla, el trabajo se me hace pesado y por las noches tengo dolores en todo el cuerpo. A menudo estoy en la cocina, cocinando casi sin pensar mientras Gigi sirve las mesas. Un día oigo la voz aterciopelada de Léon pidiendo un café y charlando con ella; Gigi le sirve el café con expresión fría y distante mientras yo me oculto en la cocina y no oso salir durante tres horas, por si él aún sigue allí. No soportaría verlo, encima de todo lo demás y ahora que todo parece venirse abajo. Estoy tan agotada que de vez en cuando echo un vistazo a la despensa con el deseo de tenderme en el suelo y descansar, como Rilla y Jocelyn, de acurrucarme como si fuera un ratoncillo. Resulta muy tentador: una siestecita, apoyar la cabeza en el suelo y olvidarlo todo.

Si Pete y yo hubiéramos estado hablando, tal vez me habría preguntado qué pasaba, pero apenas nos vemos. Preparamos nuestras pequeñas comidas individuales, nos acostamos a horas diferentes y también vemos la televisión o usamos el ordenador a horas diferentes. Ambos navegamos uno en torno al otro en un mar agitado por la ira y el remordimiento.

Marjory me descubre en el aseo de Lillian's, con la vista fija en el espejo, contemplando mi rostro exhausto. Se inclina para lavarse las manos y dirige la mirada a mi cabellera; tal vez cree que busco canas... estos días parecen haber aumentado.

—Hace años que me salen canas —dice, guiñándome un ojo—. ¿Por qué crees que me tiño el pelo?

Su cabello brilla como el oro, incluso bajo la débil luz del aseo; siempre pensé que era su color natural. Mamá solía decir que una pelirroja nunca encanece, que su pelo se vuelve blanco de golpe. Como por arte de magia. De niña, siempre imaginé que un día despertaría con una melena del color del chocolate blanco. Me pregunto qué habrá pasado con la suya.

Al ver mi cara larga, Marjory frunce el ceño.

—Eh, estoy intentando animarte.

—Lo siento, ha sido una semana dura. Mañana cerramos, gracias a Dios.

—¿Por el desfile?

Asiento. Cerrarán nuestra calle durante el desfile de los medallistas de oro de las olimpíadas y eso me alivia: necesito un descanso.

Me mojo la cara con agua fría, con la esperanza de que me reanime.

Marjory me tiende una toalla.

—Gigi me contó lo de Rilla. ¿No ha regresado?

Niego con la cabeza.

—Mierda.

—Sí —digo, me quito el rímel de debajo de los ojos; el maquillaje queda pegado en la toalla.

—¿Te dijo por qué estaba durmiendo aquí?

—No. Todo ocurrió con mucha rapidez —contesto, y mi voz suena muy agitada; la sensación culposa forma un nudo en mi garganta.

—Es una pena —dice Marjory, apoyándose contra la pared con el ceño fruncido.

Recuerdo las historias acerca de las criadas que roban joyas, las niñeras que se escapan con el dinero robado de las huchas de los niños. Empleadas que beben, que mienten y cosas aún peores: cotilleos mientras beben capuchinos. No creo que Rilla me haya robado dinero, pero sé tan poco sobre ella... Pienso en las veces en que dejé que contara el dinero de la caja registradora al final del día. ¿Y si solía embolsarse una parte de las ganancias de la cafetería? A menos que sea culpable de algo, ¿por qué tendría tanto miedo de regresar?

—No quiero problemas en este lugar, Marjory. Si tú sabes el lío en que está metida, prefiero no saberlo.

Marjory aún frunce el ceño.

—No creo que se trate de lo que tú sospechas...

—No quiero saberlo, de verdad —la interrumpo—. Ya tengo bastantes problemas y este lugar, Lillian's, es el único lugar seguro que me queda —añado en tono asfixiado.

Marjory me apoya una mano en el hombro.

—Lo siento —musito.

—Eh, no pasa nada. Me callaré. Lillian's es tu lugar, aquí mandas tú. Pero me preocupas, pareces exhausta.

Ambas contemplamos mi reflejo en el espejo y recuerdo el comentario de Gigi de hace unos días.

—¿Me estás diciendo que tengo un aspecto horroroso?

—Absolutamente horrendo —dice Marjory, sonriendo.

—Gracias.

—No hay de qué. Las amigas están para eso.

No puedo evitar la risa.

Ella me rodea el hombro con el brazo y me estrecha.

—Tú y yo necesitamos tomar una copa —afirma.

No podría estar más de acuerdo con ella.

El cielo nocturno salpicado por las luces de los edificios y las farolas resplandece más allá de la ventana; Marjory ha ido al aseo, se ha pintado los labios y brillan como el capó de un coche nuevo.

—Guau, ignoraba que el champán te gustara tanto —dice, agitando la botella vacía para llamar la atención del camarero y ladea la cabeza con algo parecido a la admiración.

—Es agradable y burbujeante —contesto, balbuceando un poco.

—Sí, lo es.

Estamos sentadas frente a la ventana con el fin de disfrutar de la vista. El Crystal Club se encuentra en la planta treinta y algo y mira hacia la península de Macao como una bailarina frente a su compañero. Las luces se reflejan en el agua; la multitud es joven y esbelta, las chicas llevan amplias camisas y tejanos estrechos: parecen altos juncos agitados por la tibia brisa nocturna. Un muchacho pasa flotando a mi lado y me guiña un ojo; lleva un sombrero de fieltro y un chaleco, como si estuviéramos en los años treinta del siglo pasado.

—Desde aquí Macao parece muy bonito —dice Marjory, suspirando. Acepta una nueva botella de champán del camarero, que se inclina sobre nosotras envuelto en su uniforme negro y nos llena las copas.

Es verdad: desde aquí Macao parece bonito, refulgente y emergiendo de la oscuridad. El panorama me recuerda la fiesta en la que conocí a Léon, pero ahora el recuerdo se ha vuelto tan agrio y bochornoso como un enamoramiento adolescente. Ocurrió solo unas cuantas plantas más abajo, en el Aurora, y hace muchos meses. Es como si mi vida hubiese cambiado mucho desde aquella noche. Surgen recuerdos de Rilla y de mi matrimonio hecho trizas, como las burbujas de la copa. Sé que sentiría tristeza si me lo permitiera, pero supone un esfuerzo demasiado grande.

El individuo del sombrero vuelve a pasar, me mira y me dedica una sonrisa dulce. Tiene ojos de un suave color carbón y piel del color del caramelo. Y un lunar en el centro de una mejilla.

—¿Cómo están, señoras? —dice, apoyado en el respaldo del sofá.

Marjory alza la vista y lo mira, y después me mira a mí. Mantengo la mirada clavada en la copa y recuerdo el champán que Pete y yo bebimos durante nuestra luna de miel, con los pies sumergidos en la arena tibia y observando el sol que se ocultaba en el océano. Los besos de Pete saben a piña, oigo su risa en el oído, siento su brazo rodeándome el hombro.

—Bien gracias, ¿y tú? —contesta Marjory en tono amable.

—Muy bien. Una noche estupenda —dice, en un tono un tanto nostálgico—. Me llamo Tom.

—Marjory —dice ella, se inclina hacia delante y le estrecha la mano.

—¿Y tú te llamas...? —dice Tom, y se inclina, de modo que me veo obligada a mirarlo.

—Oh. Grace.

—Hola, Grace —dice, sonríe y se sienta en la mesa baja, delante de mí. Me pregunto cuándo le pedirá el número de teléfono a Marjory y se largará; me tapa la vista. Tom le dice unas palabras a Marjory y una muchacha de pie cerca de la ventana me llama la atención. Lleva un ancho cinturón rojo en torno a una cintura muy estrecha, baja la vista, contempla su copa y suelta una risita.

Marjory me pega un codazo.

—Tom me estaba preguntando si puede invitarnos a una copa —dice hablando de lado.

—Ajá.

—Le dije que nos vendría bien un tentempié. No queremos más copas, ¿verdad?

—Sí, claro.

Una muchacha tira de su coleta, situándola más arriba del cráneo; sostiene una cartera plateada entre los dientes y me dirige una mirada de soslayo, ladina y felina: manifiesta la confianza de una muchacha joven cuyo futuro aún no está escrito. La miro fijamente, apuro mi copa de champán y las burbujas se deslizan por mi garganta. Marjory me coge del brazo, noto que Tom ya no está delante de mí y vuelvo a dirigir la mirada a la ciudad. Las luces son tenues y se reflejan en el agua.

—Eh, Tierra a Grace. ¿Te encuentras bien?

—¿Qué? Sí, perfectamente. Una noche genial.

Alzo la copa con una sonrisa trémula.

—Ese individuo te perforaba con la mirada, pero tú estabas ausente.

—¿Quién?

—Tom. El tío del sombrero.

Miro sus labios lustrosos: han dejado una marca pringosa en la copa.

—Parecía estar loco por ti —digo.

—Oye, Grace, ¿de verdad no notaste que la que le interesa eres tú? No despegó la mirada de ti, sobre todo de tu cabello.

Tom vuelve y ahora lo miro con mayor atención; me observa y sonríe, pero al parecer, no logro enfocarlo, tal vez sea el champán que hace que mi mirada se deslice hacia un lado. Me pregunto cómo será su cabello bajo el sombrero.

Nos sirve champán y arroja anacardos al aire, recogiéndolos con la boca. Habla, sobre todo con Marjory; oigo una parte de la conversación. Trabaja en el Cirque; sí, le gusta Macao, bien, no todos somos *hippies*, ¿sabes?, ja, ja. La conversación continúa, sube y baja. Nos invita a unos margaritas y dice que es mexicano. Me pregunta qué hago. Le hablo de Lillian's y él se inclina hacia delante con los codos apoyados en las rodillas. No se me ocurre nada más, pero él me mira como si me dispusiera a seguir hablando. Tom saca un paquete de cigarrillos del bolsillo y Marjory coge uno. Me mira fijamente con expresión dura; sus ojos parecen canicas tras el humo. No sabía que Marjory fumaba. Entonces Tom nos invita a mojitos y observa cómo quito los trozos de hierbabuena que flotan en la superficie.

Cuando mi cabeza cae contra una almohada blanda y fresca, oigo mis risitas como desde una gran distancia. Siento un aliento cálido en el rostro. Es como si la habitación se agitara lentamente, como un barco en el océano. Vuelvo a reír y oigo la voz de mamá.

—¿Dónde has estado?

Su tono es frío y cortante.

Me quito un zapato sacudiendo el pie.

—Fuera.

—¿Con quién?

—Salí con unas amigas, mamá.

—Estás borracha.

Si pudiera asentir lo haría, pero mi cabeza reposa en la almohada como si fuera de plomo y vuelvo a oír esas risitas.

—Completamente borracha —dice en tono amargo. Me quita el otro zapato y lo arroja hacia el armario; lo arroja con fuerza y se estrella contra la pared.

—¿Qué amigas?

—Amigas y punto.

¿Por qué siempre se muestra tan suspicaz. Solo salí con un par de chicas del restaurante; nunca había salido con ellas. Reímos mucho. Los hombres nos invitaban a copas. Una de las chicas se hizo con una boa de plumas perteneciente a un grupo de mujeres; la llevé alrededor del cuello toda la noche, como una corista.

—Te necesitaba aquí, Grace.

—No, no es cierto —me oigo balbucear. Una pluma me cosquillea los labios.

—Sí, necesitaba que estuvieras aquí. No puedes salir así, sin más.

—Mierda, solo...

—No digas tacos.

—Mierda, mamá —suplico, y me doy cuenta que he vuelto a soltar un taco. Río.

—No me hables de esa manera, soy tu madre. ¡No me hables así! —dice en tono cada vez más alto.

—Vale, vale, no te pongas nerviosa.

—¡No puedes salir así, sin más!

Ahora está gritando.

Me tiendo de espaldas y la habitación parece moverse conmigo. Me llevo una mano a la frente.

—Tengo veinte años, mamá, por el amor de Dios. ¿Por qué no puedo salir a tomar un par de copas?

—¡Ni siquiera me llamaste!

Me doy cuenta de que está perdiendo el control. Su voz se ha vuelto estridente y aguda y desesperada, como si se precipitara desde un acantilado.

—Mamá...

—¡Te necesitaba aquí!

—Tranquilízate, mamá. Solo fue una noche. No me fui a la luna, estaba en un *pub*, un condenado *pub*. En Islington.

Oigo los sollozos que surgen de la oscuridad. Normalmente la hubiera consolado, pero esta noche estoy cansada, borracha y furiosa. Una de las chicas irá de vacaciones a Lanzarote; habló de tenderse en la playa bajo el sol, con un libro y un cóctel. Casi puedo oler el aroma del aceite de coco y sentir los granos de arena en la espalda.

—¿Qué harás cuando no esté aquí? —pregunto en tono malévolo.

—¿Qué quieres decir? —pregunta mamá, dejando de sollozar.

—Cuando me vaya de vacaciones o algo por el estilo.

Ella empieza a temblar; lo percibo a través de la colcha.

—¿Adónde irás?

Es una acusación.

—No lo sé. A Lanzarote, a Grecia. Tal vez a Australia. No tengo ningún plan, los destinos surgen de mi inconsciente. Lugares cálidos, remotos. Lugares soleados junto a océanos salados.

—¿Australia? —exclama en tono casi histérico; noto que se aferra al acantilado con un solo brazo—. ¿Australia? —chilla.

—Tranquila, mamá —digo, lamentando haber dicho una palabra. Fueron las piñas coladas las que me soltaron la lengua. Mamá se levanta de la cama con gesto violento; no la veo muy bien en la penumbra, pero noto la fuerza de su ira.

—Si. Vas. A. Australia... —dice con lentitud y voz trémula—, No. Regreses.

Ahora he dejado de soltar risitas. Me siento mareada; intento incorporarme, pero es como si mi cabeza pesara diez toneladas.

—Mamá...

—Me has oído, Grace Raven. Si no me quieres, si no quieres quedarte conmigo, entonces vete. Vete y déjame sola.

—¡Mamá!

—¡Vete y no vuelvas! —dice, y se marcha. El calor de su

ira parece haber calentado toda la habitación. El aire bulle. Siento náuseas. Me inclino a un lado y logro alcanzar el tiesto de flores; las flores se han marchitado hace tiempo. Consigo aferrarlo justo a tiempo y vomito las piñas coladas encima de la tierra seca.

Cuando despierto percibo el aroma a limón. Proviene de las sábanas blancas y limpias. Todo está iluminado y brilla. Oigo un quejido y entonces me doy cuenta de que lo he soltado yo. Alguien está escribiendo a máquina en otra habitación y el tecleo me taladra la cabeza. Me doy la vuelta: a mi lado reposan un montón de cojines de satén de color café y chocolate. Las ideas empiezan a coagularse en mi cabeza, como el azúcar en el fondo de un vaso.

—¿Estás despierta?

Me vuelvo: Marjory está apoyada en el marco de la puerta. Lleva una camiseta gris y pantalones de chándal blancos. Lleva el pelo recogido en un moño y la expresión de su cara es extraña.

—Eh... sí —digo, y me incorporo. Llevo una camiseta con una imagen de una negra preciosa que canta jazz. Sus labios son de un color rojo tomate. Creo que en la camiseta pone CHICAGO BLUES CLUB. Leer las letras patas arriba me marea.

—Es de Don —dice Marjory, y se sienta en una punta de la cama. Miro a mi alrededor y veo que casi todo es blanco: cortinas blancas, colcha blanca; solo hay unos cuantos cojines de colores y una elegante alfombra color moca que suponen un alivio frente a tanta blancura. Me duelen los ojos, así que los cierro. Recuerdo observar a Tom y notar el lunar.

—¿Qué ocurrió? —pregunto, y vuelvo a abrir los ojos; estoy tan mareada que debo aferrarme al borde de la cama.

—Nos emborrachamos —contesta—. Bueno, tú te emborrachaste —añade, bajando la vista y contemplando sus manos apoyadas en las rodillas.

—¿Ocurrió... algo?

Ella se vuelve hacia mí con el entrecejo fruncido.

—¿Ese individuo? ¿Tom? —digo lentamente; me duele el estómago.

—Oh, sí. Bien, pues no —dice, y una vez más se contempla las manos—. Bueno, salvo que vomitaste encima de sus zapatos.

—Oh.

—No pasa nada, no se lo tomó a mal. Después regresamos a casa; Tom insistió en que le diera tu número de teléfono y tuve que decirle que estabas casada un millón de veces.

—Oh... —Sensación de culpa mezclada con una de alivio.

—Grace —dice, incómoda—, ¿qué está ocurriendo? Tú y yo, ambas somos personas reservadas, lo sé. A lo mejor por eso somos amigas, pero lo que ocurrió en el club de tenis y con Rilla, sumado a lo de anoche... —añade con expresión tensa—. Has cambiado, o al menos no eres la persona que yo creía que eras.

Apoyo la cabeza contra la pared, ojalá dejara de dolerme. Cierro los ojos y me cubro la frente con las manos; huelen a tabaco y a vino, y frunzo la nariz. El silencio se prolonga entre ambas durante unos minutos, hasta que vuelvo a abrir los ojos.

—¿Se trata de Rilla?

—No. Bueno, sí pero no.

Marjory espera.

Tengo la garganta seca.

—Pete se acostó con alguien, una de esas mujeres del Lisboa.

Las palabras son dolorosas; no creí que serían tan dolorosas.

Marjory se acerca y me rodea los hombros con el brazo.

—Lo siento, Grace.

Asiento con la cabeza y después me echo a llorar. Una vez más. Al principio de manera silenciosa y luego con más fuerza, lo que aumenta mi dolor de cabeza y eso lo vuelve aún peor. Lloro y siento dolor, lloro y siento dolor. Marjory susurra:

—Ya, ya, ya...

Pero no puedo tranquilizarme y mis lágrimas le empapan el hombro.

Marjory me acompaña a casa en coche; mis zapatos y mi ropa de noche prolijamente doblada están metidos en una bolsa. Llevo unos pantalones de chándal suyos y sus playeras. Le hablé de mi menopausia prematura, de nuestras frustradas esperanzas y sueños, del lento distanciamiento. Todo surgió con mayor rapidez de lo que creía posible, ella escuchó y casi no hizo ningún comentario. Ahora me palmea la rodilla.

—Todo irá bien —dice en voz baja.

—¿Lo crees así? —digo, bajo la vista y examino mis pies: la uña del dedo gordo está rota, debió ocurrir anoche—. ¿No se supone que debes decirme que me separe de ese cabrón que me ha engañado?

Marjory apaga el motor y se inclina ligeramente sobre el volante. El sol empieza a ponerse y el cielo se tiñe de rojo; puestas de sol como estas no son frecuentes en Macao. La contemplamos sin mirarnos. El azul da paso al color albaricoque y luego a un anaranjado oscuro rodeado de grandes nubes.

—No, no te diré eso —dice ella.

—¿Por qué no?

—Ha sido un necio, Grace, pero te ama.

Suelto un resoplido: extraña manera de demostrarlo. La

cólera burbujea en mis entrañas, como aquellas burbujas de champán en la copa.

—Sí, te quiere, Grace. Lo sé, porque yo también te quiero y lo noto.

Me vuelvo hacia ella.

—Siempre acudían individuos sórdidos y malas personas a vernos bailar, la clase de tíos que engañan a sus mujeres y sus novias. No una o dos veces, siempre, como si fuera el peor de los vicios. He estado muy cerca de ese mundo sórdido y puedo asegurarte que Pete la cagó. Se equivocó. Pero no es uno de esos hombres —dice, con la mirada fija en el ocaso cuyos cálidos colores se reflejan en su cara—. Venga, Grace, no le hubiera pegado un puñetazo a Léon si no te quisiera.

—Solo estaba celoso; se comportó como un jodido neandertal.

—Exactamente —dice ella—. Estaba celoso porque notaba que Léon te gusta y no soportaba la idea de que amases a otro.

—Más bien no soportaba la idea de que me acostase con otro. Pero ahora... —digo, meneando la cabeza y procurando no llorar—, ahora me veo obligada a pensar en él con otra mujer.

Marjory ladea la cabeza.

—A lo mejor no fue la idea de que tú te acostaras con Léon lo que lo enfureció, sino la idea de que tú dejaras que compartiera tu intimidad.

—¿Qué quieres decir?

—Que lo dejaras entrar, Grace, que dejaras que viera cómo eres, dejaras que viera tu interior —dice, me mira fijamente y se lleva la mano al pecho.

«La parte interior.»

—Oye, no soy una terapeuta. Demonios, yo tampoco soy perfecta —dice, suspirando—. Reflexiona al respecto, cielo.

Durante unos momentos reina el silencio; observamos las nubes e inspiro profundamente. Marjory se endereza.

—Vamos —dice—. Has de ir a casa y yo debo ponerme en forma mediante un DVD de Cindy Crawford.

Extiende un brazo y me aprieta la mano antes de que me deslice del asiento del acompañante y permanezca de pie en la acera.

—Te veré mañana —me promete.

La saludo con la mano mientras hace girar el coche y veo que me dedica una sonrisa cariñosa y alza una mano del volante. Cae la noche y empieza a oscurecer. Inspiro el aire frío y entro en casa.

Permanezco junto a la puerta como una sombra. Pete está en la sala de estar con el portátil apoyado encima de una pila de libros en la mesita auxiliar. Lleva las gafas de leer que le compré hace alrededor de un año, otro indicio de que ambos estamos envejeciendo. Durante un instante no se percata de mi presencia, hojea los papeles amontonados a su lado mientras yo contemplo los rizos de su nuca. Me recuerdan las frescas noches estivales de Londres, ambos sentados en el jardín del *pub* del barrio, hablando de los bebés que tendríamos. Pete quería que tuvieran mis labios y mi cabello rojo y yo quería que tuvieran sus ojos de color verde y sus largas pestañas. Aquellas noches solía cogerme de la mano y decirme que me amaba —hasta la luna y de vuelta a la Tierra— y yo le creía. Aquellas noches en que elegimos los nombres que más nos gustaban: Rose o tal vez Eva; Dylan, Matthew o Jack. «Éramos tan felices en aquel entonces...»

Pete examina los papeles con el entrecejo fruncido; están cubiertos de gráficos, líneas negras que suben y bajan. Nota mi presencia en el umbral al alzar la vista por encima de las gafas y mirar la pantalla. Toma aire.

—Me asustaste —dice, observando que llevo una camiseta y playeras—. No regresaste a casa. ¿Estás bien?

No sé qué decir, así que no le contesto y me limito a seguir mirándolo. Es como si hubiera aves atrapadas en mi pecho, agitando sus pequeñas alas y tratando de escapar.

—¿Grace?

Dejo el bolso en el suelo.

—¿Dónde has estado?

Inspiro profundamente e intento recuperar la calma. No sé por qué resulta tan difícil hablar con mi propio marido.

—Estaba en casa de Marjory. Pasé la noche allí.

Mi voz parece la de una adolescente.

—Vale.

Ambos nos contemplamos fijamente como si fuéramos dos extraños. Me acerco al sofá, me siento a unos centímetros de distancia de Pete y hablo en voz baja.

—Hace un momento estaba pensando en la Approach Tavern, ya sabes, aquel *pub*. ¿Lo recuerdas?

—Claro que lo recuerdo —dice, y noto que su cara se relaja.

—Esas mesas del jardín y esos nachos geniales.

—Cerveza London Pride de barril.

—Sí.

Aleja la mesita auxiliar y suspira.

—Aún estoy enfadada contigo, Pete.

—Eso es más que justo —dice; el remordimiento le enronquece la voz.

—Pensar en ti con otra mujer me pone enferma, casi no puedo pensar en ello.

—Lo siento muchísimo, Gracie; no puedo decirte cuánto lo siento.

Cuando me mira a la cara, me doy cuenta de que hace mucho tiempo que no lo veo de verdad: el color de sus ojos, la curva de sus labios... Hoy no se ha afeitado y la barba de un día le oscurece la mandíbula. Tiene los ojos muy abiertos y, debido a todos los años que hemos pasado juntos, sé que dice la verdad.

Tomo aliento y pregunto:

—¿Tomaste precauciones? Quiero decir...

Él frunce el ceño y asiente; comprende que le pregunto si se puso un condón. Se dispone a añadir algo más, pero yo alzo la mano.

—No. No me lo digas, no me cuentes ningún detalle. No lo soportaría.

Él aguarda, y cuando vuelvo a contemplarlo habla con mucho esfuerzo, como si las palabras se le atragantaran.

—Hace que me sienta fatal. No pensaba decírtelo. No quería que haber hecho algo así fuera real.

Asiento con la cabeza.

—No puedo explicarlo. Sé que suena estúpido, pero fue una especie de locura. No poder crear una familia contigo, el hecho de que no habláramos...

Comprendo eso de la locura. Ese aspecto salvaje como el de mi madre que hace que me enamore de franceses y le grite a la pobre Rilla. Le tiendo la mano, él lo nota y me mira como pidiendo permiso. Esa breve mirada me parte el corazón. ¿Acaso he logrado que se sienta tan inseguro? Me acerco y le cojo la mano, y cuando suelto el aliento es como si hubiera estado reteniéndolo durante una eternidad.

—Saber que no podías tener hijos me destrozó, Gracie. Yo lo deseaba, pero tú soñabas con ello todos los días. Sabía cuánto ansiabas ser madre, lo veía y no podía ponerle remedio. Pero aún peor, mucho peor que todo eso, es lo que nos está ocurriendo a ambos...

—Lo sé. —Es tan difícil de decir... Trago saliva y añado—: Traté de sumergirme en Lillian's, de perderme. Soñando despierta. Más bien no sabía qué hacer... —digo con voz trémula.

Inclina la cabeza hacia mí y nuestras frentes se tocan. Nos quedamos así unos minutos, separados por un curioso espacio triangular.

—Te quiero tanto... —susurra.

—Lo sé.

—Lo siento mucho.

—Lo sé, yo también lo siento —digo, suspirando.

Querida mamá:

¿Dos personas pueden formar una familia? ¿Son suficientes?

Supongo que nosotras la formábamos, ¿verdad? Tú y yo. Éramos más que una pareja.

Creo que es hora de que Pete y yo también lo logremos de esa manera.

Tu hija que te quiere,

GRACE

Thé pour deux — Té para dos

*Earl Grey rosado con infusión de ganache
de chocolate amargo*

En el calendario de septiembre de la cocina de la cafetería casi no quedan días. Pronto será Navidad y después Año Nuevo. La idea me estremece, como si hubiera tratado de mantener el tiempo sujetado, como si fuera una mascota. Clavo la vista en los pequeños cuadrados y números negros de la página.

—Hay alguien que quiere verte.

Gigi está en el umbral de la cocina con los brazos cruzados encima de su enorme panza. Ha vuelto a dirigirme la palabra, pero deja claro lo mucho que le disgusta.

—Gracias, no tardaré ni un minuto —contesto con una sonrisa, pero ella solo desvía la mirada. Me quito el delantal manchado de *ganache* y me lavo las manos.

Cuando entro en la cafetería, veo que Pete está sentado ante una mesa junto a la pared con un periódico desplegado a su lado. En vez de leerlo, está hablando con Gigi, que ahora sostiene un montón de platos y tazas con un brazo apoyado contra el vientre. Gesticula con el otro brazo y cuenta una historia. Pete le sonríe; los observo durante un momento: Gigi sacude la cabeza y pone los ojos en blanco. En la mesa hay dos platos; en cada uno reposa una *baguette* y a sus espaldas se ve el cielo gris a través de la ventana. Verlo allí me marea un poco, como cuando empezamos a salir.

—Hola —interrumpo.

Pete se inclina hacia atrás y su sonrisa se vuelve más tierna.

—¿Queréis que os prepare un café? —pregunta Gigi en tono apocado y más bien dirigiéndose a Pete.

—Gracias, sería estupendo.

—Tomaré un té verde, si no te importa —añade Pete.

—Me alegro de verte —dice Gigi, asintiendo.

—Sí, yo también Gigi.

Mientras Gigi vuelve a la cocina con los platos, Pete alza una ceja.

—Es un personaje. Y además es lista.

—Tienes razón: es un personaje. A veces me vuelve loca, pero es muy eficaz. Supone una gran ayuda con los proveedores y nuestros clientes lugareños.

Pete mira a su alrededor y noto que mira con mucha atención, que lo absorbe todo. Me pregunto qué está pensando; quiero preguntárselo, pero me parece demasiado, demasiado pronto, y me doy cuenta de que sé lo que Léon opina de Lillian's, pero ignoro la opinión de Pete.

—¿Dónde está Rilla? —pregunta.

Se me hace un nudo en el estómago y le doy la explicación más sencilla, la que me hace sentir menos culpable.

—Tuvimos una especie de discusión.

—Vaya.

Gigi, que ahora está detrás del mostrador junto a la máquina de café, me dirige una de sus miradas indignadas. Me pregunto si oye mis palabras, y, una vez más, echo de menos el rostro de Rilla, su sonrisa y su bondad. Me vuelvo hacia Pete y pregunto:

—¿Té verde?

—Sí, lo he estado bebiendo en el trabajo, me gusta mucho —dice, encogiéndose de hombros.

Se quita la corbata y la deposita encima del periódico, se desabrocha el botón del cuello y dice:

—Pensé que... pensé que podríamos almorzar juntos.

Echo un vistazo a la cafetería semivacía. Yok Lan está sentada en un rincón junto a la ventana, comiendo un macaron. Me ve, sonríe y me saluda con la mano. Le devuelvo la sonrisa.

—Hay pocos clientes. De acuerdo.

Pete sonríe y se inclina hacia delante como disponiéndose a musitar unas palabras. El momento es tan íntimo que percibo el calor de su piel antes de que me toque.

—Tienes algo... verás: sé que suena cursi, pero tienes algo en el pelo —dice en voz baja.

—Ah —digo.

Estira el brazo y me alisa un mechón de pelo junto a la frente, se inclina hacia atrás y ladea la cabeza, comprobando si lo ha quitado. Gigi se acerca con una bandeja y sirve el café y el té de Pete. Nos contempla a ambos y a las *baguettes* antes de ir a hablar con su abuela.

—Solo era espuma de jabón —dice Pete, y bebe un sorbo de su té caliente—. Solo espuma de jabón. En tu pelo.

Asiento con la cabeza. Es como si empezáramos a salir; incluso me sudan las palmas de las manos.

—¿Has tenido un buen día? —pregunto.

—Sí, muy bueno —dice, hace una pausa y añade—: no, en realidad ha sido pésimo. Lo siento, estoy acostumbrado a decir que todo va bien, pero ha sido duro.

Come un bocado del sándwich al tiempo que me cubro el regazo con la servilleta.

—¿Qué sucede?

—La economía —se limita a contestar.

—¿Qué pasa con ella?

—Las cosas no van bien, están cambiando rápidamente, demasiado rápidamente —dice entre un bocado y otro.

—¿Qué crees que pasará aquí?

—No estoy seguro —contesta con lentitud—. No estoy nada seguro —añade con un suspiro.

Lo comentamos mientras comemos nuestros sándwiches. El precio de todas las acciones de los casinos ha bajado, el gobierno quiere restringir el acceso a las personas de ciertas provincias, la construcción está atrasada y los prestamistas se están poniendo de mal humor. Pete no deja de menear la cabeza. La industria es un caos. Se habían acostumbrado a obtener ganancias y contar con accionistas encantados. El viejo dicho acerca de crear casinos en Macao era: «Constrúyelo y acudirán.» Ahora todo es más incierto; Pete bebe el té a sorbitos.

Yok Lan se pone de pie dispuesta a irse, se acerca, me apoya una mano en el hombro y me sonríe. Su rostro redondo expresa satisfacción, tiene los ojos entrecerrados como los de un Buda meditando.

Se la presento a Pete.

—Esta es Yok Lan, la abuela de Gigi.

Pete dice unas palabras en cantonés; Yok Lan se aleja sonriendo y saludando con la cabeza.

—¿Qué dijiste?

—Encantado de conocerte y te veré luego.

Le miro sorprendida, pero él no lo nota, está centrado en su sándwich.

—Están buenísimos, Grace.

Su expresión evoca a un Pete más joven, a un Pete con la boca llena de tarta de tomate.

—Gracias —murmuro.

—Es una cafetería estupenda, de verdad.

Lo miro con una sonrisa tímida; ambos permanecemos sentados en silencio y terminamos de comer. Todo resulta fácil, suave y nada incómodo.

Cuando se despide no me da un beso, pero me apoya la mano en el hombro, al igual que Yok Lan. Ejerce una suave presión y una oleada de calor me recorre el cuerpo; aunque sé que nuestros problemas distan de estar resueltos, tengo la sensación de que un día se resolverán. Su gesto expresa amor y una disculpa, y mi cuerpo lo reconoce.

—Que tengas un buen día.

—Tú también —contesto, aún sentada. Una ráfaga de viento agita la campanilla de la puerta y cuando Pete la abre produce una cacofonía tintineante. Una vez fuera, el viento azota sus cabellos, Pete frunce la nariz y sonríe; Gigi lo observa a través de la ventana y suelta una carcajada. Él alza la mano para saludarme y yo le devuelvo el saludo.

Esa noche la lluvia aporrea las ventanas; debería alejarme, pero estoy tan inquieta que paseo de un lado a otro y siempre acabo junto a las ventanas tratando de mirar hacia fuera, sintiéndome como un león enjaulado. Pete está delante del televisor; las ráfagas de viento son tan violentas que doblan los árboles de la calle: parecen arcos. Ruge y atruena de manera ominosa. Siento los golpes contra la ventana al apoyar la mano sobre el cristal: esto no es un tifón normal.

—Eh...

—Sí, me alejaré —contesto antes de que me lo diga.

Sabe que estoy preocupada por Lillian's y estoy segura de que él lo está por su propia obra en construcción. Me mira y me dedica una sonrisa tranquilizadora. La última tormenta no causó demasiados daños, pero este tifón es mucho peor. Hay motocicletas en el suelo y desparramadas por las aceras; no circulan coches. Hace frío, como en enero.

Aparece el informe meteorológico y Pete sube el volumen:

«Hoy en Hong Kong más de cien vuelos han sido cancelados o sufren retraso debido al tifón Hagupit y a la alarma por lluvias intensas. Entre las peores consecuencias del tifón que arrasó la región esta tarde están los daños sufridos por el andamiaje y las inundaciones...»

Resuena un aullido que ahoga el volumen de la tele. En el baño ha comenzado a girar un ventilador impulsado por el viento. Corro a desconectarlo y fijo la cuerda con un frasco de vidrio lleno de granos de pimienta. Cuando vuelvo al salón, Pete me dirige una mirada de preocupación.

—¿Estás bien, cariño?

—No puedo dejar de pensar en Lillian's —digo, sentándome a su lado.

—No pasará nada —dice Pete en tono esperanzado.

Se oye el golpe de un árbol contra una ventana, unos golpecitos contra cristal o madera; Pete se vuelve hacia la puerta de entrada con el entrecejo fruncido.

—¿Alguien ha llamado a la puerta?

—¿Qué?

—¿Hay alguien llamando a la puerta?

—No lo sé.

Se levanta y abre la puerta; alguien aparece en el umbral, una figura pequeña, empapada y temblorosa.

—¡Dios mío! Pasa, pasa, no te quedes ahí —dice Pete.

Cuando se aparta de la puerta veo una cara diminuta, blanca y mojada.

—¡Rilla! —exclamo.

—Coge una toalla, Grace —dice Pete.

Durante un instante la miro fijamente; ella mantiene la vista baja, en silencio. En vez de llevarla puesta, sostiene una chaqueta impermeable en las manos; la aferra con tanta fuerza que sus nudillos están blancos; tose y tiene los labios de color violáceo.

—Grace —repite Pete.

Me apresuro a regresar con una toalla y Pete envuelve a Rilla como si fuera una niña pequeña que acaba de salir de la bañera. A su lado parece enorme; su mano apoyada en la espalda de Rilla parece la zarpa de un oso. La conduce hasta el sofá y le dice que tome asiento; ella obedece con cierta resistencia. Voy a la cocina, lleno un tazón de agua caliente y añado un saquito de té. Oigo que Pete le dirige unas palabras, pero no la respuesta de ella.

—Es realmente peligroso —está diciendo él cuando deposito el tazón ante Rilla, que sigue evitando mirarme a la cara, pero asiente con aire agradecido—. ¿Qué hacías allí fuera?

Ella no responde y él se sienta a su lado y le frota la espalda con expresión muy preocupada. Me siento en el borde de la mesa auxiliar y observo cómo bebe el té a sorbitos. Al verla tan pequeña y tan muerta de frío, mis ojos se llenan de lágrimas. Por fin deja de temblar y sus labios y mejillas recuperan un poco de color. Alza la cabeza y me dedica una breve mirada.

—¿Qué sucede, Rilla? —susurro.

—Lo siento mucho, señora, señor... —musita con labios trémulos y sin alzar la vista—. Fui a Lillian's, para comprobar...

—¿Fuiste a Lillian's?

—Para comprobar que todo estaba bien. Entonces los autobuses dejaron de circular y no pude volver a casa. Sabía que tú vives cerca... —dice, procurando disculparse.

—Oh, Rilla —exclamo, pero en voz baja.

—Hay algunos daños, ventanas rotas. Y... esto.

Saca su chaqueta impermeable plegada como un paquete de debajo de la toalla y la despliega: es el rótulo de la cafetería hecho trizas: verlo así me produce un dolor inesperado en el pecho. Su nombre, hecho trizas. Inspiro y entonces Rilla me mira con los ojos muy abiertos.

—No pasa nada, señora —dice, echándonos una breve mirada a ambos—. Se puede arreglar. Solo algunas ventanas rotas y ha entrado un poco de agua, pero no pasará nada. Macao es un lugar seguro, no hay ladrones ni saqueadores.

Tiene las pestañas húmedas y unas arrugas le surcan la frente. Su diligencia me hace sentir tanto culpable como agradecida.

—¿Señora? ¿Grace? Todo saldrá bien —vuelve a susurrar Rilla.

—Estoy más preocupada por ti; allí fuera con un tifón como este... —digo, y me muerdo los labios. Fuera, el viento silba y aúlla al mismo tiempo que apoyo una mano en su rodilla mojada—. Lo siento mucho, Rilla. He intentado llamarte...

Pete se pone de pie, coge el cartel destrozado de mis manos y el tazón vacío de Rilla; luego, se dirige a la cocina para servirle más té y nos quedamos las dos solas. ¡Cuán equivocada estaba al pensar que podría robarme o aprovecharse de la amistad que había estado surgiendo entre nosotras! Me siento invadida por la vergüenza y hablo con voz trémula.

—Por favor, Rilla, ¿regresarás a Lillian's? Te necesitamos muchísimo.

—Oh.

—Si no has encontrado otro empleo...

—No, no he encontrado otro empleo.

Permanecemos sentadas en silencio contemplándonos mutuamente hasta que ella murmura:

—Creo que te debo una explicación, Grace, sobre aquella mañana.

Me siento tensa y abochornada al tiempo que ella me contempla con mirada grave, pero entonces Pete regresa con más té. Agradezco la interrupción.

—No os preocupéis —dice—. Todo irá bien, y no tardaréis en volver a preparar macarons.

Mira a Rilla.

—Pero tendrás que quedarte con nosotros hasta que pase el tifón. En la habitación de huéspedes hay toallas y Grace te prestará ropa, ¿verdad, Grace?

Asiento sin apartar la mano de la rodilla de Rilla.

—¿Estás segura? —pregunta Rilla—. ¿No es un problema?

—Claro que no —contesto—. Quédate, por favor.

A la mañana siguiente no somos las primeras en llegar a Lillian's. Marjory está sentada en el sendero con Gigi, cuyo vientre cubre la parte inferior de su cuerpo. En torno a ellas, escombros mojados, trozos de alféizar y cristales rotos brillan como diamantes. Rilla ayuda a Gigi a ponerse de pie. Gigi suelta un gemido, el cuerpo le pesa pero le brinda una amplia sonrisa a Rilla y le estrecha la mano más tiempo del necesario. Lleva un vestido de embarazada gris por encima de unos tejanos negros. No lleva maquillaje, excepto una gruesa capa de rímel en las pestañas.

—Has vuelto —Marjory le dice a Rilla—. Te echamos de menos.

—Diablos, Grace. Lillian's es una ruina —dice Gigi con su brusquedad habitual.

Recorro la cafetería con la mirada mientras intento recordarme a mí misma que disponemos de un seguro para pagar los arreglos, pero no dejo de sentir temor. El poste del rótulo está doblado y el viento agita las cadenas. Las ventanas de la fachada están rotas, pero un cristal aún está pegado al marco; el cristal se ha fracturado en forma de estrella. Un trozo de marco de ventana cuelga de los goznes y hay hojas atrapadas en las astillas de madera. Incluso desde el exterior veo que el suelo está cubierto de agua y las patas de las mesas, empapadas. Una mesa ha caído de lado y el tablero se ha partido; todas las sillas están amontonadas contra la pared occidental. Las otras mesas forman una pila en un rincón. Cuando me acerco a la puerta, Rilla apoya una mano en mi espalda.

—¿Te encuentras bien?

Asiento, agradecida por su presencia.

Al abrir la puerta sale un chorro de agua y una ráfaga de viento recorre la cafetería con un silbido: la ventana de la cocina también debe de estar rota. Me pregunto en qué estado estarán los hornos, la nevera y la despensa. Todos los macarons que preparamos, la harina de almendras, las copas, los cubiertos. El desconcertante olor a humedad flota en el ambiente. Las demás me siguen y las cuatro permanecemos de pie entre las mesas y las sillas, con el agua hasta los tobillos y la vista clavada en las paredes. Me invade una tristeza apagada.

Entonces oigo la respiración agitada de Gigi: extiende el brazo y exclama:

—¡Mira eso!

Todas miramos hacia donde señala con el dedo. Allí, junto a la máquina de café y la caja registradora, el póster que Yok Lan me regaló cuelga de la pared. El marco y el cristal están intactos y cuelgan de la pared recta y orgullosamente. Los niños aún bailan entre las llamas y las chispas.

Un petit Phénix – Un pequeño Fénix

Canela con ganache de chocolate amargo y chile

A finales de octubre podremos quitar la pizarra ubicada junto a la puerta.

LILLIAN'S

¡CAFÉ Y PASTAS PARA LLEVAR!

¡LA CAFETERÍA VOLVERÁ A ABRIR MUY PRONTO!

¡ESTAMOS ARREGLANDO LOS DAÑOS CAUSADOS POR EL TIFÓN!

Rilla añadió los signos de exclamación; creo que se imagina que dan un aire alegre al mensaje. Gigi lo tradujo al chino. El negocio de café y pasteles para llevar ha resultado sorprendentemente exitoso; los clientes habituales no han dejado de acudir y se quedan en la acera observando las reformas o cotilleando sobre el último escándalo de sociedad: quién se acostó con quién, quién se emborrachó y se quedó dormido en la rotonda... Al parecer, Pete envió un mensaje a todas las secretarias y asistentes personales de la ciudad, puesto que todas han pasado por la cafetería en los coches de las empresas para recoger cafés y pasteles para sus reuniones de trabajo y comprar cajas de chocolates para ellas. Pero ha sido una época problemática, dado que la cafetería parecía Londres bajo los bombardeos. Me he sentido agitada, como si el tifón me hubiera atravesado y puesto todo patas arriba: mi corazón, mis deseos, mis secretos, mamá. Como si tuviera que empezar de cero. Sueño con bombas que caen, aviones chocando contra los cristales e incluso con que se me caen los dientes. Cuando me despierto de madrugada, temblando y bañada en sudor, Pete me trae vasos de agua.

Gigi y Rilla procuran sostenerme, comportándose como si nada hubiese cambiado, decidiendo sobre los sabores de los pasteles, discutiendo como hermanas malcriadas, riendo y cantando en la cocina. Rilla incluso ha convocado a algunas de sus amigas para que nos ayuden a limpiar el suelo y quitar lo que estaba más dañado. Todas tienen la misma tez color café y sonrisas generosas, como Rilla. Ríen y trabajan, nos llaman «señora» a Gigi y a mí, y a Rilla «tía jefe». Rilla se ha mostrado tan servicial que mi remordimiento por como la traté no deja de aumentar. Mientras preparo sándwiches y bebidas para todo el mundo, observo cómo dirige al equipo en su lengua materna sin el menor esfuerzo, como una mujer acostumbrada tanto a las crisis como al caos. Pese a todo —al estado mojado y sucio del local, a las horas extra y al incidente entre ambas del que aún no hemos hablado—, su sonrisa es más amplia que nunca. Su confianza en sí misma ha aumentado y ella la irradia como una luz cálida.

Lentamente, Lillian's vuelve a renacer a medida que el otoño llega a Macao y el viento más frío mordisquea los tobillos desnudos. Una mañana, cuando al parecer mi nerviosismo ha disminuido y el cielo está despejado, Marjory sugiere crear nuevos macarons que nos den suerte y hacer «limonada con limones», tal como ella lo expresa. Pronto Gigi y Rilla están en la cocina, sus cabezas de cabellos oscuros unidas, hablando de sabores, nombres y conceptos, mientras yo las escucho y trato de dirigir el debate. Rilla está recitando una serie de sugerencias.

—¿Chocolate?

—Aburrido.

—¿Fresa?

—Aún más.

—¿Limón?

—Puaj. Estoy harta del limón, es tan... estilo *cupcake*. Necesitamos algo único, más elegante —dice Gigi, contemplando el cielo raso con aire pensativo—. Algo como... ciruelas saladas.

—¡Qué asco! —exclama Rilla y suelta una carcajada.

—No tienes imaginación. Es japonés —replica Gigi. Estos días está más demacrada, tiene manchas oscuras bajo los ojos. Quizás esté agotada debido a las noches sin dormir, ya no puede hacer caso omiso de su embarazo. Se presiona el vientre y se inclina hacia atrás: acidez.

Intervengo en la batalla.

—Puede que ciruelas saladas sean un poco demasiado. Lo siento, Gi.

Ella me dirige una mirada de desprecio.

Pete se asoma a la cocina y sonríe.

—Hola.

—Hola. Aquí está el tío del empapelado con las muestras.

Dejo que las chicas sigan debatiendo. Fuera, en la cafetería, Marjory está inclinada por encima de un montón de diminutas piezas de *mah-jongg* blancas. Yok Lan está sentada frente a ella dándole instrucciones en cantonés. Marjory intenta interpretar el tono de su voz, sus gestos y el contexto, pero aprender a jugar al *mah-jongg* es increíblemente difícil, por no hablar de hacerlo en otro idioma.

Las muestras del papel de empapelar son muy bonitas y

el contratista habla inglés con fluidez. Ha trabajado para los casinos de todo Macao, así que la calidad es buena. Siento que se me relajan el pecho y los hombros e imagino las paredes con el aspecto de un auténtico café parisino. Marjory se acerca y mira por encima de mi hombro mientras indico el papel elegido: es de color verde menta con flores de lis doradas; parece un bonito sari indio. Quedará muy bien con el suelo de baldosas blancas y negras. Pete se aleja para iniciar la negociación acerca del precio y la entrega.

—¿Has elegido ese empapelado? —pregunta Marjory.

Asiento con la cabeza.

—Me gusta. Es mejor que el anterior.

—Creo que tienes razón —digo.

Desde la cocina se oyen voces y Marjory vuelve la cabeza hacia allí.

—Les preguntaría a ambas qué opinan, pero Gigi está de un humor muy contradictorio. Creo que dejaré que sigan discutiendo sobre los macarons.

Marjory ríe.

—Rilla evita que se descontrole.

—Rilla evita que todos nos descontrolemos —afirmo—. Estas últimas semanas nos ha salvado la vida, sobre todo convocando a todas sus amigas para que nos ayuden; sin ellas, quizás aún estaríamos con el agua hasta los tobillos.

—Todas la respetan, dado todo lo que ha hecho por ellas y también por todo lo que ha pasado. Puede que sea muy menuda, pero es un puntal.

—¿A qué te refieres con eso de «todo lo que ha pasado»?

—¿No te habló de Jocelyn? —pregunta, frunciendo el ceño.

Siento cierta desazón.

—Lo intentó en cierta ocasión, pero supongo que nunca encontramos el momento indicado y hemos estado tan ocupadas... —contesto, pero sé que no es toda la verdad.

Marjory baja la vista y contempla sus zapatos, tal vez consciente de mi bochorno.

—Bien, dejaré que ella te lo cuente. No me corresponde hablar del pasado de alguien.

La vergüenza vuelve a atenazarme la garganta.

—Me equivoqué al dudar de ella, ¿verdad?

Marjory ladea la cabeza y esboza una sonrisa.

—Es tu cafetería, Grace, has de hacer lo que consideres mejor. Te pertenecen tanto las ganancias como las pérdidas. Además, creo que en aquel entonces tenías muchos problemas.

Oigo a Pete hablando del trabajo con el contratista. ¿Cuántos días? ¿Cuántos empleados? Ambas lo miramos y él, al notarlo, nos indica que todo va bien con un gesto. Luego le estrecha la mano al contratista, y, cuando este se marcha, la nueva campanilla colgada por encima de la puerta suelta un tintineo. Empiezo a acostumbrarme a esta nueva relación entre nosotros: no está arreglada, pero tampoco completamente rota. Volvemos a tratarnos con bondad; somos amigos.

Pete se aproxima.

—Bueno, dice que puede hacerlo en dos días y que os descontará un diez por ciento si le preparáis el almuerzo a él y a otro operario.

Pete me muestra el presupuesto y yo sonrío.

—Por ese precio, también les serviré cafés y desayunos —digo, apretándole el brazo en agradecimiento.

Un estrépito surge de la cocina y todos nosotros, incluso Yok Lan, alzamos la vista. La puerta se abre y sale Gigi hecha un basilisco. Lo único que la detiene es el peso de su vientre; Rilla la sigue. Miro a Yok Lan, pero ella se limita a encogerse de hombros y sigue leyendo su periódico chino.

—¿Qué ha pasado?

Rilla suspira y extiende la mano, en la que reposa un

móvil hecho pedazos. Trozos de plástico cubiertos de pegatinas de circonita. Me dispongo a seguir a Gigi, pero Rilla me coge del brazo para detenerme.

—Deja que se marche. Es su novio: la ha llamado y han vuelto a pelearse.

Todas observamos como Gigi camina apresuradamente calle abajo, como un pato.

—Ese individuo parece ser un perdedor —dice Marjory, sacudiendo la cabeza.

—Oh, lo es. Un mal bicho —dice Rilla.

—Pobre Gigi.

—No le falta mucho —murmuro.

Entonces regresa la calma; el aroma a brisa fresca y almendras nos envuelve.

Rilla toma aire y sonríe.

—Bueno, logramos inventar un nuevo macaron —dice, y sus ojos oscuros resplandecen en su rostro redondo.

—¿Finalmente os pusisteis de acuerdo?

—Oh, sí. Y es muy bueno.

Un petit Phénix nace al tiempo que Lillian's resucita; la cafetería está aún más bonita que antes, con un nuevo empapelado, nuevas ventanas y sillas arregladas. Es un macaron de canela, con una cobertura de *ganache* de chocolate y chile. El resultado es sorprendentemente delicioso: especiado y dulce, y el sabor permanece en la boca como tras beber un cuenco de chocolate caliente azteca. Sabe todavía mejor acompañado de un trago de café muy cargado.

La semana siguiente me despierto demasiado temprano, aún confusa y adormilada tras soñar con mamá y con París. Pete ha vuelto a dormir en la cama de matrimonio, pero se tiende en el borde, manteniendo una respetuosa distancia. Estiro la mano y la apoyo en su espalda, como para no perder el equilibrio. Noto su respiración, fresca como las olas rompiendo en la playa. Cierro los ojos y trato de volver a conciliar el sueño, pero siento un dolor punzante en la parte inferior del vientre y apoyo la mano allí. Hay luces recorriendo el cielo raso, indican que ya hay coches circulando por la calle. Deseo oír el canto de un ave, celebrando la llegada de un nuevo día. En vez solo oigo cláxones y el chirrido de puertas corredizas que se abren.

Me levanto y voy al baño: quizás algo que comí me ha sentado mal. Pete suelta un gemido y se remueve en la cama.

Siento un movimiento en la entrepierna; separo las rodillas y echo un vistazo al váter: aparece una mancha; la sangre se mezcla con el agua como pintura goteando de un pincel. Observo fijamente, parpadeando, el agua pasa lentamente del rosado al rojo.

—¿Te encuentras bien? —pregunta Pete desde la habitación.

En la parte posterior del botiquín hay una vieja caja de tampones: quedan cuatro. Me introduzco uno y permanezco de pie ante la pica; el médico me dijo que todavía podía tener una o dos menstruaciones, pero no tantas como para cobrar nuevas esperanzas. El último esfuerzo de mi cuerpo, las últimas palabras pronunciadas durante una fiesta celebrando la jubilación. Veo mi reflejo en el espejo, absolutamente nítido. Sin maquillar parezco mayor; hay dos o tres hilos plateados entre mis cabellos rojos, tengo el rostro pálido y demacrado, la piel de las mejillas está reseca, tengo patas de gallo. Suelto un suspiro de resignación.

—¿Gracie? —dice Pete, abriendo la puerta.

La evidencia aún permanece en el váter; él la nota y me mira.

—El médico dijo que podía suceder —digo en voz baja.

Me coge la mano y la estrecha con mirada triste.

Lo abrazo y me apoyo en su pecho, que huele a sueño y a leña recién cortada. Él me rodea con los brazos; su abrazo me alivia, como si todos mis trozos se unieran lentamente y ya no me siento tan nerviosa como después del tifón. Es como si pudiera volver a respirar. Rozo su cuello con los labios y suspiro.

—Te eché de menos —musito, y solo entonces me doy cuenta de que es verdad. Él me mira y luego, tras dirigir la vista al váter, su expresión se vuelve un poco melancólica—. No pasa nada —añado, y hablo en serio.

Es el momento de calma de la tarde, cuando las madres se han marchado para recoger a los niños de la escuela. Los rayos del sol —que en esta época del año ya se está poniendo— iluminan la cafetería con una luz dorada. El nuevo empapelado es vistoso y elegante, los tableros de las mesas resplandecen. Suena el teléfono.

Rilla contesta mientras yo barro las baldosas. Aprieta el auricular contra la oreja y me mira con el ceño fruncido. Repite unas palabras y luego escucha en silencio.

Recojo una servilleta que ha caído al suelo, todavía plegada en forma de triángulo.

Rilla dice unas palabras apresuradas y cuelga. Y suelta un grito de alegría.

—¡Síííí!

—¿Te encuentras bien? —pregunto, mientras ella canta unas palabras en tagalo, una canción que desconozco: «algo, algo, baby, baby».

—¡Sí, estoy perfectamente! —grita—. Era Yok Lan... bien, era la enfermera traduciendo sus palabras.

Alzo la vista y pienso en Gigi: hoy es su día libre.

—¡Gigi acaba de tener al bebé! —dice Rilla, riendo.

—¿Qué? —exclamo, y dejo caer la escoba.

—Había una enfermera que sabía hablar inglés. Yok Lan le dijo que Gigi quería que Rilla y Grace supieran que había tenido al bebé. Un parto largo, pero todo ha ido bien

—dice Rilla, con una sonrisa tan orgullosa como si las noticias se refirieran a su propia hermana.

—Vaya —digo y me quedo sin palabras.

—Es una niña, Grace, es una niña —dice, canta unas estrofas más y me coge de las manos. Su alegría es contagiosa y me echo a reír.

—¡Estás loca! —digo, soltando una risita.

—¡Una niña!

—Una niña.

—La enfermera ha dicho que pesaba tres kilos y medio. Sana como un osezno. ¿A que es estupendo?

—Lo es —digo.

—¡Gigi ha tenido una niña, Gigi ha tenido una niña! —canturrea, agitando mis brazos de un lado al otro.

—Guau, Gigi ha tenido una niña —digo, y vuelvo a menear la cabeza.

«Es una niña. Nuestra joven Gigi ha tenido una niña. Es una niña. Nadie me dirá eso a mí. Es una niña. Pero antaño se lo dijeron a mamá.»

La foi – La fe

Fresas silvestres, relleno de crema de mantequilla de pomelo rosado

Hoy es domingo por la mañana y Lillian's está cerrado. Introduzco el último macaron en una huevera y lo deposito sobre la tarta cuando suena la campanilla de la puerta. Sé que es Pete; empiezo a reconocer el sonido de sus pasos. Cosas que no había notado antes, pero que se volvieron familiares durante los largos días de silencio.

—¡Guau! La cafetería tiene un aspecto magnífico. ¿Cuánto tiempo te ha llevado arreglarla?

Salgo de la cocina y noto que aún tiene el pelo mojado tras la ducha y el rostro enrojecido por la caminata matutina.

Había planeado colgar unas serpentinas, pero una vez empezada la tarea no logré detenerme. Casi no se ven las paredes, que están cubiertas de serpentinas como si estuviéramos en Río, en carnaval. Docenas de globos cubren las mesas, tapadas con una tela color rosa pintalabios que compré en Three Lamps.

—Un buen rato. ¿Te parece que es demasiado... chillón?

Pete recoge un globo con topos del suelo y lo fija a un grupo de globos en el centro de la mesa.

—Me parece maravilloso; le encantará.

—Pues sería la primera vez —comento entre risas—. Hay pocas cosas que exciten a Gigi: no es *cool*. Pero a lo mejor le gusta un poco... eso era lo único que quería.

Pete me rodea con los brazos. Su aroma es fresco, como la corteza de una manzana verde; es el aroma de la loción que lleva.

—¿Qué es eso? —exclama, señalando la superficie de la tarta apoyada en la encimera de la cocina.

—Ven a verlo.

Me había inspirado en una tarta que vi en una revista de novias. Cuando abrí la página y vi la foto, el corazón casi me dio un vuelco. Es el equivalente del repostero aficionado escalando el Everest. Una tarta de cuatro capas de color rosado, una capa cuadrada y la siguiente redonda, completamente cubiertas de diminutos macarons. En la punta está posado un minúsculo plato de porcelana en el que reposa un único macaron. He estado examinando la imagen todos los días desde que Gigi tuvo su bebé, calculando cómo recrearla. No fue fácil, pero lo logré: preparé la maravillosa tarta, con una bonita huevera en lugar del platito.

Pete camina alrededor, observándola como si fuera una pieza de museo, con las manos metidas en los bolsillos, como para no caer en la tentación de tocarla.

—Es asombroso, Grace.

—¿Te lo parece?

—Oh, sí... Es realmente asombroso —repite y se vuelve hacia mí con la cabeza ladeada—. Esto se te da muy bien, ¿verdad? —añade en voz baja.

Le echo un vistazo a la tarta: se parece a la arquitectura francesa.

—Sí, se me da bien —digo, y no puedo dejar de sonreír.

Pete saca las manos de los bolsillos y noto que sostiene una bolsa roja.

—¿Qué contiene?

—Oh... —dice y se encoge de hombros—. Nada en realidad —añade y la deposita en el mostrador.

»Lo compré hace unos días; lo vi en una tienda.

Saca un juguete de peluche, blando y flexible: un pequeño rinoceronte gris de patas sueltas, dos cuernos de color beige y pesas en las patas. Tiene una cola pequeña y sonríe, lo que hace que parezca soñoliento.

—Tal vez sea más indicado para un niño. No sé... es mono.

Sostengo el rinoceronte con las manos y contemplo a mi marido. Se ha afeitado; nunca se afeita los fines de semana. Pete aprieta los labios.

—Es muy mono. Creo que le gustará a Gigi —digo con mucha suavidad y me percato de cuán guapo es: ese rostro fresco que se destaca contra el cuello azul de su camisa...

Marjory, Don y Rilla llegan todos juntos. Marjory sostiene un globo donde pone ¡ES UNA NIÑA! en letras de color granate; Rilla, una caja de plástico transparente con patucos tejidos.

El llanto del bebé anuncia la llegada de Gigi, seguida de Yok Lan a paso lento. Gigi sostiene a la pequeña contra su pecho; parece cansada y un tanto aturdida. Al verlas, me quedo sin aliento. Uno más uno es igual a dos. Nuestra Gigi, que ahora es una madre.

—Lamento llegar tarde, no deja de llorar —dice, disculpándose.

Yok Lan entra, contempla los globos y sonríe como una niña.

—*Ho leng* —exclama, y Pete traduce: «Muy hermoso.»

—Sí, Grace, es fantástico —dice Gigi.

—Tomad asiento todos, traeré el café y el té —dice Pete.

Rilla coge a la niña y empieza a acunarla con suavidad al tiempo que Don y Marjory hablan con Gigi. La observo más de cerca: viste una amplia y vieja camiseta, pantalones de chándal y playeras. Lleva una coleta, el cabello está un poco grasiento. Parece más pálida que de costumbre, pecas color café con leche cubren sus mejillas y me doy cuenta que no lleva su espeso maquillaje habitual para ocultarlas.

Marjory le regala un par de pendientes iguales a los suyos: pequeños aros de oro. Gigi sonríe y la abraza. Después de un momento, el llanto del bebé disminuye y Pete ya ha dispuesto todas las tazas en la mesa.

—¿Vendrá alguien más, Gi? ¿Tus amigas? —pregunto, mirando por la ventana, suponiendo que aparecerá un rebaño de muchachas de cabellos oscuros y camisetas muy cortas.

Gigi niega con la cabeza; tiene manchas oscuras en torno a los ojos y una pequeña mancha en la pechera de la camiseta.

—¿Y tu mamá? ¿Te parece que aguardemos?

—Mamá no vendrá —se apresura a decir con demasiada rapidez.

Marjory y yo intercambiamos una mirada, pero no decimos nada. Marjory le rodea el hombro con el brazo y se lo frota, y, de un modo casi imperceptible, Gigi se apoya en él.

—¿Quieres sostenerla, Grace? —pregunta Rilla.

Contemplo al bebé; estoy un poco nerviosa. Trago saliva y asiento; Rilla la deposita en mis brazos: un bulto liviano firmemente envuelto en suave muselina. De su cabeza surgen mechones de pelo negro, como si acabara de meter el dedo en un tomacorriente. Aunque sus lloros han bajado de volumen, aún protesta con los ojos cerrados. Es muy pequeña; su naricita es del tamaño de un penique. Clavo la mirada en su rostro diminuto y frustrado, y permanezco inmóvil, con una extraña sensación en el estómago. Abre y cierra las manitas, lloriquea y yo la acuno con suavidad.

—Silencio... —le susurro al oído.

Rilla le entrega su regalo a Gigi, susurrando que ella misma tejió los patucos y, cuando Gigi le agradece con un beso en la mejilla, sonríe orgullosa.

—Gracias, Rilla.

—De nada, mamá Gi.

Pete ha deslizado un dedo en la mano del bebé y, pese a sus lloros, lo aferra. Él alza el dedo y me dedica una sonrisa tímida y trémula. Le doy un beso en el cabello y percibo que Gigi nos observa.

—¿Quieres que vaya a por la tarta? —pregunta Pete.

—Sí, por favor. Gracias.

No quiero soltar al bebé; su aroma es limpio y dulce, como las sábanas nuevas o el aire después de la lluvia. Cuando Pete trae la tarta y la deposita en la mesa, observo la cara de Gigi. Le echa un vistazo, vuelve a mirar de nuevo y después clava la vista en la tarta. Su rostro se relaja y deja de fruncir el entrecejo. Yok Lan también ha levantado la vista, pero no contempla la tarta sino a Gigi, que parece sorprendida. La expresión la rejuvenece y, sin maquillaje, solo parece una joven normal. Yok Lan me echa un breve vistazo, como si quisiera decir algo, pero luego dirige la mirada al bebé, que empieza a pesarme en el brazo.

—¡Oh! —exclama Gigi, como si estuviera a punto de echarse a llorar.

—Es una especie de bizcochuelo de naranja —explico a los demás.

—Es genial —dice Don, soltando un silbido de admiración.

—Preciosa, cariño —dice Marjory.

—Muy bonita, Grace —dice Rilla.

Pete sonríe, orgulloso.

Entonces Gigi me mira y después vuelve a mirar la tarta.

—¿Puedo cortarla? —pregunta.

—Claro. Después de todo, la hice para ti. Para ti y... —la pequeña niña en cuestión parpadea con mirada oscura y curiosa. Me mira fijamente y yo la contemplo; suelta el aire con expresión soñolienta y apoya la mejilla contra mi pecho.

—¿Cómo se llama?

Gigi despega la vista de la tarta; sostiene un cuchillo en la mano y su mirada es vidriosa y exhausta. Creo ver el brillo de las lágrimas, pero entonces parpadea y desaparece. Su mirada oscila entre Pete y yo, el cuchillo y la tarta.

—Se llama Faith.

«Faith», pienso, es decir, «fe». Ahora su rostro se ha calmado, la piel está lisa y sedosa. Su boca parece un caramelo pequeño de un pálido color rosa, húmedo en el centro al respirar. Gigi y Rilla están cortando la tarta y Gigi sostiene el macaron de la punta entre los dedos. Yok Lan se levanta de la silla apoyada en su bastón, cojea hacia la mesa y se deja caer en una silla a mi lado soltando un quejido. Contempla al bebé, pero apoya una mano en mi brazo; es fresca pero blanda, con la piel apergaminada como capas de milhojas; a través de las manchas de color más oscuro y las arrugas, veo el palpitar de las venas gruesas. Pete se acerca y permanece de pie a nuestra espalda, noto su aliento cálido en la cabeza. Baja la vista, contempla a Faith y suspira, como si hubiera sostenido el aliento durante semanas, tal vez años.

Yok Lan dice algo en cantonés y me da una palmada en el brazo. Después se inclina y le acaricia la frente a Faith con el dedo índice. Vuelve a contemplarme con una sonrisa delicada y entonces noto que sus ojos y los de Faith son exactamente del mismo color, el color del *oolong*: ambarinos y transparentes. El color del té.

Querida mamá:

Saber que Pete nunca será el papá de nadie me rompe el corazón: sería un buen padre, mamá.

Tardé años en darme cuenta de que echaba de menos a un hombre, mamá. Te quería y tú me querías a mí y formábamos un equipo, como Batman y Robin. No había nada que no pudiéramos hacer nosotras mismas, ¿verdad? Podíamos abrir las tapas de los tarros o desatascar un fregadero. No teníamos un coche, así que nunca tuvimos que cambiar un neumático, y, si quería alcanzar algo del estante superior de la cocina, nunca te importó que trepara a la encimera. Podíamos alcanzar y arreglar cualquier cosa, ¿verdad, mamá?

Pero yo siempre quise tener una mascota, un gatito o un cachorro. ¿Recuerdas cómo te supliqué? ¿Recuerdas lo que solías decirme?

—Una niña es más que suficiente para tu mamá, hija mía, más que suficiente.

Tenías razón.

Pero, más que una mascota, lo que realmente quería era un papá. Pero no podía decírtelo, no podía pedirte eso.

Querer un padre para mí, querer más, me parecía una traición. Tú no sabías cuántas preguntas me hacía sobre él, cuánto ansiaba saber. ¿Era alto? ¿Cómo tomaba el té? Tú me querías tanto que a veces ambas quedábamos agotadas. Yo no podía hacerte sentir que no eras bastante para mí. Sé que intentaste compensarme por lo que creías que echaba de menos, tomando el *ferry* y cruzando el canal de la Mancha para ir a París aquel verano, sentir la brisa salada en el cabello.

—A que es maravilloso, ¿no? —dijiste, y estrechaste mi mano fría con la tuya tibia. Fuimos juntas a conciertos de rock y partidos de fútbol, me enseñaste a andar en bicicleta y a preparar bocadillos de beicon para la resaca. Sé que hiciste todo lo que pudiste.

Todas las familias son diferentes, ¿verdad? Hoy observé a nuestra pequeña pandilla, todos con distintos tipos de familias. Rilla parece pertenecer a toda una tribu: primos, amigos, otros compatriotas filipinos. Después están Marjory y Don, Pete y yo. Pete nunca será un papá, yo nunca seré la mamá de nadie, pero ambos nos tenemos el uno al otro y ahora estoy agradecida por ello. Creo que Gigi está exhausta, atendiendo a la pequeña ella sola, sin una pareja. Su mirada es vidriosa. ¿Quién sabe dónde se encuentra el papá de Faith? Y Yok Lan nos contempla a todos sin comprender ni una palabra, pero contenta como un gato sentado al sol. Formamos un pequeño y extraño clan.

Ojalá estuvieras aquí y formaras parte de él.

Tu hija que te quiere,

GRACE

El domingo siguiente estoy en la cama, profundamente dormida; entonces oigo un timbrazo y abro los ojos de mala gana.

—¿Grace, cariño? Despierta —dice Pete en tono suave.

—¿Qué...?

—Es tu teléfono.

Cojo el auricular. Pete está sentado en la cama, frotándose los ojos con la otra mano.

—¿Sí?

—*Wai?* —es la única palabra que entiendo, seguida de un torrente en cantonés. Me doy cuenta de que quien habla es una mujer, pero habla con tanta rapidez que ni siquiera logro entender alguna palabra. Ahora estoy despierta y aprieto el auricular contra la oreja, como si así lograra entender.

—Un momento, un momento. Aguarda un momento. Lo siento, yo...

Pete me apoya la mano en la pierna.

—¿Quién es?

—Habla en cantonés. No comprendo qué dice.

—Probablemente se ha equivocado de número.

—*Mm sik teng ah* —logro decir, interrumpiendo el bombardeo de cantonés que surge del auricular. Es una expresión que uso a menudo: «No comprendo lo que dices», o literalmente, «no sé cómo oírte».

—Número equivocado, Grace —repite Pete.

Por fin la mujer del otro lado del teléfono hace una pausa y en el fondo oigo el ulular de una sirena, pero de manera muy apagada. Aparte de eso, reina el silencio dondequiera que ella esté. Entonces dice algo más, más lentamente. Lo único que comprendo es «Gigi».

Pete me tira del pijama, insistiendo que volvamos a dormir, se tiende y se cubre con el nórdico.

—Lo siento, ¿qué dices? ¿Qué pasa con... —digo, tapándome el otro oído y tratando de entender.

Antes de colgar, la mujer vuelve a hablar en tono frustrado y suspira. Entiendo un par de palabras: *Kiang Wu*, antes de que se corte la comunicación y suene un pitido. Es el hospital de la aldea de Taipa. Arrojo las mantas a un lado y me levanto. Pete se da la vuelta y le cuento lo que he oído. Nos vestimos en tres minutos y en siete abandonamos la casa.

Prenez ce baiser – Reciba este beso

Panal de miel con ganache de chocolate con leche

Yok Lan nos está esperando en el vestíbulo; en la parte de atrás de su cabeza, sus suaves cabellos están erizados como las plumas de un pajarito. Al ponerse de pie para saludarnos, se tambalea un poco, pero cuando sonríe suelto un suspiro de alivio: las noticias no pueden ser tan malas. Mientras nos conduce hasta la sala del hospital, se apoya en mi brazo; habla en tono insistente, con la vista clavada en el suelo y observando cada uno de sus pasos. Deseo —y no por primera vez— comprender qué está diciendo, algo que explique por qué nos encontramos en un hospital a las tres de la mañana. Pete se inclina hacia ella, pero se encoge de hombros: él tampoco entiende lo que dice.

Giramos en torno a una esquina y pasamos a una sala de la planta baja; contiene cuatro camas, pero solo una está ocupada. Me armo de valor y Pete me coge de la mano. Contemplo a la mujer tendida en la cama y a Yok Lan, ahora sentada a su lado. Tiene los brazos desnudos, las palmas vueltas hacia arriba, tubos clavados en los brazos, la boca abierta, el labio inferior caído a un lado.

—¿Es Gigi? —pregunta Pete.

—Sí —susurro. Parece tan pequeña contra el rectángulo blanco de la cama... Veo el pequeño bulto de su vientre, lo que queda de su reciente embarazo, pero desprovista de su resistencia y energía habituales parece una niña de doce años, pequeña y vulnerable. Yok Lan tironea de la sábana a los pies de la cama y Pete se dirige al otro lado para ayudarla a cubrir el cuerpo de Gigi. Yok Lan lo agradece con una sonrisa y luego vuelve a tomar asiento y contempla el pálido rostro de su nieta. Pete se sienta a mi lado en la cama anexa y ambos las observamos. Es como si estuviera viendo una película extranjera, pero sin subtítulos; todo parece onírico y confuso. Me pregunto dónde estará Faith; aún recuerdo su dulce aroma.

—¿Qué pasó? —murmura Pete.

—Ni idea.

Unos minutos después una mujer entra en la sala. Debe de tener cuarenta y tantos, pero parece mayor. Lleva el cabello en forma de moño alto cubierto de laca y un bolso de diseño cuelga de su muñeca. Lleva un traje, zapatos de tacón bajo y empuja un cochecito. Todo eso junto, y a las tres de la mañana, me deja muda.

La mujer empieza a hablar antes de haber entrado del todo en la habitación. Incluso sin comprender lo que está diciendo, no resulta difícil identificar el tono enfadado y disgustado. Suelta cada palabra en tono duro y agudo mientras despotrica dirigiéndose a Yok Lan, que se ha puesto de pie. Pete y yo la imitamos: es la clase de mujer que te hace sentir que será mejor que lo hagas, si sabes lo que te conviene.

Cuando la diatriba parece haber llegado a su fin, Yok Lan contesta, señalando a Gigi. La mujer cruza los brazos y se encoge de hombros, pero no se trata de un gesto despreocupado. Entonces nos ve y clava la vista, primero en mí y luego en Pete.

—¿Quién...? —empieza a decir Pete.

Suelta un torrente de palabras en cantonés y nos señala a nosotros, al cochecito y luego a Gigi. Por fin ambas mujeres callan. Es como si el aire se volviera eléctrico a medida que el suave zumbido de los aparatos y los pasos apagados que surgen del pasillo llenan la pausa incómoda. La mujer empuja el cochecito hacia Yok Lan, casi le golpea la pierna con él y alza las manos. Dice unas palabras en tono gélido y se marcha. Oigo el eco de sus pasos golpeando contra el linóleo del pasillo. Nos volvemos hacia Yok Lan, tiene la cara larga y parece muy cansada.

—Mamá —dice la anciana, señalando a Gigi. En el cochecito, Faith suelta un berrido.

Es una noche larga. Por fin, de madrugada, Faith se duerme. Encontramos leche maternizada en polvo en el cochecito y de algún modo Pete se las arregla para indicar a una enfermera lo que necesitamos. Tras preparar un biberón, hacer eructar a la pequeña y cambiarle los pañales, reina el silencio. Yok Lan permanece sentada con la espalda apoyada en la pared. Pete y yo observamos como ronca con la mandíbula relajada pero muy sonoramente.

Pete se recuesta contra la silla y me reclino contra él, aliviada de que esté aquí. Intercambiamos susurros mientras las otras tres duermen.

—¿Crees que sufrió un accidente?

—No lo sé. No parece haber sufrido fracturas ni moratones, ¿verdad?

Pete sacude la cabeza.

—Estaba furiosa.

—¿Quién?

—Su madre.

—Sí, lo estaba.

Recuerdo a mamá presa de uno de sus ataques de furia: las acusaciones, las amenazas, pero, en el caso de mamá, siempre estaban causadas por el temor. «No me dejes, por favor; no dejes de quererme, por favor.» Su corazón era tan frágil pero tan bondadoso... yo sabía que me quería.

—Parecía... —dice Pete y hace una pausa.

Recuerdo la mirada fría de la mujer cuando empujó el cochecito hacia Yok Lan, el rencor de su propia madre flotando sobre Gigi y algo más: amargura, celos...

—Odiosa —digo, completando la frase.

—Espero que se ponga bien —dice Pete, inclinando la cabeza hacia Gigi.

—Yo también.

Echo un vistazo a Faith, que permanece inmóvil. Recorro su cráneo con la mano, buscando el sitio donde aún no se ha endurecido; observo el diminuto latido bajo el cabello y siento alivio al comprobar que sigue respirando. Ella también necesita que su mamá se ponga bien.

Bostezo y apoyo la cabeza contra la camiseta de Pete; huele a comida mexicana. Quizá se deba a la última vez que la llevó: un aroma a guacamole y nachos picantes. Me duele el cuerpo y quisiera dormir, pero me suenan las tripas: mi estómago reclama el desayuno.

Me despierto y noto el intenso olor a lejía y acero. Recuerdo dónde estoy, me pesa la cabeza por la falta de sueño y es como si tuviese el cuerpo lleno de arena húmeda. Echo un vistazo a Gigi; el sudor le humedece los cabellos, pero todavía tiene los ojos cerrados. Pete se despierta justo cuando un médico y dos enfermeras entran en la sala; Yok Lan y yo retrocedemos para darles paso. El médico la examina, escucha los latidos del joven corazón de Gigi y presiona su vientre. La lustrosa insignia reza DR. CHANG, bajo unos caracteres chinos. Les da breves instrucciones a las enfermeras y se endereza soltando un gruñido. La enfermera nos mira fijamente y le indica a la otra que abandone la habitación agitando la muñeca. El médico nos dirige la mirada a Faith, a Pete y a mí.

—¿Sois amigos o familiares? —pregunta en un perfecto inglés.

—Amigos —contesto.

Pete me coge la mano y la sostiene entre las suyas.

—Comprendo —dice el médico, y coge un portapapeles colgado al pie de la cama.

—¿Doctor Chang? Perdone, pero, ¿qué le pasa a Gigi?

—Solo puedo informar a la familia —dice, sin levantar la vista de sus anotaciones.

Pete me suelta la mano y se pone de pie.

—Somos muy amigos de la paciente. Hemos estado aquí toda la noche.

El médico nos mira y después dirige la mirada a Yok Lan y al cochecito.

—No puedo informarles, son las normas del hospital. Tendréis que preguntarle a la abuela.

Pete y yo intercambiamos una mirada.

—Yok Lan nos llamó para que acudiéramos; soy la jefa de Gigi, estamos preocupados, eso es todo.

El doctor deja de apuntar y vuelve a colgar el portapapeles al pie de la cama. Los dedos de los pies de Gigi asoman bajo la sábana; tiene las uñas pintadas de plateado. Con expresión un tanto renitente, le cubre los pies con la sábana y suspira.

—Drogas, píldoras. Eso es todo lo que puedo deciros. Estará perfectamente.

—Pero ¿cómo...? —dice Pete, sacudiendo la cabeza.

—Lo siento, eso es todo lo que puedo deciros. Tendréis que preguntar a la familia —dice, y abandona la sala.

Al parecer, Faith percibe la tensión ambiental, se despierta y empieza a llorar; la cojo en brazos. La enfermera se acerca con un paño y me cubre el hombro con él. Le doy palmaditas a Faith entre sus pequeños omóplatos, donde estarían sus alitas si fuera un ángel.

Yok Lan dirige unas palabras a la enfermera, que luego se dirige a mí.

—¿Señorita Grace?

—¿Sí?

—La señora decir: ¿Poder hacerse cargo de Nok Tong? ¿Por un día? Para, para... —dice, y cierra los ojos como si tratara de imaginar la palabra.

—¿Quién es Nok Tong? —pregunta Pete.

—Es Faith; es el nombre chino de Faith.

La enfermera frunce el ceño y nos mira buscando ayuda.

—¿Tal vez llevarla a la... cocina?

—¿A Lillian's? Es una cafetería —le explico.

—Sí, cafei-teiría. La señora dice sentir mucho y que ir a veros y recoger bebé. ¿Más tarde?

Vacilo un momento, pensando en los macarons que debo preparar hoy para la venta de los dos días siguientes.

—Puedo tomarme unas horas libres, Grace. No pasa nada —se apresura a decir Pete como si me leyera el pensamiento.

Le decimos a la enfermera que estaremos encantados de cuidar de Faith y ella se lo dice a Yok Lan, que me lo agradece estrechándome la mano.

Pete se inclina por encima de Faith y acerca el dedo a su puño cerrado. La niña abre el puño y le aferra el dedo. Pete ríe.

—Vaya, señorita Faith, hoy es tu día de suerte. Hoy tú, Gracie y yo prepararemos macarons.

Me mira con una sonrisa nueva y diferente; es como si el cansancio hubiera desaparecido y su mirada es suave y profunda. Le devuelvo la mejor sonrisa de la que soy capaz y disfruto del peso de Faith en mis brazos.

Más tarde, cuando el día ha dado paso a la noche, Pete se recuesta en la cama junto a mí y contempla el cielo raso. El aroma a horno y leche regurgitada impregna nuestra ropa. Al final de la tarde, Yok Lan pasó a recoger a Faith y la sujetó a sus espaldas con una larga tira de tela. Es demasiado vieja y frágil para cargar con un bebé, pero se alejó con expresión resuelta y el mechón de cabello negro de Faith asomado por encima de la tela. Veo de dónde Gigi saca su propia determinación.

—Bien... —dice Pete.

—Bien.

—Deberíamos haberle dado la leche maternizada que compramos a Yok Lan.

—¿Es que no se la dimos? —pregunto, y noto que niega con la cabeza.

En momentos como ese me doy cuenta que el apartamento está desordenado y lleno de polvo. Hay una cesta repleta de ropa limpia al pie de la cama; hace al menos una semana que está allí sin guardar. Quizá debería preguntarle a Rilla si conoce a alguien que pudiera ayudarme a poner orden y limpiar si le pago un poco más. Intento no pensar en Gigi o en Faith.

Pete se vuelve hacia mí.

—Eh, tú —susurra.

Lo miro.

—¿Estás bien? —pregunta.

—Estoy bien —contesto, suspirando.

Me acerco a él para que su aroma me envuelva y me refugio entre sus brazos. Huele a calor, harina y tazas sucias de café. Percibo su aliento en el cuello, bajo la oreja, entrando y saliendo como pequeños secretos. Antaño solíamos permanecer tendidos de ese modo todo el tiempo, pero no recuerdo cuándo lo hicimos por última vez. Durante las últimas semanas me he percatado de los pecados que cometí en el matrimonio: abandoné a Pete, lo evité, imaginé los labios de otro contra los míos, anhelé que otros labios cubrieran los míos. Apoyo la mejilla contra la de mi marido para percibir el roce: alberga un recuerdo. Él me abraza y presiona los labios contra mi cuello.

—Estar contigo es como estar en casa —digo, pensando en voz alta.

—A mí me pasa lo mismo —dice él en tono inequívoco.

Cuando me vuelvo hacia él, está preparado. Me cubre la cara de besos, me besa la boca con mucha suavidad. Siento una gran marejada en mi interior, como el agua que regresa al mar después de romper la ola. Casi me deja sin aliento. Pete se inclina hacia atrás, levanta mi camiseta y me desprende el sujetador, se inclina y deposita un beso por encima de mi pecho izquierdo.

—Ahí está tu corazón —musita.

Entonces me echo a llorar suavemente, contemplo su coronilla despeinada y observo cómo me besa los pechos. Me trata con mucha precaución, me acaricia con suavidad. Los sentimientos se agolpan y cada uno provoca más lágrimas. Pete me calma al tiempo que me quita las otras prendas, pero no intenta consolarme. Puede que ambos sepamos que es el momento de las lágrimas. Cuando él también se ha desvestido y está desnudo, vuelve a abrazarme y besa las lágrimas saladas que ruedan por mis mejillas. Me quita el cabello de la frente y me coge la cara con las manos. Me cubre las orejas con las manos y es como oír el murmullo del mar: es el zumbido de la sangre en mis venas, el palpitar de mi corazón. Callo para poder oírlo y las lágrimas cesan.

Cuando me penetra, lo hace con suavidad y elegancia. Al principio sus movimientos son lentos, hasta que lo acojo dentro de mí, más profunda y más rápidamente. Oigo el sonido de nuestra respiración en medio del silencio. Beso su cuello y sus párpados y todas las zonas de su cuerpo próximas a mis labios. Me llena, y también me llena el corazón, ese espacio oscuro y vacío cuyo dolor pasaba desapercibido. Cuando todo acaba, él casi permanece en silencio, pero yo suelto un grito y él se deja caer sobre mí, con su oreja junto a mis labios. Ambos dejamos de estremecernos y aún permanecemos tendidos uno junto al otro, cuerpo contra cuerpo, piel contra piel.

Incluso antes de oír el grito de Rilla, sé que Gigi está aquí. He de hacer girar la fuente en el horno de manera que los macarons se cuezan de manera pareja, pero, en vez de esto, me enderezo y hago una pausa. Han pasado varios días desde que la vi tendida en la cama del hospital; quizá se trata de una especie de instinto maternal, es una sensación que empieza en lo más profundo del estómago.

—¿Grace? —dice Rilla con voz ligera y cautelosa.

—Ahora voy —contesto, y me limpio las manos en el delantal—. ¿Te importaría hacer girar la bandeja?

Gigi está sentada ante una mesa en la parte delantera, mirando por la ventana, con las manos apretadas en el regazo. Faith duerme en el cochecito a su lado. Toso al acercarme y ella levanta la vista rápidamente. Es como si se hubiera fregado la piel; casi parece en carne viva, muy diferente de la antigua Gigi, que se hubiera cubierto el rostro de maquillaje como una princesa geisha post punk.

—Hola.

—Hola —murmura ella.

Me siento y ella no deja de mirarme.

Rilla trae té y dirige una sonrisa al ocupante del cochecito, baja la mano e imagino que acaricia la suave mejilla de Faith. Quiero echarle un vistazo, pero percibo la mirada de Gigi: necesita que me centre en ella.

—Duerme —dice Rilla en voz baja.

Gigi asiente, frunce el ceño y le devuelve una sonrisa forzada; Rilla se marcha y ambas bebemos un sorbo de té.

—¿Te encuentras bien? —pregunto.

—Sí.

Parece incómoda; no interrumpo el silencio y Gigi suelta un pequeño suspiro al beber el té con ambas manos rodeando la taza.

—Gracias, Grace. Por cuidar de Faith.

Le apoyo la mano en el antebrazo y ella se vuelve hacia la ventana.

—Te lo agradezco, de verdad —insiste, pero no me mira y una lágrima transparente se desliza por su mejilla con tanta lentitud que observo su recorrido hasta el mentón. Gigi se muerde el labio y parpadea. Caen más lágrimas y le acerco una servilleta. Ella hace caso omiso y sigue mirando por la ventana.

—Frank se ha marchado —dice con voz trémula.

—¡Oh, Gigi!

Ella menea la cabeza.

—Sé que hubiera sido un padre horroroso, ahora me doy cuenta. Yo no soy mucho mejor... Las píldoras fueron idea suya: un poco de diversión, dijo. Yo solo quería que las cosas volvieran a ser como antes, antes de que todo ocurriera. Fui una imbécil al tomarlas y ahora... ahora él se ha ido.

Asiento con la cabeza, no sé qué decir.

—Ha regresado a China. Aquí hay demasiadas cosas que lo avergüenzan: un bebé fuera del matrimonio, yo en el hospital... queda como un tonto —dice, haciendo una pausa—. Supongo que lo comprendo —añade.

Habla en tono suave, como si su voz hubiera perdido la resistencia y el coraje habituales; se restriega el mentón con la palma de la mano y se seca las lágrimas.

—Tal vez su familia lo obligó a marcharse. Si pudiera, mamá me hubiera obligado a hacer lo mismo; le encantaría que me fuera muy lejos, a algún lugar donde no suponga un bochorno para ella.

—Lo siento mucho, Gi.

—No pasa nada. Todo es un lío estúpido, pero quizá sea mejor que él no esté para empeorarlo aún más.

Quiero decirle algo útil, pero no se me ocurre qué. Ella carraspea y alza la barbilla, y recuerdo a la muchacha del templo. Me la recuerda la barbilla, pero todo lo demás parece muy distinto. Gigi se vuelve hacia mí con los oscuros ojos llorosos y susurra:

—No sé cuánto tiempo podremos quedarnos en casa.

—¿Qué quieres decir?

—Mamá quiere que vuelva a trabajar de crupier; dice que en los casinos se gana más dinero que en las cafeterías y que soy una perdedora por trabajar aquí.

—Oh, Gigi —digo, y se me cae el alma a los pies.

Al parecer, los macarons y Lillian's son lo único que impiden que la pobre muchacha se desmorone. Ella me mira y sabe lo que estoy pensando, asiente como si estuviera de acuerdo.

—Creo que me echará si no hago lo que ella quiere.

Recuerdo la mujer del hospital, el peinado elegante, el taconeo, el rostro crispado y amargo.

—¿Adónde irás?

Ella se encoge de hombros y suelta un suspiro prolongado.

—Tampoco lo sé. Lo peor es Pau Pau: ella me defiende y mamá se enfada tanto que amenaza con echarla a patadas también a ella. Está muy vieja, me necesita para que la cuide: ella se ha ocupado de mí durante mucho tiempo. Y no dudo de que mamá la echaría; mamá y Pau Pau nunca se llevaron bien. Mamá es igual que mi abuelo; murió hace tiempo, pero mamá la trata tan mal como la trataba él, como a una criada, con desprecio.

Reflexiono sobre la extraña característica de la genética, el modo en el cual la vida puede producir personas buenas y malas, así sin más. Personas locas y cuerdas, todas salidas de la misma baraja, de la misma familia. Cojo la mano de Gigi y ella me dedica un esbozo de sonrisa, agradecida pero cansada.

—Esto no es lo que imaginé para mí, convertirme en madre... —dice en tono trémulo.

No sé qué decir. Le aprieto la mano, confiando en que note mi empatía. Quiero decirle que todo irá bien, pero no quiero mentir: no sé si todo irá bien.

—Es demasiado duro y difícil, Gracie —dice en voz muy baja, como si reconocerlo pudiera romperla en pedazos.

Las palabras se me atragantan y estoy a punto de echarme a llorar yo también.

Faith gimotea pero no se despierta.

—¿Qué harás? —pregunto.

Gigi alza la vista. Las lágrimas se han secado en sus mejillas sonrojadas, pero aún tiene los ojos llorosos.

—Realmente no lo sé —contesta.

Ambas nos quedamos sentadas contemplándonos fijamente durante unos momentos. Siento que respiramos al unísono, que tal vez ella inspira cuando yo espiro y viceversa.

—Te ayudaremos, Gigi, te ayudaremos cuanto podamos. Solo has de decirnos qué podemos hacer, ¿lo prometes?

—Lo prometo, Grace —dice y hace una pausa—. Gracias. Si no fuera por este lugar, por Lillian's... —traga saliva y se interrumpe.

Asiento y susurro:

—Lo sé.

Porque es verdad: lo sé.

Cuando Pete regresa a casa estoy sentada en el alféizar bebiendo una copa de vino. Lleva el bolso que contiene su portátil en una mano y el periódico metido bajo el brazo. Se sorprende al verme.

—Has regresado a casa temprano.

—Hoy cerrará Rilla.

—Bien —dice, se quita los zapatos y se afloja la corbata. Se dirige a la cocina y regresa con una copa.

—¿Puedo sentarme junto a ti?

—Adelante.

Pete se sienta en el alféizar y se apoya contra el rincón,

lo imito y ambos unimos los pies en el centro. Tengo los pies y los dedos de los pies delgados, pero mis pies no son pequeños. Encontrar zapatos de mi talla en China no resultó fácil. Siempre quise tener pies pequeños. Los de Pete son casi del mismo tamaño que los míos, pero mucho más anchos. Bebe un gran trago de vino y suspira.

Aunque lo contemplamos todos los días, desde aquí arriba el panorama aún resulta fascinante. El sol, más que ponerse, se desvanece tras la espesa nube de polución. En la zona de ocio del complejo de apartamentos a nuestros pies hay niños jugando al baloncesto y observo cómo yerran un tiro tras otro.

—¿Va todo bien en Lillian's?

—Sí, todo va bien.

Pete asiente para animarme.

—Hoy vino Gigi —digo en tono incómodo, comprometiéndome a hablar con él, a compartir más cosas, tal como ambos nos hemos prometido a partir de ahora.

—¿De veras? ¿Se encuentra bien?

—¿Sinceramente? No. Me preocupa, Pete. Frank, el padre de Faith, se ha marchado y su madre parece que es un auténtico monstruo. Amenaza con echar a Gigi y a Yok Lan de casa si Gigi se niega a volver a trabajar de crupier —digo, tomando aliento—. Con razón Gigi siempre estaba tan enfadada.

Pete bebe vino y frunce el entrecejo.

—Tiene talento para la cocina, Pete, sé que lo tiene y ahora perderá esa oportunidad.

—No le resultará fácil: un bebé y sin padre. Sin apoyo. En medio de este caos económico... —dice, y se interrumpe.

Asiento: resultará difícil en los tiempos que corren.

—Ojalá pudiera hacer algo, ayudarla, ayudar a Faith, a Yok Lan. Todo es un desastre y Gigi realmente es una buena chica. Dura pero bondadosa y... No sé... —digo, interrumpiéndome y absorbiendo su atención: sus ojos parecen muy oscuros en medio de la penumbra—. No sé qué puedo hacer por ella —añado. Siento que estoy a punto de echarme a llorar.

Por un instante, Pete guarda silencio y ambos bajamos la vista y volvemos a contemplar la pista de baloncesto.

—Creo que te dirá lo que necesita cuando esté preparada. Puede que de momento no haya muchas personas que la escuchen, tal vez lo que necesita ahora mismo solo es alguien que la escuche.

Al tiempo que lo dice, uno de los niños logra hacer canasta y todos brincan y se abrazan. El niño corre en círculo, agitando los puños en señal de victoria.

—A lo mejor tienes razón —contesto, e intento que mi preocupación por Gigi, Faith y Yok Lan se deposite en el fondo de mi mente, como el sedimento en una copa de vino.

Vuelvo a mirar a Pete: arquea el pie y presiona los dedos contra los míos. El sudor le ha humedecido los calcetines y me moja los pies. Hago una mueca de asco y él sonríe. Volvemos a contemplar la pista; los niños ponen caras largas: mamá ha venido a buscarlos. Dice algo en cantonés que no logramos oír. Todos abandonan la pista en la dirección que ella les indica.

—Sé su amiga, Grace —dice Pete en voz baja.

Les soeurs — Las hermanas

Menta con ganache de chocolate amargo

Esa semana, más adelante y cerca de la hora de cierre, Rilla trae risas a la cocina cuando más las necesito. Aún sigo preocupada por Gigi cuando ella interrumpe mis pensamientos encendiendo la radio y bailando con el mocho. Agita las caderas bajo el delantal y zapatea. Me doy cuenta de que tenía el ceño fruncido cuando me echo a reír y ella me guiña un ojo, como diciendo «así está mejor», y yo meneo la cabeza. Su talento para el baile se parece al que tiene para el canto: casi nulo, pero nunca deja de hacerme reír. En Lillian's recuerdo todos los días lo afortunada que soy de que esté aquí conmigo y le dedico una sonrisa agradecida. Cuando suena el teléfono, ambas pegamos un respingo. Rilla baja el volumen de la radio cuando salgo de la cocina para contestar. La voz de Marjory suena agitada y habla apresuradamente.

—Soy yo, Grace. ¿Está Rilla?

Rilla emerge de la cocina y la miro.

—Sí, está aquí. ¿Te encuentras bien?

—Hemos de pasar a recogerla. Se trata de Jocelyn.

—¿Jocelyn?

Rilla se apresura a coger su chaqueta y su bolso, y, cuando Marjory prosigue, siento una repentina inquietud.

—Hemos de ir a recogerla al refugio. Creemos que sus jefes saben dónde está y tendríamos que trasladarla, por si acaso. No es bueno para ella ni para las demás mujeres. A lo mejor no es necesario, pero...

Oigo como el motor del coche cambia de marcha.

—¿Está...? —empiezo a preguntar.

La voz de Marjory aumenta de volumen al tiempo que suena un claxon.

—Tendré que explicártelo más tarde. Lo siento, solo hemos de trasladarla a un lugar seguro. No querrá venir conmigo, pero confiará en Rilla. No tienes inconveniente en que se marche más temprano, ¿verdad?

—No, claro que no.

—Bien. ¿Podemos llevar a Jocelyn a Lillian's, Grace? ¿Solo hasta que encontremos un lugar para ella?

Asiento y me doy cuenta de que no puede verme ni oírme. Mi corazón late apresuradamente.

—¿Grace?

—Sí, por supuesto. Sí.

—Gracias. Te veremos dentro de un momento, ¿conforme?

—Vale.

La comunicación se corta y veo que Rilla se pone la chaqueta y se prepara para irse. Me siento un poco perdida.

—¿Va todo bien? —pregunto.

Rilla se limita a lanzarme una mirada extraña y niega con la cabeza antes de dirigirse al aseo a toda prisa.

Tras unos minutos, el todoterreno blanco de Marjory se detiene ante la puerta. El rótulo de Lillian's se refleja en los cristales oscuros de las ventanillas, contra el fondo de un ocaso anaranjado. Rilla sale apresuradamente y monta en el asiento delantero, con el bolso en una mano y el delantal en la otra; luego me tiende el delantal con mano temblorosa y el rostro pálido y serio. Cuando cojo el delantal, Marjory y yo intercambiamos una mirada.

—Confío en que no tardaremos nada. Te lo explicaré todo cuando regresemos; lo prometo —dice.

Luego pisa el acelerador y arranca. Sostengo el delantal de color granate de Rilla con la mano izquierda. Un diminuto tornado levanta arena y polvo al otro lado de la calle y lo observo a medida que se aproxima y se convierte en un montón de arena al chocar contra el cordón. Saco el móvil del bolsillo y llamo a Pete. Apenas logro pronunciar un par de frases antes de que me diga que vendrá de inmediato. Me siento en el borde de la acera y espero.

Cuando el coche de Marjory aparca delante de la cafetería, Pete y yo estamos aguardando en el interior. El sol se ha puesto, dando paso a una delgada media luna. Se abre la portezuela posterior, Rilla se apea y luego ayuda a Jocelyn a apearse del coche. Al ver a Pete, Jocelyn pega un respingo, Rilla la rodea con el brazo y la hace pasar a la cocina; cuando Marjory abre la puerta, penetra una brisa helada, su rostro bonito está pálido y crispado. Pete le pregunta si quiere un café y ella asiente, se sienta enfrente de mí y me coge las manos.

—Muchas gracias, Grace —dice, soltando un profundo suspiro—. Muchas gracias por no haberme hecho preguntas antes.

—No pasa nada —murmuro, confusa.

—Creo que era importante llegar aquí cuanto antes, no me di cuenta de cuán horrendo podía ser este tipo de asunto. No lo creía, ni quería creerlo. Pero ahora... ahora lo sé —dice, sacudiendo la cabeza.

Cuando Pete le sirve la taza de café, Marjory la rodea con sus largos dedos. Pete lleva un jarro de agua caliente y las tazas a la cocina; oigo que ofrece té a Rilla y a Jocelyn, pero no oigo sus respuestas. Luego vuelve, toma asiento junto a Marjory y le rodea los hombros con el brazo. Ella se recuesta contra él con expresión agradecida.

—Rilla me dijo que Jocelyn tenía problemas, así que le

hablé de las Hermanas del Buen Pastor; administran un refugio, oí que lo mencionaban durante una subasta con fines benéficos.

—¿El Buen Pastor? —repito.

—Las hermanas, las monjas, prestan ayuda a las mujeres con problemas. He estado allí un par de veces desde que Jocelyn se trasladó, pero estaba demasiado asustada como para hablar conmigo. Cuando las monjas descubrieron que sus jefes quizá sabían dónde se encontraba, me llamaron por teléfono para ver si podía ayudarlas. También han de proteger a las otras mujeres —dice, y se lleva la mano a la frente.

Pete me mira esperando que le explique qué pasa, pero yo estoy tan perpleja como él.

—Lo siento, pero no entiendo nada. ¿Qué clase de problemas tiene? —pregunto.

—¿Rilla no te lo ha dicho? —pregunta Marjory, ladeando la cabeza.

Lo niego, sintiéndome culpable.

—No, no hemos hablado mucho.

Marjory toma aire, procurando tranquilizarse.

—Jocelyn vino a Macao para trabajar como empleada doméstica. Los de la agencia de contratación —si es que puedes llamarlos así— le consiguieron un empleo con una familia de aquí y después le dijeron que tenía que pagarles una suma de dinero todos los meses por esa prerrogativa.

Pete asiente con la cabeza y le miro.

—¿Ella debe pagarles a ellos? —pregunto.

—A veces funciona así —dice Pete en tono mordaz.

—Ese no era el mayor problema... —dice Marjory en tono amargo—. Sus jefes son una pareja y un padre anciano. Le quitaron el pasaporte en cuanto llegó y no le dieron ni un día libre. Le dijeron que era demasiado lenta, la trataron peor que a un perro —añade, estremeciéndose.

»Recurrió a la agencia, pero se negaron a ayudarla;

para ellos Jocelyn solo significa una paga. Le aconsejaron que se callara y no protestara y le recordaron que aquí una criada gana más que un abogado en Filipinas, y que si quería ser una buena madre para sus hijos —que se quedaron en Filipinas— tenía que trabajar más duro —dice Marjory soltando una carcajada cínica—. ¡Trabajar más duro! Como si fuera perezosa, como si ella tuviera la culpa...

La expresión de Marjory se endurece.

—Así que Jocelyn se escapó. Ha permanecido en el refugio desde aquella noche en la que ella y Rilla durmieron aquí.

Repaso lo ocurrido los últimos meses y veo a las dos muchachas tendidas en mi despensa. Pete me mira al tiempo que meneo la cabeza.

Marjory prosigue con su relato.

—Nadie más se dio cuenta de la gravedad del problema ni de lo que podía estar ocurriendo; solo consideraron que Jocelyn era un poco rara y silenciosa. O no quisieron enterarse. Pero Rilla lo sabía, debido a lo que le sucedió a ella en Dubái —o quizá solo por el aspecto de Jocelyn— y se hicieron íntimas amigas.

—Sí, Jocelyn solía encontrarse aquí con Rilla —murmuro, recordando que solía esperar a Rilla delante de la puerta, sin atreverse a entrar y con los largos cabellos cubriéndole la cara.

—Supongo que Rilla era alguien en quien podía confiar, pero cuando Jocelyn dejó de aparecer y Rilla no recibía llamadas ni mensajes, empezó a asustarse de verdad. Les mencionó el tema a otros filipinos de Macao y todos le dijeron que, si la veían, la avisarían. Disponer de semejante red fue un golpe de suerte: los guardias de seguridad en los bancos, las tiendas, las mujeres en la mayoría de los apartamentos sacando a pasear a los niños en cochecitos... ya sabes cómo funciona esto.

»Finalmente, alguien la vio en San Miu, el supermercado chino. Dijo que llevaba un gorro que le cubría la cabeza y no pudo ver su cara, pero que era Jocelyn. Rilla se alegró durante unos días al saber que la habían visto, que parecía encontrarse bien, pero creo que sabía que las cosas iban de mal en peor. De todos modos, hace unos meses Rilla recibió un mensaje de texto rogándole que se dirigiera al aparcamiento, delante del hipódromo. No era el número de teléfono de Jocelyn: resultó que se vio obligada a robar uno de los móviles de su jefe, pero no puedes culparla por ello. Le habían quitado el suyo y la mantenían encerrada en esa puñetera casa.

Marjory adivina lo que estoy pensando.

—Esa fue la noche en la que las descubriste, la noche en la que escapó.

—¿Qué había sucedido? —pregunto, con la garganta seca.

Me mira a la cara y hace una pausa antes de responder en tono iracundo.

—La habían golpeado con una sartén.

Se me hace un nudo en la garganta y me arden los ojos; a través de las lágrimas veo que Pete se ha llevado las manos a la cabeza.

—¡Dios mío! —dice.

—No lo sabía —digo con voz ronca.

—Eh, eh... —Marjory me acalla y me da unas palmaditas en el brazo—. Ninguno de nosotros lo sabía, Grace. La primera vez que Rilla me pidió ayuda no quise escuchar, no quería involucrarme, consideré que no era asunto mío...

—Pero lo es —dice Pete lentamente.

—Sí —dice ella, suspirando—; sí, es asunto nuestro. Estas personas vienen aquí para trabajar para nosotros: los expatriados y los lugareños ricos. Pero nadie las defiende ni las protege, así que esto es lo que puede ocurrir. Esto y cosas aún peores. No fue culpa tuya, Grace, no lo sabíamos, ¿vale? Pero ahora que lo sabemos podemos hacer algo, hemos de hacer algo.

Asiento y aprieto los labios. Oímos los susurros de consuelo de Rilla procedentes de la cocina.

—Esta noche pueden quedarse en casa con nosotros —dice Pete en tono firme.

Marjory se vuelve hacia mí.

—¿Estás seguro? A mí no me molesta...

—Sí —digo—, por favor, deja que se queden con nosotros.

—De acuerdo —contesta. Y, tras un suspiro, añade—: Muy bien. Podemos idear el modo de resolver este asunto. Lo que estas mujeres necesitan es una organización que las proteja, que les ayude cuando las cosas se ponen feas, como ahora. Don tiene un amigo abogado que quizá pueda ayudarles a presentar una demanda e iniciar el papeleo en caso de que sea necesario obtener un nuevo pasaporte para Jocelyn. Don está haciendo llamadas para averiguar qué debemos hacer. Sus jefes aún tienen su pasaporte y estarán intentando evitar que cuente lo que le pasó con ellos. Quién sabe de qué son capaces...

—Todo irá bien —me apresuro a decir—. Nosotros podemos cuidarla, podemos cuidarlas a ambas. Disponemos de sitio de sobra.

—Has de ir a casa, con Don —dice Pete—, pareces agotada; nosotros las llevaremos a casa y les ayudaremos a instalarse.

Marjory le dedica una mirada agradecida y se pone de pie. Su maquillaje se ha borrado y veo las arrugas que le rodean los ojos. Se quita las gafas de sol de la cabeza y, cuando se dispone a irse, algo me llama la atención, una idea que es como si un chorrito de agua helada se deslizara por mi espalda.

—Dijiste algo acerca de Dubái, Marjory...

Ella se vuelve.

—¿Acaso esto es lo que le sucedió a Rilla en Dubái?

Marjory frunce el ceño.

—¿No te preguntaste por qué siempre lleva mangas largas? —dice en tono suave pero elocuente—. Sí, es lo que le ocurrió en Dubái. Tienes que hablar con ella, Grace; he descubierto un montón de cosas sobre lo que puede pasarles a estas mujeres. Y no es nada bonito, te lo aseguro.

Marjory suspira, se vuelve y promete llamar mañana por la mañana temprano.

Estos días, Lillian's parece atestado incluso antes de la llegada de los clientes. Es una colmena, un aquelarre, una hermandad de mujeres. Mujeres metidas en la diminuta y tórrida cocina, trabajando, riendo, hablando y cuidando las unas de las otras.

Tras pasar unos días y unas noches en casa, Rilla regresa a su apartamento, pero Jocelyn se queda con Pete y conmigo. Todos los días ambas vamos andando hasta la cafetería; ella casi no pronuncia una palabra y se queda pegada al fregadero de la cocina en cuanto entramos en Lillian's. Le digo que no está obligada a trabajar, pero Jocelyn solo niega con la cabeza y se bambolea del fregadero al mostrador con ritmo elegante. Lo lava todo lenta y minuciosamente: lava las asas de las tazas y friega los platos con suavidad. En cuanto quita los macarons de la bandeja, introduce las bandejas de metal en el agua caliente; a veces murmura una melodía: al oírla, me doy cuenta de que tiene una voz bonita, aunque canta en voz tan baja que a veces resulta un tanto siniestra.

Gigi también se ha vuelto silenciosa; algo que antaño hubiera considerado imposible. Llega antes de que los clientes habituales estén esperando ante el mostrador para tomar su café matutino o de las mamás que alimentan a los pequeños con bollos, demasiado apresuradas para haberles servido el desayuno en casa. Aún no se ha acabado su baja por maternidad, pero no logro evitar que acuda; estoy segura de que Lillian's es un lugar más acogedor que su casa. Su rostro aún conserva ese aspecto borroso, su cutis es del color de los calcetines blancos lavados excesivas veces y las pecas se destacan contra sus pálidas mejillas. Es como si toda ella hubiera sido lavada demasiadas veces: habla en voz baja y parece desanimada. Solo hablamos de los macarons, se niega a hablar de otro tema. Supongo que ha logrado evitar que su madre cumpla con la amenaza de echarla, aunque tampoco le gusta hablar de ello. Tal vez le esté mintiendo acerca de dónde pasa el día; no me sorprendería. La cafetería y los macarons parecen darle fuerzas. Apunta ideas y pensamientos en un cuaderno que guarda en su bolso y una diminuta sonrisa le recorre la cara antes de desaparecer con rapidez.

Después de Gigi llega Rilla, corriendo desde la parada del autobús. Entra con la cabeza alta y se apresura a comprobar que Jocelyn está sana y salva, y la ayuda con el primer montón de platos sucios. Rilla demuestra una fuerza difícil de explicar, una especie de seguridad en sí misma. Marjory me dice que Rilla se ha convertido en famosa entre los filipinos por apoyar a las muchachas que han sido engañadas por las supuestas agencias de empleo o por los que las han contratado. Han oído su historia y han visto las quemaduras de cigarrillos en sus brazos. A partir de mis preguntas ha empezado a contarme lo que le pasó en Dubái: le pagaban mucho menos de lo prometido, debía dinero a los agentes y recibió golpes para someterla y acallarla. Se considera afortunada: algunas chicas son obligadas a ejercer la prostitución y unas cuantas nunca logran escapar.

Estos días, en ocasiones se ha remangado y he podido ver las cicatrices: círculos de color rojo tatuados en la piel; si no fuera por su porte erguido y el orgullo que irradia, me harían llorar. Me disculpo por el trato que les di a ella y a Jocelyn cuando las descubrí aquella mañana y ella me dice que lo olvide.

—No lo sabías.

Recuerdo lo acobardada que se mostró ante el ejecutivo que protestó porque el café estaba frío y pienso cómo se enfrentaría a él hoy en día. «Mírala.» Me llena de una especie de orgullo maternal y de algún modo se las arregla para mantener a flote a Jocelyn y a Gigi, como si fuera un bote salvavidas emocional.

Marjory es la última en unirse al grupo; llega por las tardes cuando el ajetreo del almuerzo ha pasado. Se acomoda en su silla habitual y bebe capuchinos, saca a Jocelyn de la cocina y habla con ella, desliza un largo brazo en torno a sus hombros y ambas cuchichean. Marjory le alcanza pañuelos de papel y noto que le mete dinero en los bolsillos cuando Jocelyn se niega a aceptarlo directamente. Ahora Marjory pasa las mañanas en el refugio del Buen Pastor y habla en tono efusivo de la hermana Julietta; yo le tomo el pelo: ¿qué hace una mujer tan a la moda en compañía de unas monjas?

—¡Realiza una tarea asombrosa, Grace! —exclama Marjory—. Estamos trabajando con un grupo de Hong Kong que a lo mejor logra meter en chirona a algunos de esos agentes que importan a esas pobres chicas para trabajar como empleadas domésticas. Como empleadas domésticas... ¡y una mierda: eso equivale a una esclavitud moderna y ellos lo saben! —dice con aire feroz.

Incluso comparte sus frustraciones y sus historias con Yok Lan, que la escucha con paciencia y sin comprender ni una palabra. Marjory dice que están a punto de lograr enviar a Jocelyn a casa con sus hijos, a Filipinas.

Gigi trae a Faith consigo, envuelta en chaquetas de plumón y un sombrero de lana en la cabeza; es invierno y el aire es frío. La instala en un rincón junto al mostrador, donde todas podemos observarla, como si fuéramos una gran manada de mamás. Faith parpadea y nos observa desde el cochecito: ojos redondos como pasas de uva y mejillas sonrosadas por el frío. A veces gorjea o se estira mientras duerme con los puños cerrados por encima de su suave cabello negro. Me fascinan su boquita color fresa y su cutis pálido, incluso cuando está despierta y chilla. Su aspecto resulta fresco y esperanzador frente a toda la tristeza y la violencia de las últimas semanas. La cojo en brazos y aspiro su aroma a talco y a bebé, y le cuento las historias que mamá solía contarme: de hadas, reinas, manzanas envenenadas, príncipes y alfombras voladoras. Cuando estoy con ella siento que mi corazón se llena de amor y de esperanza.

Yok Lan y yo nos turnamos para acunarla en el cochecito y cambiarle los pañales. Gigi lo deja en nuestras manos, nos prepara biberones calientes y se encarga de la caja mientras yo me ocupo de su hija. En parte me siento culpable por aferrarme a Faith mientras Gigi trabaja, pero ella me contempla con alivio; servir café a sus clientes habituales parece volverla más parecida a sí misma, le colorea las mejillas. Para ella es como una especie de terapia que no puedo explicar. Y quizá Faith suponga lo mismo para mí.

Querida mamá:

Hay unas cuantas personas horribles en este mundo, ¿verdad? Personas capaces de pegarle un puntapié a alguien cuando se ha caído, echarlo a la calle o quitarle su dignidad y quebrantar su espíritu hasta que no queda nada. ¿Cómo se vuelven así las personas? Tan podridas por dentro... ¿Aprendieron a ser así? ¿Nacieron así?

Todos los días contemplo a dos madres que han sido golpeadas y sometidas, como si no sirvieran para nada en este mundo. Les han dicho que son unas inútiles, casos perdidos. Han sido azotadas, con la lengua o con el puño, y estas mismas mujeres trabajan tan duro que apenas logro que se marchen al final del día. Y no es solo eso: hacen un gran esfuerzo por ser buenas madres de la única manera que saben. Es como si nadaran y nadaran solo para no ahogarse, pero nunca alcanzarán la costa.

Eso es lo que estabas haciendo tú, ¿no, mamá? Nadando y nadando para no ahogarte... Ojalá pudiera decírtelo directamente a la cara, ya que sé con cuánto ahínco lo intentaste. Ahora lo comprendo. Te perdono todo lo demás. ¿Me perdonas a mí?

Tu hija que te quiere,

GRACE

Le retour – El regreso a casa

Mango ácido relleno de crema de mantequilla

Recorro la casa de puntillas procurando no hacer ruido, pero las tablas del suelo sueltan un chirrido. En la cocina pongo dos rebanadas de pan en el tostador y caliento agua para el té. No quiero despertar a Jocelyn, que todavía duerme. Veo que ha secado y guardado los platos que dejé en el escurreplatos. Aunque le suplico que no lo haga, ordenar parece ser una especie de manía: no deja de doblar servilletas u organizar armarios con la mirada dirigida hacia el espacio entre los objetos. Es como si confiara en que si mantiene las manos ocupadas evitará recordar cosas tenebrosas, la clase de recuerdos que ni siquiera quiero imaginar. La única que parece saber cómo consolarla de verdad es Rilla: la trata con mucho afecto y bondad, como si Jocelyn fuera su hermana pequeña; le trae el almuerzo: huevos duros con rostros sonrientes pintados en la cáscara o deposita pequeños ramitos de margaritas junto a los sándwiches de Jocelyn. Cuando están en Lillian's, le da palmaditas en la espalda, le susurra en tagalo y la acompaña al aseo para desahogarse llorando.

Las tostadas surgen del tostador, calientes y doradas. Apago el hervidor antes de que haga un silbido al soltar el vapor. A mis espaldas oigo un bostezo perezoso.

—No hacía falta que te levantaras de la cama —digo en voz baja.

Pete se pasa la mano por el pelo; lleva puesto un pijama a rayas azules, rojas y verdes, y en la mejilla izquierda aparecen las arrugas de la almohada. Me ofrece una sonrisa torcida.

—Pensé desayunar contigo —susurra, echando un vistazo a la puerta cerrada de Jocelyn.

—No hace falta que susurres, aún está dormida.

Pongo a tostar dos rebanadas más y le ofrezco la mía, cubierta de mantequilla. La acepta y ambos desayunamos apoyados contra el horno. Bebo un sorbo de té verde y el líquido calienta los recovecos de mi cuerpo; suelto un bostezo tan perezoso como el suyo.

—Olvidé de decirte que cerrarán algunos de los restaurantes —dice, tragando un bocado de tostada.

Se genera una pausa incómoda.

—Es el Aurora, ¿verdad?

Él asiente, me rodea la cintura con el brazo y me estrecha. Suelto el aliento; hace mucho tiempo que no pienso en Léon, en parte debido a que no acude a Lillian's con la misma regularidad que antes. Cuando recuerdo lo que sentía por él, noto una profunda vergüenza: fue como un delirio febril que me invadió y que luego desapareció, dejándome desnuda y abochornada. Como un bocado de tostada; notar la presión del brazo de Pete me tranquiliza. Sus ojos lanzan destellos verdes y dorados bajo la luz matutina.

—¿Qué ocurrirá con Léon? —pregunto, alzando un poco el mentón.

Pete me contempla, como si buscara algo en mi mirada. Sé lo que busca, pero no lo encuentra. Su mirada se suaviza y sacude la cabeza, quitándose las migas de las perneras del pijama. Coge el hervidor y se prepara una taza de té.

—No lo sé. Lo llamaré para averiguar qué está ocurriendo. No es mi área, pero... bueno, quizá le deba una llamada —dice, también en tono avergonzado.

—Pobre Celine —añado, y entonces pienso en sus hijas.

—Sí. Creo que pueden trasladarlo a otro proyecto si él lo desea, pero no sé: se rumorea que se quedará. Por lo visto le gusta vivir en Macao. Los casinos, el estilo de vida...

Recuerdo el *brunch* que celebramos en el Aurora, las mesas rebosantes de comida, la miel y el pan, caliente y recién horneado. Sacudo la cabeza: el tiempo parece extraño y elástico, como si todo hubiese ocurrido ayer y al mismo tiempo hace años. En aquel entonces Lillian's no existía y Marjory, Rilla, Gigi y Yok Lan no formaban parte de nuestra vida. Reúno a todas esas personas en la cabeza como si fueran piezas de una colcha de *patchwork*, cosidas una junto a la otra. Mis recuerdos recorren las piezas, uniéndolas: Gigi buscando a Yok Lan después del terremoto, Rilla y Gigi canturreando y cantando y riendo en Lillian's.

Pete deja la taza en la mesa y se sitúa frente a mí, me coge ambas manos y me contempla directamente. Es un gesto muy solemne y es como si la habitación se hubiera vuelto más penumbrosa. Inspiro y sostengo el aliento hasta que el esfuerzo se vuelve doloroso. Pete sonríe, pero es una sonrisa nerviosa.

—Grace —dice—, no estoy seguro de cuánto tiempo más...

Desvío la mirada y clavo la vista en el suelo. Tengo los pies fríos, la laca roja de las uñas se destaca contra mis dedos pálidos. Él también baja la vista y los mira, apoya la punta de los pies contra los míos y apoya la frente contra la mía.

—Grace... —musita, pero no acaba la frase. Siento su cálido aliento en la cara, el aroma dulzón de las tostadas. Se inclina hacia mí y después se apoya en los talones, me besa la ceja y frunce el ceño.

—Sé lo mucho que significa este lugar para ti en estos momentos.

Es como si me hubiera tragado un puñado de guijarros.

—¿Cuándo tendremos que marcharnos? —pregunto en voz tan baja que apenas la oigo.

El fin de año pasa con mucha rapidez, como un extraño borrón, al tiempo que nos preparamos para el regreso a Filipinas de Jocelyn. Puede que tenga que regresar a Macao si hay un juicio, pero el amigo abogado de Don nos ha advertido que esos casos a menudo se desmoronan. No está convencido de que den crédito a la palabra de una criada filipina en el tribunal. Es su palabra contra la de su jefe y este la describirá como una inmigrante mentirosa y poco fiable. Resulta doloroso comprender con cuánta facilidad se tragarían esa historia. Si yo pude llegar a desconfiar de Rilla, ¿quién creerá a Jocelyn? A todos nos enfurece la idea de que los jefes de estas muchachas no se vean obligados a rendir cuentas, pero procuramos centrarnos en lo que ahora resulta realmente importante: conseguir que Jocelyn regrese junto a sus niños, sana y salva.

Marjory dice que debe estar preparada para partir en cualquier momento, así que siempre hay una mochila lista junto al pie de su cama. Ya es Navidad, pero resulta difícil de sumirse en el espíritu navideño cuando todos pegamos un respingo cada vez que llaman a la puerta o suena el teléfono. Les regalo pequeños adornos de plata a Rilla, Marjory, Gigi y Jocelyn, con su nombre grabado en la base; para Faith he comprado un ángel de peluche blanco y dorado. El día de Navidad abrimos una botella de champán en Lillian's y tomamos unos bombones rellenos de trufa que he preparado y después Pete, Jocelyn y yo cenamos pollo asado, pero es una celebración tranquila. Durante un minuto es Navidad, y al siguiente ya no, o al menos eso es lo que parece. Jocelyn guarda su adorno en un bolsillo lateral de su bolso y veo que de tanto en tanto comprueba que aún está ahí.

Finalmente, la mañana de Año Nuevo, llega Marjory con el nuevo pasaporte de Jocelyn y un sobre que contiene los billetes de avión y dinero en efectivo. Rilla acude apresuradamente de su apartamento para despedirse de su amiga.

—¿No has olvidado nada? —pregunto, como una madre nerviosa.

Jocelyn asiente y sonríe, y palmea el bolsillo lateral de su bolso. Rilla la mira a los ojos y le da consejos en tagalo, aferrándola de los hombros al hablar. Imagino lo que le dice: no hables con extraños, en cuanto llegues a Manila monta inmediatamente en el autobús, no pierdas de vista tu bolso y tu mochila, ¿has ido al lavabo? Jocelyn sonríe: debemos parecer muy preocupados. Hasta Pete tiene un aire melancólico.

—La echaré de menos —murmura, rodeándome la cintura con el brazo.

—Lo sé; yo también.

Hemos visto fotos de sus hijos y nos ha contado historias sobre ellos. Un niño llamado Matthew y una niña llamada Teresa. Nombres de santos, como si desde el principio hubiese sabido que necesitarían una protección especial. Ambos poseen los mismos ojos oscuros y el rostro pequeño de su madre. A Teresa le gusta dibujar y los cuentos de hadas, a Matthew le gusta trepar a los árboles. Jocelyn no habla de su padre y no pregunto, pero no aparece en ninguna de las fotos, de bordes desgastados y colores borrosos de tanto frotarlas.

—Pronto verás a tus niños —dice Marjory, como si me leyera el pensamiento.

Jocelyn levanta la vista.

—Estaré muy feliz de estar con ellos —dice con ojos brillantes.

—Cuídalos, Jocelyn. No los pierdas de vista —le advierte Rilla.

—No lo haré.

—Dales un abrazo de parte de todos nosotros, estréchalos entre tus brazos —añade Pete.

—Bien —dice Marjory, y me mira. Intento no llorar—. Supongo que será mejor que nos pongamos en marcha de una vez.

—¿Quieres que te acompañemos al aeropuerto? —pregunta Pete.

Marjory niega con la cabeza.

—Cuantos menos seamos, mejor. Solo entraré un momento para comprobar que todo va bien. No queremos llamar la atención.

Todos las acompañamos hasta el coche. Cuando Jocelyn monta en el asiento del acompañante del coche de Marjory, su larga cabellera se derrama por encima de sus hombros y recuerdo ver esos cabellos y el horrendo moratón negro. Ahora, cuando levanta la cabeza, su rostro es claro y luminoso, como iluminado desde el interior. Está a salvo, se va a casa. Articula la palabra «gracias» con una mano pegada a la ventanilla. Rilla, Pete y yo la saludamos con la mano.

Marjory arranca y hace sonar el claxon un par de veces antes de ponerse en marcha y nos quedamos observándola hasta que desaparece calle abajo.

Al día siguiente, Rilla recibe un mensaje de texto de Jocelyn. Ya está en casa con su hermana y sus niños, en su pequeña ciudad junto al mar. Todos están sanos; Matthew y Teresa han crecido. Cenaron pescado con arroz. Su hermana tomó fotos de todos y nos enviará unas copias. El mensaje acaba con una cara sonriente y todos suspiramos aliviados.

—Podría matar a los que le hicieron eso —dice Gigi en tono amenazador.

—Todos podríamos —añadó.

—Dios, el mundo está lleno de cabrones.

Rilla entra en la cocina con una bandeja llena de tazas sucias y me mira, pero no reprendo a Gigi por decir tacos. Tiene razón: el mundo está lleno de cabrones.

—¿Hay alguien en la cafetería?

—Solo Linda y el club de lectores —contesta Rilla.

—¿Están a punto de marcharse?

—Creo que sí, ya que las clases terminan dentro de diez minutos.

—Iré a preparar la cuenta.

Tengo la impresión de que Rilla parece un tanto aliviada, pero no estoy segura; empieza a cantar acompañando una melodía que suena en el transistor apoyado en el alféizar de la ventana de la cocina. Recientemente ha empezado a escuchar música *country* y de algún modo su voz suena mejor canturreando las letras que hablan de penas de amor, del perro sentado en el porche y de la furgoneta con un neumático pinchado. A Gigi le parece horrendo y pone los ojos en blanco.

Cuando Linda se acerca al mostrador, imprimo el recibo de la caja. Lleva el cabello rubio desacostumbradamente largo; le cae por encima de sus hombros.

—Gracias, Gracie, hoy los macarons estaban deliciosos —dice.

—Lo celebro. ¿Solo tu cuenta o las invitas a todas?

—Una sola cuenta. Pues estamos de celebración —dice, hace una pausa y espera que le haga una pregunta; tengo ganas de guardar silencio, pero me parece una falta de educación.

—¿Qué celebráis?

—Paul consiguió un empleo en Singapur, en el nuevo proyecto. Es un empleo importante.

—¡Qué bien!

—Nos iremos en un par de meses.

—Me alegro mucho por ti —digo con una sonrisa, guardo los billetes en la caja y le entrego unas monedas.

—Supondrá un gran cambio —dice, arqueando las cejas—. Singapur es tan diferente, sabes...

—Nunca he estado allí —admito.

—¡Oh, has de ir, Grace! Es maravilloso. No hay basura en las calles, los restaurantes son estupendos, nadie escupe —dice, dedicándome una mirada alborozada—. Es tan civilizado, tan limpio...

—Bien —contesto en tono brusco. Suena la campanilla de la puerta y veo entrar a Marjory. Lleva pantalones blancos y una estrecha camisa negra; la sigue la versión opuesta a su estilo: una monja envuelta en un hábito blanco y marrón, con el rostro sin maquillar y los ojos azules y brillantes. Debe de ser la hermana Julietta. Ambas me regalan una amplia sonrisa.

Linda no ha notado que he desviado la mirada.

—Tendrás que visitarnos, Grace. Es maravilloso —repite.

—Sí, quizás algún día —digo en tono distraído.

Linda cierra el bolso, suspira y se inclina hacia delante.

—Pensaba decírtelo: me alegro de que te hayas deshecho de la otra; esas pueden causarte problemas.

—¿Cómo dices? —digo, volviendo a prestarle atención.

—Me refiero a la otra chica, la que ya no está.

—¿Te refieres a Jocelyn? —pregunto en tono tenso.

—¿Se llamaba así? Bueno, si necesitas un par de manos extra, estoy segura de que una de nosotras podría ofrecerte un par de horas. Si estuvieras en un apuro, claro está.

—¿Una de nosotras? —repito en tono cáustico.

Linda queda boquiabierta por un segundo y después, bajando la voz, dice:

—Me refiero a una de nosotras, Gracie, las expatriadas. Estamos muy ocupadas con los niños, los maridos, etcétera, pero siempre habrá alguien que te eche una mano si te encuentras en un apuro.

Intento imaginar a Linda con las manos de uñas pintadas sumergidas en el agua jabonosa. Quizá no lava sus propios platos, por no hablar de tener el aguante necesario para pasar unas cuantas horas de pie ante mis pringosas fuentes de horno.

—Pues resulta que Jocelyn era maravillosa, Linda. La echamos muchísimo de menos... Pero todo va bien y, por supuesto, no necesitamos ayuda; Gigi y Rilla lo tienen todo bajo control.

Linda da un paso atrás y aprieta los labios; frunce el ceño, pero se obliga a sonreír.

—Bien... —dice.

—¡Linda George! —exclama Marjory con voz fría y dulzona.

Linda se vuelve.

—Hace años que no te veo. Tienes un aspecto estupendo. ¿Te has hecho extensiones en el pelo?

Por un instante Linda clava la vista en Marjory, en sus pantalones blancos y ese magnífico cuerpo de bailarina bajo la estrecha blusa negra.

—Te estabas marchando, ¿verdad? —pregunta Marjory, lanzándole una sonrisa gélida.

—¿Eh...?, sí...

Linda echa un vistazo a Marjory y después a la monja: es como una ecuación que no sabe resolver. Marjory, la monja, Marjory. Ambas la contemplan sin ofrecer una explicación ni presentarse.

—Te estabas marchando, ¿verdad? —repite Marjory.

Linda asiente en silencio; antes de alcanzar la puerta, se vuelve y levanta la cabeza y, como demostrando que somos muy amigas, alza la mano, agita los dedos y me dedica una amplia sonrisa.

—Hasta pronto, querida Gracie.

Siento un gran placer al contestarle lentamente y en voz alta, para que todos puedan oír mis palabras.

—Que te den, Linda.

Con el rabillo del ojo observo la amplia sonrisa de Marjory.

La môme piaf — El gorrioncillo

Pera y castaña con crema de mantequilla al licor de pera

Muy temprano, antes de que amanezca, despierto bruscamente. El fresco aire de enero me envuelve al tiempo que inspiro profundamente tratando de descubrir dónde estoy y aguardando que mi corazón deje de latir como un caballo desbocado. Soñé que Faith estaba en nuestra cama, su pequeño cuerpo acurrucado entre ambos y aferrando el dedo de Pete. Me incorporo y apoyo la mano en las frescas sábanas, pero ella no está allí, por supuesto. Recuerdo su rostro: mechones de pelo negro, cutis tierno, ojos oscuros del color del té *oolong* llenos de lágrimas. Hace semanas que pasa todos los días en Lillian's. Por las mañanas anhelo que llegue con Gigi para sostenerla en brazos, besarla y aspirar su olor a bebé. Ahora se me aparece en sueños.

Pete me ha dicho que el equipo de Melbourne requiere su presencia en Australia. Hay que construir un hotel y en Macao el negocio de la construcción lucha por seguir obteniendo fondos. Para él supone una decisión profesional sencilla, pero sabe que me destroza el corazón. Me ha concedido más tiempo del que puede permitirse, dejando pendiente su respuesta a la oferta de empleo, pero sé que no seguirán esperando mucho tiempo. Aunque adoro mi trabajo, no basta para mantenernos a ambos, como el de Pete, y supongo que se podría argumentar que puedo montar una cafetería en cualquier parte, pero ¿podría? Pete necesitará que lo apoye, a fin de cuentas somos un matrimonio y pronto tendré que decidir qué hacer con Lilllian's. Eso es lo más difícil; eso y saber que pronto no disfrutaré de esos rostros que me acompañan todos los días: los de Marjory, Rilla, Gigi y Faith.

Vuelvo a tenderme y suelto un suspiro que se convierte en un sollozo y un nudo en la garganta. Pete sigue durmiendo sin notarlo. Cuando duerme, su rostro se vuelve blando y hermoso. Las lágrimas se derraman por mis mejillas, meto la mano en la boca y la muerdo. Las lágrimas dejan de fluir lentamente; unas cuantas gotas se deslizan por mi cuello y humedecen el cuello del pijama. Quiero que Faith esté con nosotros y el deseo me provoca un dolor en el pecho.

Imagino a mamá tendida en la cama tapada hasta el mentón, preguntándose dónde estoy, si estoy a salvo. ¿Sabía que me estaban cuidando? ¿Confiaba en que yo sabía cuidar de mí misma, que ya era lo bastante mayor como para sobrevivir por mi propia cuenta? ¿Sin ella? A lo mejor llegué a la conclusión de que ella era demasiado egoísta, necesitada y centrada en sí misma para inquietarse por mí. Pero me he equivocado al respecto: se hubiera preocupado, ahora no me cabe la menor duda. Mamá se hubiera preocupado por mí como yo por Faith, cuyas dulces facciones siempre tengo presentes.

Imagino a mamá en mi habitación vacía, con las manos apoyadas contra las sábanas de mi cama, las paredes cubiertas de pósters, una colección de entradas a conciertos guardadas en un viejo vaso de helado encima del tocador. ¿Se hubiera sentado y abrazado a la almohada? ¿Habría llorado para que yo regresara a casa? ¿A Inglaterra? Nunca supuse que llegaría a casa demasiado tarde: ese no era mi plan. Claro que confié en que volveríamos a vernos cuando yo estuviera preparada y ella se hubiese disculpado por las cosas que dijo. Solo que tardé mucho tiempo en estar preparada. Y entonces...

Querida mamá:
Dicen que la verdad te hará libre. ¿Lo crees? Tal vez sea hora de comprobarlo.
Sé que no hará que vuelvas.
Tu hija que te quiere,

GRACE

Así que he de contar cómo descubrí lo que pasó con mamá.

Pete y yo regresamos de nuestra boda —de solo dos personas— en Bali. Estábamos bronceados y felices, aún nos besábamos cada vez que se presentaba la ocasión. Las puntas de mis cabellos estaban resecas y partidas por el sol y la sal, rojos y secos como las hojas otoñales. Estaba tan encantada de estar casada que no dejaba de hacer girar mi anillo en torno al dedo. «Ahora podré formar una nueva familia», pensé. Era como si océanos, universos y mundos me separaran de Londres y eso me agradaba. Mi pasado era demasiado complicado para enfrentarme a él, mamá una carga demasiado pesada y el futuro parecía dulce y lleno de amor. Estaba preparando el desayuno y Pete estaba en el salón viendo la televisión, gritando «te quiero» durante los espacios de publicidad, cuando sonó el teléfono. Tardé en contestar; al descolgar hubo una pausa y luego un zumbido y entonces oí una voz femenina.

—¿Grace Raven?

Pensé en mi nuevo apellido de casada, Miller, y apoyé el auricular en el hombro al tiempo que cogía el tostador.

—Sí.

—¡Oh, eres tú! Creí oír un deje inglés, pero es difícil de identificar; eres una mujer difícil de encontrar, querida.

Era un deje inglés, del norte. Puse la tostada en un plato e hice una pausa,

—Lo siento, ¿quién eres?

—¡He de decirte que he tenido que librar una auténtica batalla para encontrarte!

Un deje de Manchester. La mujer siguió hablando atropelladamente.

—Soy Fran, Fran Adamson, una enfermera del St. Bernard's. Ella dijo que tenía una hija, pero no estaba segura, y después tardé tanto tiempo en encontrarte... El departamento de nacimientos, fallecimientos y matrimonios es un desastre. Aún más desastroso que la administración de un hospital, que puede ser una calamidad.

Una enfermera de Manchester llamando desde un hospital londinense.

—¿Fui a la escuela contigo, Fran?

—Oh no, lo dudo —dijo, riendo—. Soy bastante mayor que tú. Y lo sé porque tengo tu partida de nacimiento en el archivo.

—¿Qué?

—Cuando tú naciste yo estaba en el instituto, querida.

—¿Cómo dices?

—Eres la hija de Lillian, ¿verdad?

Me tomó por sorpresa, tragué saliva y respondí:

—Sí.

—Conocí a tu madre, fui una de sus enfermeras.

Al principio no noté que hablaba en pasado; solo reaccioné después, como en las películas.

—¿Mamá está enferma?

—Bueno, no nos gusta decirlo así, pero sufría una enfermedad, una enfermedad mental. Consideré que lo sabrías...

—¿Que sabría el qué? Lo siento, pero ¿qué debería saber?

—Te llamé porque eres el familiar más cercano. He de notificarte de su... fallecimiento.

Trato de aferrarme al teléfono con ambas manos al tiempo que me deslizo hasta el suelo.

—¿Estás ahí? —prosiguió Fran; no parecía nerviosa, era como si dijera esas palabras todos los días. Hacía meses que mamá estaba internada en el St. Bernard's. Creía que tal vez unos ocho meses, pero no estaba segura porque no tenía la ficha de ingreso ante ella. Dijo que los archivos del hospital eran «un auténtico desastre» y que además ella no trabajaba allí cuando ingresaron a mamá; solo se enteró más adelante. Le dijeron que había llegado empapada, que llevaba un camisón y un par de leotardos negros—. El día que la policía la recogió estaba lloviendo y la llevaron directamente al St. Bernard's. Menos mal, porque a veces ellos acaban en la cárcel o no los recogen, y eso no es bueno.

«Ellos.» ¿De qué estaba hablando?

Casi olvidé dónde estaba mientras escuchaba a Fran recitando esos hechos de la vida de mamá de los que yo lo ignoraba todo. «Ahora lo denominan trastorno bipolar», dice y empieza a recitar descripciones de medicamentos con nombres largos. Es como si el suelo se disolviera. Fran dijo que mamá solía hablar de mí cuando tenía un día bueno. Dijo que tenía una hija viviendo en Australia, pero que hacía cierto tiempo que no hablaba con ella. Cuando murió, Fran se preguntó si realmente existía una hija, pero miró en el archivo y descubrió la partida de nacimiento. Crystal, la dentista que solía atenderme, era una chica del instituto y ella le preguntó a otra persona dónde estaba. Yo no tenía muchas amigas en el instituto, así que le llevó cierto tiempo encontrar a alguien que tuviera mi número de teléfono.

Entonces se produjo una breve interrupción en el torrente de palabras. Me apoyé contra el aparador; la voz de Fran se volvió tajante.

—Bien, así que fue necesario llamarte e informarte acerca de tu madre. Ya sabes, oficialmente. No es que tuviera muchas cosas, pero aquí hay algunas. No sé si las quieres.

Entonces volví a recordar que estaba muerta. Era como si lo recordara y olvidara en oleadas, como las olas alejándose y aproximándose a la orilla.

—Gracias... por llamar —dije con voz monótona.

—Fue un lío encontrarte —insistió—. En mi tiempo nadie se trasladaba y ahora tú estás en Australia. Mi hijo vive en Boston, nada menos. Hoy en día todos estamos desparramados, ¿no te parece?

Sacudí la cabeza, tenía que cobrar valor de algún modo.

—¿Puedes hablarme de su muerte, Fran? No logro comprender.

Fran hizo una pausa, o tal vez fuera el retraso, no lo sabía. Suspiró, en un tono incluso un poco nostálgico, y me dijo que mamá había muerto hacía unos tres meses. Los médicos estaban satisfechos, estaba pasando por un buen período, no era tan «salvaje», como dijo Fran, y le permitieron salir a dar una vuelta, ir de compras, esa clase de cosas. Fran dijo que le gustaba comprar bollos dulces en la panadería o pasear hasta el parque.

—Un día salió y no regresó puntualmente; debía de haber vuelto hacía un par de horas. Entonces recibimos una llamada de Joe, el conductor de la ambulancia. Un tipo encantador, Joe. Dijo que un coche atropelló a una de las nuestras.

«Una de las nuestras. Mi madre», pensé, y se me hizo un nudo en la garganta.

Fran continuó, diciendo que mamá no sufrió, que la señora que conducía el coche estaba muy consternada. Una tragedia, que no había visto a mamá: ya era oscuro, casi no había luz y conducir se volvía complicado. Me lo imaginé, invoqué visiones de la luz tornándose gris, una lluvia ligera, los ladridos de un perro a lo lejos y las ruedas chirriando al girar alrededor de una esquina. El aroma del ocaso, húmedo y verde.

Fran siguió hablando, pero ya no le presté atención. Dijo que había una cinta grabada con las poesías de mamá entre sus objetos personales, una carta, un libro y un jersey, esa clase de cosas; en el billetero guardaba fotos de un bebé, de una niña y de una adolescente. «Supongo que eras tú», dijo Fran, y me preguntó si quería esos objetos. Tal vez fue entonces cuando Pete entró en la cocina, me echó un vistazo y me quitó el teléfono de las manos.

—Tranquila, estoy aquí. Estoy aquí, cariño —dijo, y su voz sonaba muy remota.

Me levanto de la cama y me dirijo al estudio; tengo que agacharme debajo del escritorio para recuperar la caja. Contiene un sobre apoyado encima de un montón de otros donde aparece mi escritura. Este es muy liviano y lo abro con mucho cuidado. He leído la carta tantas veces que el papel se ha desgastado, casi roto en los pliegues. Toco las letras inclinadas con la punta del dedo.

Gracie, niña mía:

Me temo que tu mamá se ha vuelto a meter en un lío. Supongo que no te sorprende. Al parecer, tengo cierto talento para meterme en problemas, verdad, ¿cariño? Pero esta vez no has de preocuparte, estoy en un buen lugar donde me cuidan y ya me encuentro mucho mejor. Tal vez hace tiempo que debería haberlo hecho: ingresarme por mi propia cuenta, pero lo hecho, hecho está. *C'est la vie, non?*

He estado pensando en ti, Gracie, preguntándome cómo son las cosas allí. ¿Es verdad que hay canguros correteando por las calles? Alguien me lo dijo, en cierta ocasión; creo que me estaban tomando el pelo. Pero la idea me hizo gracia: te imagino esquivando canguros y tejones camino del supermercado, cargando con bolsas llenas de mangos, piñas y plátanos y con una gran pamela blanca en la cabeza. ¡Muy estilo Jackie O! Ten cuidado con las insolaciones, cielo, nosotras, las chicas Raven, tenemos la piel muy sensible, ¿sabes? No seas como todas esas flacuchas que se tuestan al sol hasta que se vuelven de color anaranjado, Gracie.

¿Has conocido unos chicos allí? Oh, lo sé: las mamás no deben preguntar, supongo que debería haberte dado una hermana para que pudieras hablar con ella, susurrar debajo de las mantas, compartiendo secretos e historias. Nosotras solíamos hacerlo, ¿recuerdas, cielo? Antes de que tuvieras edad para interesarte por los chicos. Me lo contabas todo, hablábamos hasta que tú te dormías en medio de una frase. Me hacías reír cuando hablabas de los premios ganados por Lizzie en la clase de equitación o de Bill Ringwood apareciendo en la escuela con su trompeta o cuando me suplicabas que te comprara un gatito por enésima vez. Y entonces, pum: te quedabas dormida. Tus ronquidos eran muy sonoros, cariño mío. ¿Sigues roncando? Supongo que tendría que haber un muchacho en tu cama para que te lo dijera. ¡Ja! He vuelto a hacerlo.

Y apuesto a que tienes un amor. Nunca te diste cuenta de lo hermosa que eres. Los hombres lo notan, cielo.

Bueno, a lo mejor iré a visitarte y lo comprobaré; iré a jugar contigo y con los canguros. Sé que dije unas cosas horribles antes de que te marcharas, Gracie niña mía, pero perdonas a tu vieja mamá, ¿verdad? Sabes como me pongo a veces. Un poco excitada; me visito con un doctor aquí y él dijo que podía suceder. Me está ayudando a comprenderlo todo. Hace que me preocupe un poco menos por ser tan loca. Pero te lo contaré cuando te vea. Me pondré mejor, iré a verte y volveremos a arreglar las cosas, ¿verdad, Gracie? No hablaba en serio cuando dije esas cosas.

Estoy impaciente por verte, tu ausencia hace que me sienta torcida; quiero que me cuentes cosas de tus viajes, de todas las personas que conociste y todo lo que comiste. ¿Te enseñé a preparar *pavlova*? Es una tarta de merengue australiana. Te gustaría, recuerdo cuánto te gustan los dulces. Igual que a tu mamá. Podría enseñarte a prepararla a la perfección: alta, esponjosa y repleta de azúcar.

Hablaremos pronto, niña mía,

Tu mamá

x x x (y muchos más)

Vuelvo a deslizar la carta en el sobre. Nunca dejé de sentirme culpable por no haber podido contestar a la carta de mamá. Su última carta.

Cuando no pude quedarme embarazada y tampoco dejar de soñar con ella, fue cuando empecé a escribirle cartas, deseando que de algún modo las leyera. Tal vez hablándome desde el cielo o susurrando respuestas en mis sueños. La echaba tanto de menos que me dolía todo el cuerpo. Quizás esas cartas supondrían una compensación por todas las que no escribí, cuando ella me necesitaba a mí y yo lo ignoraba. Una especie de confesión, una manera de que ambas nos redimiéramos del pasado. Era nuestra conversación privada y unilateral, un secreto guardado incluso frente a Pete. Como tantas otras cosas que no le dije durante tanto tiempo: sentimientos, recuerdos, culpa, temores. Años de cosas no dichas.

Debajo de la carta de mamá están todas las que yo le escribí; las sujeté con una cinta de color granate y ahora la recorro lentamente con el dedo; el roce de la seda es fresco contra mi piel tibia. Ella adoraba el color granate. Deslizo el sobre bajo la cinta, junto con las otras cartas.

La recuerdo cocinando, con las mejillas sonrosadas debido al calor del horno. Su sonrisa. La recuerdo bailando en los jardines de Kensington, donde no estaba bastante abrigada y cogió un resfriado. Sus largas piernas. Recuerdo como solía arrastrarme de la cama para contemplar las estrellas y contarme sus historias: cada una era un príncipe desterrado o una bailarina, un deseo lanzado al oscuro firmamento, la chispa del cigarrillo del Padre Cielo. Recuerdo sus cabellos rojos y rizados como las llamas y sus ojos cuyo resplandor era excesivo. La recuerdo en las librerías, riendo a carcajadas en los cines, estrechándome entre sus brazos con demasiada violencia ante la puerta de la escuela. La recuerdo en París, ofreciéndome un macaron en una caja como si su dulzor arreglara todo aquello que no era perfecto y dejé que mis lágrimas cayeran y cayeran. Permanezco sentada con mis recuerdos, contemplando las luces de los casinos refulgiendo contra las nubes nocturnas.

Cuando los rayos del sol penetran a través de la ventana de la habitación e iluminan el polvo que flota en el aire, estoy sentada al pie de nuestra cama con la caja en las manos. Es Año Nuevo y debo enterrar el pasado; quiero empezar de nuevo, quiero volver a amar. El distanciamiento entre Pete y yo no solo fue culpa de él: es una ecuación que incluye a dos personas. Tengo la sensación de que por fin comprendo lo que es el amor familiar: enredado, herido y maravilloso. Imperfecto. Un amor para siempre. Me siento extrañamente ligera, como los pequeños macarons cuando se hinchan en el horno.

Pete se incorpora y suelta un gemido. Su cuerpo ha envejecido desde que regresamos de aquella luna de miel, pero aún me resulta conocido; el aroma de su piel es el mismo y sus ojos son del mismo color verde esmeralda que contemplé al decir «Sí, quiero» en Bali. Se frota la cara, aún medio dormido, y parpadea al notar que estoy sentada al pie de la cama mirándolo fijamente. Le acerco la caja con las cartas por encima de las ondulaciones y los pliegues del nórdico. La coge y yo empiezo a explicar con mucha lentitud. Años de cosas no dichas.

Más adelante, esa misma semana y un poco después del amanecer, estoy en la parte posterior de Lillian's. Llamé a Gigi y le pedí que me ayudara, aunque en realidad no sé por qué. Tal vez porque sé que su madre también es una persona difícil de querer, o quizá porque quiero ver el rostro dulce de Faith cuando todo haya acabado. Pete nos observa a ambas. También estaba a mi lado frente a la diminuta lápida en Inglaterra: una lápida insignificante, nada parecida a mamá.

En aquel entonces estaba como atontada, contemplando la lápida y manteniéndome alejada de Pete y de cualquiera que se acercara demasiado. En ese momento aún no estaba dispuesta a soltarla.

—¿Crees que estamos haciendo lo correcto? —pregunta Gigi con expresión preocupada.

Estoy cavando en la tierra detrás de la cocina y está lleno de fragmentos de cristal y metal. Cada vez que la pala choca contra algo inesperado suelta un chirrido. Pete alinea trozos de botellas de Tsingtao, tenedores torcidos y los rayos de una bicicleta. Su expresión es adusta, como si él también estuviera preocupado por mí.

—Tengo que hacerlo.

Mi voz se eleva por encima de la tierra y los escombros. Ellos asienten y siguen quitando todas las porquerías que aparecen. Por fin he cavado un agujero de casi un metro de profundidad y medio metro de ancho en forma de óvalo. Los tres nos asomamos al agujero y Pete se quita la tierra de las manos.

—¿Y ahora, qué?

—Ahora traemos el reproductor de casetes —ordeno.

No resultó sencillo encontrarlo: en Macao es tan anticuado como un gramófono. Gigi se dirige al interior y un minuto después golpea el marco de la ventana de la cocina.

—El cordón solo llega hasta aquí —dice, alzando el reproductor y apoyándolo en el alféizar, donde permanece pero amenaza con caer hacia atrás.

—Vale, así está bien.

Gigi sale y permanece junto a la puerta, vacilando. Mantengo la vista clavada en el agujero.

Pete coge la pala y me tiende una bolsa de plástico, apoya la pala contra la puerta de la cocina y la mano en mi cintura, tratando de infundirme ánimo. Tardo un momento en pronunciar las palabras pero después brotan como un torrente.

—Querida mamá... —digo y carraspeo para aclararme la garganta—. Esta es mi última carta.

Siento el peso de la bolsa en la mano y recuerdo que Pete me la alcanzó.

—Pero hoy tú y yo pasamos página.

Por fin el reproductor empieza a funcionar y la voz de Édith Piaf resuena en el pequeño patio, valiente y evocadora. Oigo que Gigi suspira y me doy cuenta de que la canción conmueve incluso a aquellos que jamás la habían oído. Eso haría sonreír a mamá.

—Quiero que sepas lo muchísimo que lamento haberte abandonado. No comprendía cómo eras, qué eras. Era joven, necesitaba mi libertad. No lo sabía... —digo y, tras una pausa, añado—: Te abandoné.

Pete me estrecha la mano.

—Pero nunca te olvidé, mamá. Este lugar es para ti. Lleva tu nombre y es todo lo que tú hubieras deseado. Está repleto de cosas hermosas: macarons, té, amor y unas personas maravillosas. Quiero que siempre tengas un lugar aquí, estés dónde estés ahora. Así que dejaré algunas cosas aquí, un ancla para que puedas regresar.

La canción suena con fuerza cada vez mayor y al echar un vistazo a Gigi veo que llora en silencio y sus lágrimas caen en la tierra. Yo también me pongo a llorar.

—Te quería, mamá. Soy tu hija y siempre estarás en mí,

vaya adónde vaya. Te perdono y espero que tú también me perdones.

Al tiempo que la música, llena de zumbidos, ruiditos e imperfecciones surge de la ventana de la cocina, traduzco la letra mentalmente, cierro los ojos un instante y dejo que todo se vuelva oscuro y desaparezca detrás de mis párpados mientras procuro recuperar el aliento. Entonces abro los ojos, y dejo caer los últimos objetos de mamá en el agujero. Lo primero en caer de la bolsa de plástico es un libro, quizás el último que leyó; en la tapa, blanca y roja, se lee: «Poema del día.» Las páginas están dobladas y desgarradas y en el lomo hay una mancha de té. Luego cae su jersey, seguido de un collar de cuentas de color granate. Recuerdo que solía cantar *jazz* y danzar por toda la casa y las cuentas rebotaban contra su rostro al tiempo que brincaba. Hay un cepillo y un calcetín gris, lo bastante grueso para evitar que el frío invernal de Londres le congele los dedos de los pies. Finalmente, un sobre donde pone «Gracie» en letras redondeadas cae sobre el pequeño montón. Lo recojo y lo guardo en mi bolsillo: es todo lo que queda y no quiero desprenderme de él. Ni de eso ni de Édith, que aún canta *Je ne regrette rien.*

Entonces Pete me alcanza la caja de zapatos y desato la cinta. Mis propias cartas flotan y caen en el agujero, blancas como alas de paloma.

«Descansa en paz, mamá.»

Pete me abraza mientras lloro y me pregunto quién seré cuando deje de sentir la carga de culpa y de tristeza que me agobió durante tantos años. Echo de menos a mamá.

Desde un lugar exterior a mí misma vuelvo a sentir esa liviandad, como si alguien tirara de unas cuerdas y me levantara. El viento me acaricia el cabello y, cuando levanto la vista, las nubes se han abierto y aparece un trozo de cielo azul entre los edificios. Pete levanta la cabeza y también lo ve. Gigi entra en la cafetería; oímos que rebobina la cinta, le da al *play* y *mademoiselle* Piaf se lanza con todo. Imagino los subtítulos en inglés desplazándose contra el cielo azul, que parece surgido de un cuadro renacentista. Habla de no arrepentirse de nada, de dejar atrás el pasado. Y entonces surge una diminuta semilla de algo nuevo. Piaf no dice qué es, pero yo lo sé: esperanza.

Pete me besa la frente y me suelta. Cojo la pala y cubro la pequeña tumba; tras la última palada queda un pequeño montículo.

Me llevo los dedos a los labios y luego los presiono contra la tierra.

—Adiós, mamá. *Je ne regrette rien.*

Más tarde, cuando el día ha pasado y la cafetería está cerrada, estoy rodeada de mujeres. Supongo que es una especie de velatorio, de esos que le hubieran gustado a mamá. Mujeres, cotilleos, dulces y risas. La luna llena y unas cuantas estrellas brillan en el cielo; todas permanecemos sentadas e iluminadas por las velas y lo contemplamos. Hemos comido macarons, trozos de tarta, hemos bebido té y hemos contado historias. Marjory lleva el cabello por encima de un hombro y está trenzando el de Gigi. Rilla sirve más té a Yok Lan y Faith duerme. Sus rostros parecen dorados bajo la luz titilante.

—Te está creciendo el pelo, Gi —dice Marjory, sonriendo.

—No he ido a cortármelo; por el momento no me importa. Que crezca cuanto quiera —dice Gigi en tono de indiferencia.

—Se supone que no has de cortarlo hasta después del año nuevo chino, ¿verdad? —pregunta Rilla, al tiempo que Yok Lan le palmea la mano, agradecida. La anciana levanta la taza humeante y bebe un sorbo.

—Sí, algo así; debería preguntárselo a Pau Pau, ella conoce todas las viejas tradiciones. Sé que llevar ropa interior roja trae suerte.

Marjory sujeta la punta de la trenza con una cinta.

—¡Sííí! —exclama—, eso me gusta. Me pregunto si poseo unas atrevidas braguitas rojas para ponerme en el año nuevo chino.

Rilla y Gigi ríen.

—Apuesto a que sí —dice Gigi con una sonrisa maliciosa.

—A mamá también le hubiese gustado —murmuro.

Se vuelven hacia mí con expresión seria.

—Eh, no pasa nada —les aseguro—. Es bonito, es como si estuviera aquí, como si la hubiera liberado del cielo o donde quiera que esté. Quizá nos esté mirando.

Yok Lan me mira como si supiera lo que estoy diciendo; hay algo en la mirada de sus ojos oscuros que me da calor y me tranquiliza. Una sonrisa atraviesa su rostro arrugado y asiente con la cabeza. «Buena chica», imagino que dice.

Marjory me abraza.

Rilla me alcanza un plato de macarons y cojo el de ciruela e hibisco con *ganache* de chocolate, el bizcocho se desmenuza y el chocolate se funde en mi paladar y en la lengua.

—¿Cuál es este año nuevo? —le pregunto a Gigi.

—¿Te refieres a qué animal corresponde?

—Sí.

—Este año es el de la rata, así que el próximo es el del búfalo.

—El año del búfalo —repite Rilla.

Vuelvo a contemplarlas a todas, con sus rostros distintos y hermosos iluminados por la luz de las velas. Jóvenes y viejos, de colores diferentes, de formas diversas. Faith está en su cochecito a mi lado. Apoyo la mano en su vientre y siento como respira.

—Hagamos un brindis —digo, levantando la taza de té. Todas se vuelven hacia mí y resuena el tintineo de la porcelana. El té *orange pekoe* se derrama en el mantel que he tendido y Rilla ríe. Imagino el rostro de mamá contemplándome desde las alturas y viéndome, viéndome de verdad. Todo mi pasado, sin censura, su mirada penetrando hasta el fondo de mis entrañas. Estaría orgullosa de esto. Imagino sus ojos oscuros, su roja cabellera del color de las llamas y me estremezco desde la punta de la cabeza hasta los pies. Su sonrisa...

—Brindo por el año del búfalo.

Todas me miran.

Contemplo la mancha de té en el mantel blanco.

—Prometo que jamás os olvidaré —digo con voz ronca—. Jamás olvidaré a ninguna de vosotras: Yok Lan, Gigi, Marjory, Rilla... Faith.

La última palabra se convierte en un susurro, los ojos se me llenan de lágrimas y el mantel se vuelve borroso.

—Vosotras me habéis cambiado.

Marjory suelta una risa nerviosa.

—Lo dices como si te fueras a morir —comenta y su expresión jovial también es un tanto dubitativa.

Solo Gigi me mira fijamente, con tranquilidad y cierta frialdad. Está pálida, como si hubiera visto un fantasma; su cara ha perdido todo el color. Apoya ambas manos en la mesa; restos de esmalte color azul marino manchan la parte superior de las uñas; hace tiempo que ya no se las pinta. Inspira y durante un instante su mirada me atraviesa. Luego suspira, como si siempre lo hubiera sabido.

—No está a punto de morir. Se marcha.

La promesse — La promesa

Orange pekoe espolvoreado de oro relleno de mascarpone con jalea de rosas

Durante los días siguientes, Marjory casi siempre está en Lillian's y Gigi y Rilla trabajan todos los días, desde temprano hasta tarde. Me pregunto si intentan pasar el mayor tiempo posible aquí, preocupadas, porque quizá pronto desaparezca de sus vidas. Yo también estoy inquieta. ¿Qué tengo que hacer con lo que me salvó de caer en la desesperación y que me dio esperanza? «Mi bebé.» ¿Quién amará este lugar como lo amo yo? El dinero no tiene importancia, he recuperado mi inversión y nunca se trató de dólares. Lo importante es la pasión que me despertaba.

Estoy sentada junto a la ventana royéndome las cutículas y Faith gorjea con sus labios perfectos. Interrumpe mis temores. Como las chicas están trabajando duro en la cocina, no tengo nada que hacer, así que me dedico a jugar con Faith y a mirar fijamente por la ventana. La cojo en brazos, aprieto su cuerpo grueso contra mi cara y ella suelta una ristra de chillidos y risas. Se está volviendo más pesada, patalea con fuerza y lleva calcetines a rayas. Sus cabellos negros enmarcan sus profundos ojos castaños.

—Te quiero, pequeña Faith —murmuro con los labios contra su nuca y la abrazo mientras ella apoya la cabeza en mi hombro.

Fuera suena un parloteo en una lengua extranjera y levanto la cabeza. Al otro lado de la calle, un grupo de mujeres japonesas de mediana edad se apean de un pequeño bus turístico y todas señalan y toman fotografías. Una mujer joven y trajeada de aspecto recatado sostiene un portapapeles. Al ver al grupo, Faith suelta un pequeño chillido detrás del cristal de la ventana, pero las mujeres están ocupadas poniéndose viseras, comprobando sus carteras, buscando el botón correcto en la cámara de una amiga y posando. Un hombre desciende de la parte trasera del bus: cabellos plateados, alto, lleva una cazadora de cuero negro. Guiño los ojos para asegurarme.

Gigi sale de la cocina con un paño en la mano.

—Es ese chef francés, ¿no?

—Sí, es Léon.

Observo cómo reúne a las mujeres, que lo contemplan con los ojos muy abiertos y grandes sonrisas. La joven trajeada traduce las palabras de Léon, pero nadie la mira: mantienen la vista clavada en Léon, en sus ademanes y en el beso que les lanza con los dedos. Observan atentamente sus manos, sus dedos delgados y sus ojos azules. Imagino que se llenan los oídos con su deje francés, con el corazón palpitando y las historias que contarán a sus amigas cuando regresen a casa.

—¿Qué está haciendo?

Gigi se asoma a la ventana con el paño de cocina colgado del hombro.

—No lo sé.

Al observar a Léon no se me acelera el pulso ni el rubor me cubre las mejillas. Nada. Pienso en mamá, contemplándome desde el cielo, dejando ir una risita y meneando la cabeza lentamente. «¿En qué estabas pensando, cariño mío?» Sonrío y levanto la vista al cielo raso, como si ella estuviera allí, observándome. Después me inclino y beso el cuello de Faith.

Entonces Léon se dirige a Lillian's y Gigi se retira de la ventana.

—*Bonjour!* —dice al entrar en la cafetería.

—Hola, Léon —contesto con una sonrisa.

—Estoy haciendo un *tour* con un grupo de japonesas, como verás —dice, indicando el otro lado de la calle.

—Sí, lo veo.

—Es un *tour gourmet* de Macao, un nuevo negocio que he emprendido. —Sonríe y luego baja la voz—. Aquí no hay nadie que se encargue de ocuparse de lo que les interesa a las mujeres de los VIP. Supone un gran hueco en el mercado.

—Seguro que sí.

Gigi se cruza de brazos y le dirige una mirada furibunda.

—Bien, iremos al restaurante portugués situado calle abajo para almorzar y comer tartas de huevo, y después vendremos aquí a por los macarons. Deben visitar Lillian's, por supuesto: es una cafetería famosa. Los macarons son muy populares en Japón, así que nos veremos pronto.

—No hay problema —digo, y le agradezco que me avise con antelación.

Cuando se marcha, con los faldones de la camisa agitados bajo la cazadora y dando zancadas, me pregunto cuántas veces lo veré antes de abandonar Macao, y me pregunto si hoy será la última vez. Las mujeres se apresuran a seguirle el paso, todas muy sonrientes. Me guste o no me guste, Léon ha jugado un papel en mi aventura durante este año terrible-maravilloso, maravilloso-terrible. Es como completar un ciclo: haber ido al Aurora aquella noche, haber aprendido a preparar macarons, mi loca fantasía romántica y descubrir que, al fin y al cabo, estoy enamorada de mi marido. Ahora Léon está aquí y acompañará a otros a mi cafetería. Mi Lillian's. Mis famosos macarons. Sonrío.

—Ese individuo no me gusta —dice Gigi, frunciendo el ceño y observando mi sonrisa.

—Lo sé, Gi, lo sé —digo riendo y casi añado que no tiene que preocuparse por mí. «Ojalá ella tuviese un radar que le permitiera identificar a los tíos que no le convienen», pienso.

Cuando el grupo ha desaparecido y he vuelto a acostar a Faith en su cochecito, con la cabeza pesada soñolienta, Gigi se dirige a la cocina y vuelve con un plato en el que reposan cuatro macarons. Son de color anaranjado pardo claro, como hojas otoñales, y espolvoreadas de oro. «Casi son del mismo color que mis cabellos», pienso vagamente. Gigi besa a su hija y se sienta frente a mí. Lleva calcetines a rayas, como la niña, pero los suyos llegan hasta las rodillas a juego con sus pantaloncitos cortos verde oscuros. Faith bosteza.

—¿Son los nuevos macarons?

Ella asiente y se hace una coleta fijada con un elástico.

—Dime qué contienen.

—Tienen sabor a *orange pekoe* y están espolvoreados con ese polvo dorado —dice, sosteniendo uno para demostrarlo—. Relleno de mascarpone y jalea de rosas en el centro —añade partiendo un macaron por la mitad con los dientes y mostrándome el centro.

—Parece muy bueno. ¿Qué nombre le ponemos?

—No lo sé.

Cojo uno: la textura, el peso y el sabor están perfectamente equilibrados. La simetría, la ligereza, las tapas pegadas entre sí mediante el suave relleno. Asiento en señal de aprobación y como uno. Tiene razón: el sabor a naranja y a rosa se funde en mi boca. Es como mamá: brillante y lleno de sorpresas. Gigi me ha impresionado, ha aprendido tanto... Se negó a abandonar Lillian's y a volver a trabajar de crupier en el casino, pese al caos que ello provoca en su casa. Es tozuda y talentosa y ya sé que el macaron será un éxito.

Gigi aguarda que se lo asegure; me veo reflejada en sus

oscuras pupilas, sentada como si fuera un cliente mientras ella me sirve con un delantal atado a la cintura. Entonces se me ocurre una idea y empieza a germinar.

Acuno a su hija en el cochecito, empujándolo con el pie con mucha suavidad.

—Reflexionaré sobre el nombre —digo lentamente.

Gigi protesta, fingiendo frustración.

—Sí, vale, pero dime... ¿te gusta?

—¿Que si me gusta?

—¿Y bien? —dice, alzando la voz con expresión expectativa.

—Lo adoro —digo—. Es perfecto.

Una sonrisa se dibuja en su rostro cansado. Suspira y su mirada oscila entre Faith y yo. Ladea la cabeza.

—Hay algo que hace tiempo quería comentarte, Grace —dice en tono serio.

Asiento y echo un vistazo a Faith, que abre y cierra los ojos.

Durante unos momentos, Gigi guarda silencio, jugueteando con el borde del delantal. Parece mayor, ya no lleva tanto maquillaje, pero su expresión es tan decidida como siempre. Se muerde el labio; quiero abrazarla pero espero hasta que hable.

—La adoro, ¿sabes? —susurra.

—Sí, lo sé, Gi.

—No supuse que lo haría.

Permanezco en silencio.

—Creí que me estropearía toda la vida, todos mis sueños —dice, traga saliva y parpadea—. He estado pensando en la vida que quiero para ella: la mejor. No estoy segura de que yo... —dice, se interrumpe y dirige la mirada por encima de mi cabeza.

Me pregunto si dirige la mirada hacia el pequeño póster enmarcado colgado de la pared: niños danzando, llamas, chispas... parecen estar celebrando año nuevo. Recuerdo que

Pete me animó a prestarle atención, a escucharla y a ser su amiga. Y entonces pienso en mamá, en la primera vez que comí un macaron sentada en la cama en una mañana fría y gris de París. «Todo irá mejor», me prometió.

—¿Tomamos una taza de té y acabamos con estos macarons?

Gigi sonríe y asiente con la cabeza.

Marjory lleva una blusa de color violeta oscuro de mangas transparentes. La brisa agita su melena rubia.

—¿Violeta?

—Sí —dice, y se encoge de hombros—. Consideré que era hora de llevar algo de color.

—Me gusta.

Ella me sonríe y mira a su alrededor. Las sillas están encima de las mesas y en la cocina las luces están apagadas.

—¿A quién estamos esperando?

—Rilla se está cambiando. Pete recogerá a Don y se reunirá con nosotras aquí. Estamos esperando a Gigi y a Faith.

—¿Faith vendrá aquí?

—No te inquietes; hay muchos bebés. Estuve aquí el año pasado, en la misma época. Me quedaré atrás con ella, lejos del...

Recuerdo algo: una joven que lleva una camiseta cubierta de estrellas.

—Del humo —dice Rilla, acabando la frase; lleva un ligero vestido de verano de manga corta, cubierto de flores y también sandalias de color pardo en los pies. No cabe duda de que es una muchacha. Al ver nuestras caras de asombro gira en las baldosas blancas y negras y el vestido flota en torno a sus piernas desnudas.

—¡Estás fantástica! —exclama Marjory, cogiéndola de las manos; todos reímos cuando Rilla se sonroja y baja la cabeza. Entonces suena la campanilla de la puerta de entrada.

—¡Y la señorita Gigi! —exclama Marjory. Todos nos volvemos cuando entra con Faith en el cochecito, seguidas de Yok Lan.

Hace meses que Gigi no está tan sonriente y va vestida de rojo, el color chino de la suerte y la fortuna. Lleva una blusa de cuello mandarín y tejanos, y el cabello recogido. Mucho rímel negro. Yok Lan viste una blusa azul marino del mismo estilo y lo que parece un toque del maquillaje de Gigi: un poco de rímel y de brillo labial. Nos regala una amplia sonrisa, una mano apoyada en el hombro de su nieta y la otra en el bastón. Fuera, las luces ya iluminan el cielo y entre las nubes de humo verde, rojo, anaranjado y amarillo, flotan las chispas.

—¿Vamos?

Cuando llegamos, Gigi me pasa a Faith y me instalo a cierta distancia del alboroto, con el fin de evitar las explosiones sonoras y el humo: un campamento formado por sillas plegables, el cochecito de Faith, la bolsa de pañales, la leche maternizada y tentempiés para todos. Me siento con Faith en el regazo envuelta como una polilla en su capullo y le cubro las orejas con el gorro; ella me contempla y me chupetea el meñique. Yok Lan está sentada a nuestro lado, sosteniendo un termo con té y sonriendo. Al ver la gran bolsa llena de petardos y fuegos artificiales que arrastra Marjory, Gigi ríe como una colegiala. La expresión de Marjory es pícara, no parece importarle ni notar la gran mancha de carbón en el brazo y debajo de la mandíbula. Rilla se apresura a ayudarla y ambas acaban cubiertas de hollín y riendo a carcajadas.

Sus primeros intentos con los petardos son un fracaso: chisporrotean un poco o salen volando hacia el agua en vez de elevarse al cielo. Gigi aplaude para animar a Marjory, que intenta prender un cohete, concentrada y apretando los labios. Rilla suelta una risita y se cubre la boca con la mano.

—¡Retroceded! —exclamo nerviosa, abrazando a Faith,

que oculta la cabeza contra mi pecho. Todas retroceden un par de pasos con la vista clavada en el cohete. La llama alcanza un punto crucial, todas inspiramos y un aullido como el de un hervidor perfora la noche.

¡Zuuum!

El cohete se eleva en el cielo oscuro, atravesando el humo y las nubes. El aullido se desvanece al tiempo que me pongo de pie, abrazada a Faith y cubriéndole la cabecita. Gigi, Marjory y Rilla se inclinan hacia atrás contemplando el cielo y con la boca abierta con anticipación. Se produce un breve silencio y entonces...

¡Bang!

Hay un estallido de luz y chorros de chispas de color champán llueven sobre nosotros como oro cayendo del cielo. Rilla pega un brinco y Marjory se dirige a Gigi y exclama:

—¡Choca esos cinco!

Gigi suelta un grito y yo, una carcajada. Todas bailan, una danza salvaje y espontánea en torno a la rampa de lanzamiento, llenas de luz, de amor y de esperanza. Los zapatos cubiertos de hollín, el pelo con olor a humo, amor en sus pechos. Casi oigo los chillidos de mamá.

Unos brazos gruesos me rodean la cintura, por debajo del bulto que es Faith. Siento la tibieza de un beso en la nuca y me inclino hacia atrás, entre su mentón y su pecho: en mi lugar. La manta cae del rostro de Faith y ambos la contemplamos. Ella parpadea y sus ojos son profundos, marrones y tan transparentes como la verdad.

—Feliz Año Nuevo, Grace —susurra Pete.

Epílogo

Deslizo la mirada por un patio cubierto de hierba amarillenta, bordeado por una verja baja cuyas estacas necesitan una nueva mano de pintura; hay un triciclo apoyado en ella. La luz es del color de los limones maduros y los gorjeos de un ave multicolor anuncian la llegada de la noche. Incluso el aroma es australiano: gomeros, calor y el aroma a caramelo y carbón de una barbacoa remota. Estoy sentada ante mi escritorio, cubierto de facturas, tarjetas postales, folletos turísticos, fotos del nuevo rótulo de Lillian's donde aparece Gigi de pie bajo el mismo, un recorte de un diario y una foto de Marjory y sus monjas, todas en fila como pingüinos sonrientes. En la casa reina un desacostumbrado silencio y lentamente empiezo a sentirme en paz y suspiro. Anoche, cuando ambos estábamos tendidos uno junto al otro en la tibia oscuridad, Pete susurró:

—A que es una buena vida, ¿verdad, Gracie?

Asentí y me acurruqué contra él. Era una vida mejor y más dulce, sin duda.

Inspiro el aire húmedo y me acomodo en la silla, que suelta un crujido. En medio del desorden hay un bloc; lo cojo y también un bolígrafo de la lata de té de jazmín que ahora sirve de portaplumas. Pienso en su rostro mientras escribo: fresco y limpio, sin el maquillaje que solía llevar. Aún conserva su barbilla desafiante, pero, ahora, más que rebeldía, expresa confianza. Noto cierto cansancio en la mirada —es un poco mayor, al fin y al cabo—, en los ojos rodeados de arrugas causadas por las sonrisas. Ya no pone los ojos en blanco: oscuros y límpidos, aún resultan atractivos y reflejan su auténtico carácter, bondadoso y sincero.

Querida Gigi:

¿Cómo estás?

Te envío unos dibujos para que los cuelgues en tu apartamento: aparecemos tú y yo, un cielo de color rosa (por supuesto) y Yok Lan bebiendo una taza de té. Me dicen que lo demás son tartas.

He estado contemplando mi desordenado escritorio y pensando en todas las cosas que olvidé decirte o preguntarte cuando hablamos por teléfono; hablar de la pequeña me distrae. Hemos reservado los pasajes para el año nuevo chino; ¿ya te lo he dicho? Nos quedaremos al menos cuatro semanas, pero quizá durante más tiempo si no recibo pedidos que me obliguen a regresar. Dile a Yok Lan que traeremos esos bizcochos de chocolate que le gustan, ¡todos los que logre meter en la maleta! Espero que vosotras tengáis lugar en los armarios de la cocina.

Aquí el negocio marcha viento en popa, Gigi. Al principio no estaba muy segura, dado que también tenía que encajar las clases de natación, las horas de juego y todo lo demás. Al fin y al cabo, solo son tartas, pero prepararlas puede llevar tiempo, sobre todo cuando ciertas personas quieren devorar la cobertura o pintar las paredes con la masa. He recibido un pedido para la inauguración del nuevo restaurante ruso de la calle Brunswick. Creo que prepararé unas de chocolate amargo con *ganache* perfumado al licor de cerezas, tal vez cubiertas de diminutas estrellas doradas, como las que usé para la boda de Lam. ¿Qué opinas?

Recibí el artículo sobre Marjory y el premio Macao al Buen Samaritano; Don lo envió. A que parece una supermodelo, ¿verdad? Todos esos dientes blanquísimos y piernas larguísimas... Debes decirle que ha de dejar de llevar esas faldas tan cortas cuando la fotografían junto a las monjas; juro que es la Madre Teresa más sexy que jamás he visto. No dejo de imaginarme a Rilla, situada a un lado y ocultándose tras una planta o algo por el estilo. Excitada pero abochornada. Esas dos están cambiando el mundo, a razón de una muchacha por vez. Cuando vaya allí quiero ver el nuevo edificio de la fundación. Quizá podamos organizar una pequeña inauguración. Y dales recuerdos de mi parte y diles que pronto estaremos allí.

Falta poco para la próxima fiesta de cumpleaños. Me cuesta creerlo, ¿también a ti? Han pasado cuatro años desde que Rilla cogió el teléfono y dijo que habías tenido una niña. Se me corta la respiración al pensar lo grande que es una niña de cuatro años, cuando todavía recuerdo un diminuto bebé. Un diminuto bebé de ojos oscuros y una boca perfecta. Todo ha pasado con tanta rapidez... Deseo que pudiéramos vernos más a menudo, pero las cosas están saliendo bien, ¿no? El primer año fue el más duro. No sé quién derramó más lágrimas, tú, yo o ella. Lágrimas de tristeza, de felicidad, de pena y de aceptación. Podríamos haber llenado el delta del Pearl, ¿verdad? Doy gracias a Dios por poder hornear dulces y por Lillian's. Todas tuvimos que acostumbrarnos a echarnos tanto de menos y a encontrar un equilibrio. Me alegro de que lo hayamos logrado. Oírte reír me hace mucho bien.

Ella quiere saber si recibirá «bico-chos de luna» para el año nuevo chino. Los recuerda de la penúltima visita;

Yok Lan le daba pequeños trozos mientras ella permanecía sentada en sus rodillas, contemplando los peces de colores del estanque. No quiero decirle que solo se preparan durante el festival de mediados de otoño, porque me apena. Quizá tengamos que preparar un macaron especial de año nuevo. De hecho, anoche se me ocurrió una receta, aunque tal vez no sea indicada para los niños. De sabor a lichi y relleno de crema de mantequilla y violetas abrillantadas. *L'amour et les amis*, Amor y amigos. Solo es una idea.

Será mejor que acabe. Veo que una persona pequeña y otra alta se acercan por la calle. Creo que alguien sostiene un globo en la mano. Estoy impaciente por verte. Te echamos de menos. Espero que te gusten los dibujos; pensamos en ti todos los días, Mamá Gi.

Tu familia que te quiere,

GRACIE, PETE Y FAITH

Dejo el bolígrafo en el escritorio y deposito la carta encima de los dibujos: colores brillantes, espirales y rayas, líneas que forman tartas y muñecos de palitos. Mañana la enviaré. Me pongo de pie y saludo a través de la ventana. Pete es el primero en verme, me regala una sonrisa y levanta la mano. Faith levanta la vista, sus cabellos oscuros caen hacia atrás y nuestras miradas se cruzan. Sonríe de oreja a oreja. Lleva la cinta que sujeta el globo en torno a la muñeca; cuando suelta la mano de su papá y echa a correr hacia la casa, el globo flota a sus espaldas. Su risa se eleva, la brisa la lleva hasta mí: es la misma risa de Gigi. Aprieto las manos contra la ventana y la observo. Ella me llama con una voz llena de alegría y juventud.

—¡Mamá!

Macarons

Los macarons son un pequeño dulce francés elaborado con una finísima harina de almendras, clara de huevo y azúcar, y rellenos de crema. Adorados desde hace siglos por parisinos y europeos, son infinitamente más elegantes que los *cupcakes*, más delicados que las tartaletas y más bonitos que las pastas: son unos encantadores botones similares a los merengues, de estilo típicamente francés. Los sabores cambian según las estaciones, los caprichos o el estado de ánimo. El mejor acompañamiento es una taza de té y una conversación repleta de secretos y cotilleos. Estos dulces provocan adicción y resulta fácil saber por qué: tras probar el primero uno no puede parar hasta el último.

Agradecimientos

Quiero dar las gracias a:

El maravilloso equipo de Scribner, sobre todo a Whitney Frick, editor y promotor de este libro: aprecio mucho tu compromiso y entusiasmo. A Catherine Drayton, mi agente, y a las buenas personas de Inkwell por su apoyo. Al equipo de Pan Macmillan Australia, que fueron los primeros en descubrir el potencial de Grace y de Lillian's y que trabajaron tan duro y me enseñaron tanto... A Brianne Collins, por tu generosidad, tacto y comprensión. Gracias a tus esfuerzos, este sueño se convirtió en realidad.

A los periodistas culinarios y los blogueros cuya pasión supuso inspiración y entretenimiento, sobre todo a Karen Chong de Mad Baker y a Clotilde Dusoulier, de Chocolate and Zucchini. Y mi agradecimiento personal a Anthony Poh, talentoso chef, por sus instrucciones pacientes y amables.

A mis fantásticos amigos, sobre todo a los de Macao, que fueron mi familia allí, sobre todo a Gigi Kong, Veron Mok, Peta Lewis, Amanda Quayle, Monica Ellefsen, Kylie y Chris Rogers, Helene Wong, Faith y Paul Town, Lucie y Phil Grappen. Y también a Deane Lam, por su información sobre Macao y su amistad; todos los errores son míos. A la gente de Macao, como Fran Thomas, Marjory Vendramini y los miembros del ILCM que procuran que las cosas sean un poco mejores, gracias por vuestro servicio y vuestra compasión. Envío cálidos abrazos a mis amigos de Vancouver que me apoyaron cuando me afané en revisar y corregir y editar el manuscrito, sobre todo a todas «Las Mamás». Nunca olvidaré el tiempo y las experiencias especiales que compartimos. *Merci beaucoup* a Rachelle Delaney y a Helene Wong por ayudarme con mi (horrendo) francés y a Ria Voros por su apoyo bondadoso y fraternal. A Faith y Lucie, todo mi afecto por animarme e inspirarme: eres una musa estupenda, Lucie.

A Rob, Glen, Greg y Kendall Tunnicliffe, mi asombroso *whanau*, quienes creyeron en mí y me apoyaron: *aroha nui* y más, siempre. Y mi agradecimiento especial a mamá, por tomar aviones, hacer de canguro, leer borradores, por su amor incondicional y su compromiso; te amamos, Nonna. A mi familia Ballesty, sobre todo a Paul y Wendy, que me dieron una bienvenida tan afectuosa y me animaron; me siento muy afortunada por formar parte de vuestra tribu.

A mi querida familia: Wren Lillie, tu mamá te adora de todo corazón, y a Matthew Ballesty, mi marido, mi verdadero amor y mi mejor amigo: decir gracias no es suficiente. De algún modo, soy más gracias a ti. Por cuidarme, confiar en mí y animarme hasta la última palabra: te quiero muchísimo.